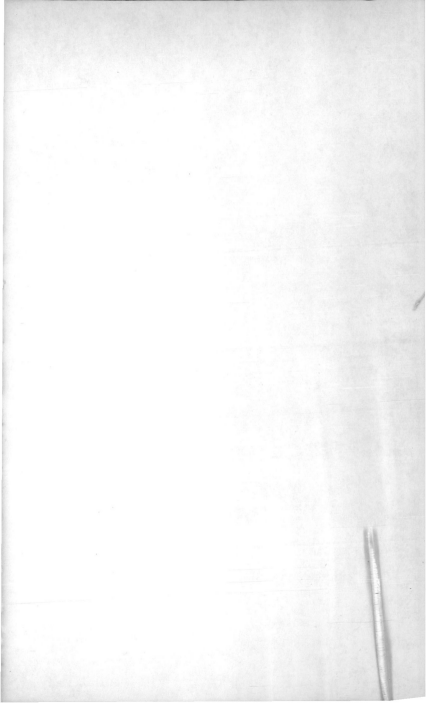

TABLE DES SERMONS DE S. LÉON

La première colonne indique le numéro du sermon, la seconde la page du volume. Pour les tomes I et II, les chiffres renvoient à la seconde édition (*SC* 22 bis, 1964, et 49 bis, 1969) ; pour les tomes III et IV, à la première édition (*SC* 74, 1961, et 200, 1973). Les chiffres entre parenthèses renvoient à la première édition des tomes I et II.

TABLE DES SERMONS DE S. LÉON

*
* *

On trouvera à la page 309 de ce tome IV une Table de Concordance entre la numérotation des sermons donnée par l'édition Ballerini-Migne et celle qui figure dans la présente édition.

SERMONS

★ ★ ★ ★

SOURCES CHRÉTIENNES

Directeurs-fondateurs : H. de Lubac, s. j. et J. Daniélou, s. j.
Directeur : C. Mondésert, s. j.

N° 200

LÉON LE GRAND

SERMONS

TOME IV

TRADUCTION, NOTES ET INDEX

DE

Dom René DOLLE

Moine de Clervaux

LES ÉDITIONS DU CERF, 29, Bd DE LATOUR-MAUBOURG, PARIS
1973

NIHIL OBSTAT
IMPRIMI POTEST :
Claravalle, in die natali S. Leonis
10ª novembris 1972
Fr. Vincentius TRUIJEN
Abbas SS. Mauritii et Mauri

IMPRIMATUR :
Lyon, 25 janvier 1973
Paul BONY

INTRODUCTION

Avec ce quatrième volume s'achève la publication, dans la collection des Sources Chrétiennes, des sermons du pape S. Léon le Grand.

Suivant le schéma adopté au début pour la disposition des *Sermons*, on trouvera ici les *Sermons sur les « jeûnes »* : de Pentecôte (nᵒˢ 65-68), du VIIᵉ mois (septembre) (nᵒˢ 73-81) et du Xᵉ mois (décembre) (nᵒˢ 82-90) ; les sermons prononcés à l'occasion de fêtes de saints : les saints Pierre et Paul (nᵒˢ 69-71), S. Laurent (nᵒ 72) et le sermon sur les degrés de la béatitude (nᵒ 91) ; enfin les 5 sermons prononcés par le Pape à l'occasion soit de son élection au Souverain Pontificat, soit de l'anniversaire de celle-ci (nᵒˢ 92-96) ; en tout 32 sermons reconnus comme authentiques par les frères Ballerini, dont la Patrologie latine de Migne a reproduit l'édition dans son tome 54. Cependant la critique postérieure a rendu à S. Léon 2 sermons, dont l'un figurait dans cette édition parmi les sermons attribués à S. Léon ; il s'agit du *Sermon sur les Maccabées* et de la *Praefatio Symboli*. On les a ajoutés aux 32 sermons antérieurs[1]. Ce sont donc 34 sermons dont ce volume offre la traduction ; on y a joint, pour clôturer l'ensemble

---

1. Nous n'avons pas cru pouvoir retenir le sermon dit « Parce fame morientem », quatrième parmi les sermons attribués à S. Léon dans *PL* 54, *De Quadragesima* II (col. 490-491), en raison du style vraiment trop différent de la manière léonienne ; nous l'avons écarté malgré l'opinion exprimée par E. Lio dans *Antonianum* 27 (1952), p. 349-366 et suivie par le P. A. Lauras dans *R.S.R.* 49 (1961), p. 484.

de l'édition, l'éloge que le Pape Serge Ier consacra à S. Léon le Grand quand il fit transférer ses restes de l'entrée de la Basilique Saint-Pierre à l'intérieur du monument.

Alors que la traduction de ces *Sermons*, faite sur le texte des Ballerini, était achevée, a été annoncée la parution prochaine dans le *Corpus Christianorum* (Éd. Brepols, Turnhout) de l'édition critique des *Sermons* établie par les soins de M. le Professeur Antoine Chavasse, travail capital dont les amis de S. Léon et les patrologues en général ne sauraient assez remercier l'auteur. Les délais imposés à la parution de ce volume ne permettaient pas une refonte complète, et certainement souhaitable, de la traduction sur le nouveau texte. Pour en tenir compte cependant, dans la mesure du possible, on a introduit dans le texte latin les variantes les plus importantes, profitant pour cela de l'autorisation aimablement accordée par la direction du *Corpus*. Les mots ou passages rectifiés ont été signalés par un astérisque et la traduction a été modifiée en fonction des changements. Ainsi ce volume offre, au moins pour l'essentiel, le texte latin de S. Léon tel qu'il ressort des travaux critiques les plus récents.

Nous présenterons brièvement les caractéristiques des sermons que l'on lira plus loin.

Les Sermons sur les « jeûnes »

Plusieurs des éléments de doctrine exposés dans ces sermons se trouvaient déjà dans les sermons sur le carême. On ne s'en étonnera pas si l'on se souvient que le carême est, pour S. Léon, l'un des quatre temps forts de l'année, les trois autres étant les « jeûnes » de Pentecôte, du VIIe mois et du Xe mois. Il écrit, en effet, dans le *8e sermon pour le jeûne de décembre* (n° 89 de cette édition), 2 : « Nous célébrons un jeûne de printemps durant le carême, un jeûne d'été à la Pentecôte, un jeûne d'automne au septième mois et un jeûne d'hiver en ce mois qui est le dixième, comprenant que rien n'échappe aux préceptes divins et que les éléments sont tous au service de la parole de Dieu pour notre instruction. » Voilà clairement indiqué ce qui deviendra nos « Quatre-Temps », et qui n'était encore, au temps de S. Léon, que « Trois-Temps », les jours de Quatre-Temps de Carême n'étant pas encore isolés, comme ils le seront plus tard, dans la longue préparation quadragésimale à la fête de Pâques. Parmi ces temps forts, le carême occupe, certes, une place privilégiée. Tandis que les trois autres « jeûnes » consistent en trois jours de pénitence et de prière commune, les mercredi, vendredi et samedi d'une semaine donnée, le carême comporte quarante jours de pratique chrétienne intensive, soit six semaines, au cours desquelles le jeûne était vraisemblablement observé aux trois mêmes jours chaque semaine[1].

De ces Quatre-Temps, carême compris, les points communs d'observance sont d'abord le jeûne, la prière et l'aumône, trois objets de la discipline chrétienne que S. Léon a recueillis de la tradition antérieure, celle-ci les ayant elle-même trouvés dans le Sermon sur la Montagne, au chapitre 6 de S. Matthieu ; puis l'actualité de la lutte contre le démon, qui se fait plus âpre en carême à cause de la préparation à la fête de Pâques et, pour certains, au baptême — l'exemple de Notre-Seigneur subissant les assauts du malin et en triomphant par la parole de Dieu étant placé comme en frontispice de ce temps de lutte et de purification, et, par extension, des jours de pénitence et de prière qui jalonneront ensuite l'année.

Ces éléments de la vie chrétienne se retrouvent dans les *Sermons sur les « jeûnes »*, mais il s'en ajoute deux autres. Le premier est l'aspect communautaire de la guerre contre le démon, le second est le caractère saisonnier des « jeûnes ».

---

1. Cf. la finale du *4e sermon sur le carême* (29), 6 ; *SC* 49 bis, p. 115, n. 9.

Pendant le carême, on avait le sentiment que le démon avait l'initiative du combat : « Nos adversaires redoublent de fourberie pour nous tendre des pièges, dit S. Léon dans le *premier sermon sur le carême* ; ils savent que les saints jours du carême sont arrivés, dont l'observance amende toutes les lâchetés passées, efface toutes les négligences ; toute la force de leur perversité tend donc à ce seul but : faire que ceux qui vont célébrer la sainte Pâque du Seigneur se trouvent souillés de quelque impureté et rencontrent une occasion de faute dans ce qui aurait dû leur être une source de pardon[1]. » Dans les *Sermons sur les « jeûnes »*, le chrétien passe à l'offensive et il n'y passe pas seul ; au contraire il se sent soutenu, parce que c'est toute l'armée chrétienne qui se rassemble et se met en position d'attaque. Les saints jours des « jeûnes » sont comme des périodes d'entraînement, au cours desquelles chaque chrétien combattra dans les rangs de ses frères, et, ainsi encadré, se sentira fort contre l'ennemi et assuré de la victoire.

Les armes, certes, restent les mêmes : ce sont le jeûne, la prière et l'aumône. Le premier s'entend des privations du corps proportionnées aux forces de chacun, des privations de l'âme à l'égard des vices[2], et des privations de l'esprit à l'égard des erreurs susceptibles de corrompre l'intégrité de la foi[3]. Et que l'on n'aille pas dire que les jeûnes d'été, d'automne et d'hiver sont des pratiques juives : l'Église, suivant la tradition des Apôtres, qu'inspirait l'Esprit-Saint, a repris des observances de l'ancienne Loi, mais elle en a modifié l'esprit[4].

1. *1er s. sur le carême* (26), 2 ; *Ibid.*, p. 69.
2. Cf. *9e s. sur le jeûne du VIIe mois* (81), 1 ; *infra* p. 144.
3. Cf. *6e s. id.* (78), 2 ; *infra* p. 122.
4. Cf. *4e s. sur le jeûne du VIIe mois* (76), 1 ; *7e s. id.* (79), 2 ; *4e s. sur le jeûne du Xe mois* (85), 2 ; *6e s. id.* (87), 1 ; *9e s. id.* (90), 1 ; *infra* p. 100, 132, 170, 192, 218.

La seconde arme à employer est la prière. Les jours privilégiés sont faits pour « se libérer des soucis du siècle », pour « dérober un peu de temps qui nous servira à acquérir les biens éternels[1] », enfin pour « vaquer à la divine sagesse dans l'intime de son esprit[2] ». La charité, manifestée par l'aumône, couronnera le tout.

Dans la mise en œuvre de ces pratiques et l'emploi de ces armes spirituelles, S. Léon ne blâme certes pas l'initiative privée qui œuvre pour la sanctification personnelle, mais, dit-il, « ce qui est commun doit passer avant ce qui est personnel et il faut comprendre que l'utilité reçoit le premier rang là où demeure vigilante la sollicitude de tous[3] ». Il pense que la victoire du chrétien fervent est plus sûre lorsqu'il se tient à sa place dans l'armée rangée en bataille : il livre alors un combat qui est celui de tous, et là où « une est la cause de tous, une aussi sera la victoire[4] ». Il a donc en vue, plus que la sanctification des chrétiens isolés, celle de tout le peuple du Christ, et, en cela, il est fidèle à sa mission de pontife ; il sait aussi que, si le troupeau est saint, les brebis le seront tant qu'elles ne quitteront pas ce troupeau. Dans cette perspective, la question de savoir si quelqu'un peut ou ne peut pas jeûner devient secondaire ; le membre qui, pour une cause raisonnable, ne peut suivre l'observance commune bénéficiera de l'action du corps en tant que tel et sera sanctifié par l'ensemble. Rien d'étonnant à ce qu'un législateur monastique tel que S. Benoît se soit inspiré des idées et même de la lettre de S. Léon quand il a parlé dans sa Règle de l'« acies fraterna[5] ».

---

1. *3e s. sur le jeûne du VIIe mois* (75), 3 ; *infra* p. 95.
2. *8e s. sur le jeûne du Xe mois* (89), 1 ; *infra* p. 211.
3. *4e s. sur le jeûne du VIIe mois* (76), 2 ; de même au *3e s. id.* (75), 2 ; *infra* p. 103 et 93.
4. *4e s. sur le jeûne du VIIe mois* (76), 2 ; *infra* p. 105.
5. Nous renvoyons à notre note « Fraterna ex acie » dans *Studia Anselmiana* n° 44 (1959), p. 126-128.

Une telle optique communautaire apparaît encore quand S. Léon trace le portrait de la société chrétienne idéale gouvernée par la charité : « C'est, aux regards du Seigneur, une chose grande et fort précieuse que le peuple entier du Christ s'applique ensemble aux mêmes devoirs et que les chrétiens de l'un et l'autre sexe, à tous les degrés et dans tous les ordres, collaborent dans un même sentiment[1]. » Suit le détail des œuvres de piété qui, bien qu'accomplies par les individus, deviennent communes à tous parce qu'« une seule et même détermination les anime tous à fuir le mal et à faire le bien ». On aimerait, certes, vivre dans une telle société où « personne ne cherche son propre intérêt, mais plutôt celui d'autrui », où chacun aide son prochain dans la mesure de ses ressources et ainsi donne avec joie, faisant que « le fardeau des richesses devienne l'instrument des vertus ». Alors « la grâce de Dieu, opérant tout en tous, rend commun à tous le fruit produit par les fidèles et leur rend commun le mérite ». Et S. Léon de conclure : « L'honneur de l'ensemble est la gloire de chaque partie et, lorsque nous sommes tous mus par l'Esprit de Dieu, ce qui est nôtre n'est pas seulement ce que nous accomplissons nous-mêmes, mais encore ce dont nous nous réjouissons dans les actions d'autrui. » C'est le partage des biens spirituels après celui des biens temporels, et en conséquence de celui-ci. Par la pratique de l'amour fraternel, les âmes se débarrassent de l'égoïsme et se trouvent allégées ; elles ne recherchent d'autre récompense de l'amour que l'amour même, car « tel est l'amour qui vient de Dieu que Dieu lui-même est cet amour[2] ».

Si donc les *Sermons sur les « jeûnes »* reprennent les éléments des *Sermons sur le carême*, ils les complètent

---

1. *3ᵉ s. sur le jeûne du VIIᵉ mois* (75), 4 ; de même au *5ᵉ s. id.* (77), 4 ; *infra* p. 95 et 119.

2. *7ᵉ s. sur le jeûne du VIIᵉ mois* (79), 3 ; *infra* p. 133.

par cette perspective ecclésiale qui leur donne leur vraie valeur, leur valeur totale. Ne sont-ils pas, pour cette raison, très actuels pour notre temps qui redécouvre la dimension communautaire de la vie ?

Un autre aspect des mêmes sermons, qui n'était qu'effleuré dans les *Sermons sur le carême*[1], est l'aspect saisonnier des « jeûnes ». Sans doute n'y est-il fait qu'une allusion discrète, mais pourtant explicite, dans un des sermons sur le « jeûne » de Pentecôte à propos de la « terre de notre corps » qui doit être assidûment cultivée[2] ; nous sommes en la saison d'été où les récoltes sont encore sur pied et demandent des soins pour mûrir. De même n'est-ce encore qu'en termes généraux que S. Léon parle des travaux des champs dans deux sermons sur le « jeûne » de septembre[3] : nous sommes alors dans la saison où l'on récolte les fruits, et il faut aussi que les cœurs soient féconds en fruits de charité[4]. Mais c'est principalement à propos du « jeûne » de décembre que le symbolisme agraire est développé ; il l'est à deux points de vue, et d'abord à celui de l'action de grâces. Au Xe mois, décembre, l'année agricole est terminée, les récoltes sont engrangées : elles ont été plus ou moins abondantes. Gardons-nous de murmurer contre le Créateur s'il y a eu pénurie, et même, comme il arrive à la sottise humaine, s'il y a eu abondance, comme ce fut le cas de ce propriétaire de l'Évangile qui se plaignit, selon S. Léon, de la dépréciation des produits due à leur excès, selon S. Luc de l'insuffisance de ses greniers à recevoir la récolte[5]. Au contraire, quels que soient les biens que Dieu a donnés, ne cessons pas de

1. Cette seule allusion à « l'agriculture spirituelle » se trouve dans le *1er sermon sur le carême* (26), 5 ; *SC* 49 bis, p. 75.

2. *4e s. le jeûne de Pentecôte* (68), 3 ; *infra* p. 45.

3. Il s'agit des *4e* et *5e sermons sur le jeûne du VIIe mois* (76,4 et 77,4) ; *infra* p. 107 et 119.

4. Cf. *4e s. id.* (76), 6 ; *infra* p. 109.

5. *1er s. pour le jeûne du Xe mois* (82), 3 ; *infra* p. 157.

remercier, selon le conseil de l'Apôtre. D'ailleurs, ce qu'il faut désirer avant tout et chercher à produire, ce sont les fruits de l'âme afin que, en toute occurrence, le champ du cœur fasse pousser ce que la terre n'a pas produit ; nous devons, dans ce but, nous adonner à l'« agriculture mystique », sur laquelle S. Léon revient dans trois sermons sur le jeûne de décembre[1]. Ce qui importe, c'est la « fécondité des âmes[2] ». Le cœur de l'homme est une terre où Dieu, le Suprême Agriculteur, répand les semences des vertus. Il faut donc, par le travail de la vie chrétienne, permettre à celles-ci de grandir et de fructifier : certes, c'est du ciel que viendra la rosée de la grâce de Dieu, mais la foi défendra ce champ contre les déprédateurs, le jeûne le travaillera, l'aumône l'ensemencera et la prière le fécondera. Ainsi la souche vicieuse ne pourra pousser ses branches, mais au contraire y grandira « la joyeuse moisson des vertus[3] ». Parmi celles-ci, et les couronnant toutes, s'élève la charité qui ne reçoit les dons de Dieu que pour en faire profiter les pauvres. Aussi « heureux et infiniment digne que tous les fruits s'y multiplient, le grenier grâce auquel est rassasiée la faim des pauvres et des infirmes, est soulagé le besoin de l'étranger, est comblé le désir du malade. Tous ceux-ci, la justice de Dieu a permis qu'ils peinent en des afflictions diverses, afin de couronner et les malheureux pour leur patience et les miséricordieux pour leur bonté[4] ». Ces idées, sans doute, ne sont ni nouvelles ni originales, et leur source est dans les paraboles champêtres de l'Évangile, mais S. Léon a su leur donner l'accent de la sincérité et la beauté de l'éloquence.

Quelques remarques achèveront de caractériser les

1. Ce sont le 1er (82), 3 ; le 3e (84), 1 et le 7e (88), 3 ; *infra* p. 159, 165 et 207.

2. *1er s. sur le jeûne du Xe mois* (82), 3 ; *infra* p. 159.

3. *3e s. id.* (84), 1 ; *infra* p. 165.

4. *5e s. id.* (86), 1 ; *infra* p. 177.

Sermons sur les « jeûnes ». C'est en eux que se rencontrent les formules particulièrement bien frappées sur le partage de l'aumône, sur ce commerce avantageux qui est à la portée du riche en faveur du pauvre et qui lui assure, en échange de biens périssables, des biens éternels. Remarquons en passant que l'idée de partage, remise aujourd'hui en honneur, trouve ici des antécédents. Ces formules, on les goûtera dans le texte latin des *Sermons* et on regrettera souvent que la traduction soit incapable d'en rendre la concision et la vigueur[1]. Elles mettent surtout en évidence cette idée que l'économie procurée par le jeûne n'appartient pas à celui qui s'est privé, puisque le jeûne, pour être valable, doit être un sacrifice offert à Dieu, c'est-à-dire à ses membres qui sont les pauvres. En le leur donnant, on ne fait donc qu'une œuvre de justice, une restitution, et un acte de religion ; les en priver serait une iniquité. En réalité les seules richesses qui nous appartiennent vraiment sont celles que nous avons données[2].

La conviction de foi que le partage de ses biens avec les pauvres est, en même temps qu'un devoir, une « bonne affaire » pour le riche, rend S. Léon particulièrement sévère pour l'avarice et pour sa manifestation qu'est l'usure. Il s'en prend à celle-ci dans le *6ᵉ sermon sur le jeûne du Xᵉ mois* (87), 3. L'usurier croit s'en tirer à bon compte, alors qu'en réalité son âme est atteinte, car « usure d'argent est sépulture de l'âme ». Celui qui croyait accroître son bien par ces gains frauduleux se prépare une éternelle pauvreté. Triste et insensé calcul, puisque, au lieu de prendre des sûretés cruelles et illusoires, il aurait pu se constituer le Christ pour débiteur[3].

Telles sont les notes caractéristiques des *Sermons sur*

---

1. Cf., par exemple, *1ᵉʳ s. sur le jeûne du VIIᵉ mois* (73), 1 ; *9ᵉ s. id.* (81), 4 ; *2ᵉ s. sur le jeûne du Xᵉ mois* (83) ; *infra* p. 78 s., 148 s., 160 s.
2. Cf. *5ᵉ s. id.* (86), 2 ; *infra*, p. 178.
3. Cf. *2ᵉ s. sur le jeûne du VIIᵉ mois* (74), 4 ; *infra* p. 88.

les « jeûnes » par rapport à ceux du carême. Ils complètent ceux-ci sur des points importants et achèvent de donner à la doctrine de S. Léon sur l'aumône ses vraies dimensions[1].

Les Sermons sur les Saints

Ils sont au nombre de cinq, si l'on y inclut le *Sermon sur les degrés de la béatitude*. Dans les trois sermons consacrés aux apôtres Pierre et Paul, il s'agit surtout, en fait, de S. Pierre. Celui-ci est, avec S. Paul, le patron de la nouvelle Rome, celui qui lui a apporté l'Évangile, en sorte que, grâce au siège apostolique qu'il y a fondé, elle est devenue vraiment la tête de l'univers, régnant par la religion sur un plus vaste empire que celui que lui avaient assuré le triomphe des armes et la sagesse des lois. On sent la fierté du chrétien d'appartenir à cette Cité qui fut si grande dans le passé et qui a trouvé dans le christianisme une majesté plus grande encore. Il dit sa confiance dans la protection des Apôtres qu'entoure comme un diadème posé sur le front de la Ville la foule empourprée de tous les martyrs romains. L'édition critique des *Sermons* a montré que le premier sermon en l'honneur des Apôtres Pierre et Paul existe en deux éditions établies par S. Léon lui-même ou sous son contrôle, l'une plus brève que l'autre. Nous avons retenu et traduit ici (sous le n° 69) le texte le plus long.

Le second sermon consacré aux deux Apôtres (n° 70 de cette édition) était considéré, avant l'établissement du texte critique, comme un doublet du *IVe sermon pour l'anniversaire de S. Léon* (n° 95) ; pour cette raison Quesnel l'écartait des sermons authentiques et les Ballerini l'admettaient avec hésitation. En réalité c'est le *Sermon* 95 (IV)

---

1. On pourra se reporter à l'étude de A. CHAVASSE sur les Quatre-Temps, dans *L'Église en prière*, Paris 1961, p. 739-746.

qui dépend de celui-ci, ayant été repris et complété par S. Léon lors de la conclusion de l'affaire de l'évêque d'Arles Hilaire. Les ajoutes faites par le Pape seront soulignées à propos du texte du sermon 95.

L'occasion du troisième sermon, dit « de la solennité négligée » (nº 71), a aussi été éclairée par l'édition critique des *Sermons*. Au lieu de l'évacuation de Rome par les troupes du roi vandale Genséric en 455, hypothèse qu'avaient défendue Quesnel, les Ballerini, et d'autres auteurs plus récents, il faut y voir le souvenir de la prise de Rome par les Wisigoths d'Alaric en 410. Une note ajoutée plus loin à la traduction de ce sermon présentera la question avec plus de détails ; l'introduction générale des *Sermons*, où l'on s'était rallié à la première hypothèse, doit donc être modifiée en conséquence[1].

Le sermon consacré au diacre S. Laurent célèbre aussi un martyr romain, héros de la persécution de Valérien, trois siècles plus tôt, et dont le souvenir était honoré, comme en témoignent les panégyriques que lui ont dédiés plusieurs orateurs contemporains de S. Léon. Celui-ci rappelle les circonstances du martyre, la tentative du pouvoir civil de mettre la main sur les biens de l'Église, dont Laurent était dépositaire, la fière réponse du diacre, son supplice par le gril ardent. Sa mort glorieuse a donné à Rome un patron aussi illustre que l'était Étienne pour Jérusalem. Faut-il voir dans cette réflexion du pape, comme dans sa fierté que S. Pierre soit le fondateur de l'Église de Rome, à laquelle il présidait maintenant, le souci de rehausser cette Église en face des prétentions des patriarches et évêques orientaux manifestées antérieurement au Concile de Chalcédoine et même à celui-ci ? Peut-être même en face de chefs d'églises rivales d'Italie

1. *SC* 22 bis, p. 20.

et de Gaule, à qui l'évêque de Rome devait parfois faire sentir son autorité[1]?

L'*Homélie sur les degrés de la béatitude* a pu être prononcée, comme nous le dirons, pour une fête de tous les Apôtres disparue depuis du calendrier. Elle est un commentaire des sept premières béatitudes dont S. Léon montre la perfection dans la pratique qu'en ont réalisée les Apôtres. Elle est peu originale et s'inspire assez largement de modèles antérieurs, particulièrement de Chromace d'Aquilée.

Les Sermons sur son élection au Souverain Pontificat

Le premier de ces sermons (n° 92) se présente comme prononcé à l'occasion même de l'élévation de S. Léon au Souverain Pontificat, le 29 septembre 440. Si l'on en croit la chronique de Prosper d'Aquitaine, l'archidiacre Léon se trouvait en Gaule, investi d'une mission toute politique de l'empereur d'Occident Valentinien III, à savoir obtenir la réconciliation des chefs romains Aétius et Albinus, dont la rivalité était périlleuse pour la sécurité de l'Empire, quand le clergé et le peuple romains l'élurent à l'unanimité pour succéder à Sixte III qui venait de mourir. Il revint dans la Ville quarante jours après la mort de son prédécesseur. Son premier discours est une action de grâces à Dieu et une protestation d'humilité et de dévouement au bien spirituel du peuple dont il a reçu la charge.

Les quatre sermons suivants ont été prononcés pour l'anniversaire de son élévation et l'édition critique des *Sermons* a permis de les dater des 29 septembre 441, 443 et 444 pour les trois premiers, le dernier étant postérieur à 445. A l'occasion de cet anniversaire, les évêques présents

---

1. Cf. les lettres 1 et 2 aux évêques d'Aquilée et d'Altinum *PL* 54, 593-598), 10 aux évêques de la province Viennoise (*Ibid.*, 628-636), 19 à l'évêque de Bénévent (*Ibid.*, 709-714).

à Rome se réunissaient autour du Pape, comme le font encore aujourd'hui les cardinaux en certaines occasions, et le Pape en profitait pour leur adresser ses souhaits et leur faire part de ses sentiments et intentions.

Le *Sermon* 93 (II) s'inspire des mêmes sentiments de reconnaissance à Dieu et d'humilité que le *Sermon* 92, mais renvoie les évêques présents à la dévotion envers l'apôtre Pierre, « lui dont la vénération les a rassemblés » et qui « approuve cette charité parfaitement ordonnée de toute l'Église qui accueille Pierre sur le siège de Pierre et ne laisse pas s'attiédir son amour envers un si grand pasteur, même quand il se porte sur la personne d'un héritier si inégal à son modèle ». C'est donc S. Pierre qu'il faut voir et honorer dans son successeur. Ce point de vue va se préciser et prendre vigueur dans les sermons suivants. Dans le *Sermon* 94 (III), après avoir rappelé et développé la même idée, S. Léon entrera, si l'on peut dire, dans la peau de son personnage en prenant à son compte les avertissements de S. Pierre dans ses Épîtres, et ainsi le sermon se terminera sur une exhortation morale. Avec le *Sermon* 95 (IV) cependant, le ton va changer. Nous avons dit qu'il faut le dater du 29 septembre 444 et que ce sermon reprend les termes du *Sermon* 70 (LXXXIII) prononcé le 29 juin de l'année précédente. Or, sans doute au début de 444, un incident grave a surgi en Gaule Narbonnaise où l'évêque d'Arles, Hilaire, accueillant les plaintes des gens de Besançon, a, de sa propre autorité, mis l'évêque de cette ville, Celidonius, en demeure de renoncer à son siège. Celidonius est venu à Rome pour porter plainte et soutenir sa cause auprès du Pape et y a été suivi par Hilaire. S. Léon a répondu que l'affaire serait examinée au Concile romain de fin 444, début 445. C'est dans ces circonstances qu'est prononcé le Sermon de septembre 444. Le Pape commence par rappeler que tous les fidèles participent par leur baptême au sacerdoce du Christ. Cependant le Pontife éternel se choisit des délégués, les Apôtres, puis les évêques, auxquels il transmet son pouvoir par le sacrement, dont la grâce se répand sur tous, les uns plus abondamment, les autres moins, sans qu'aucun soit négligé. Parmi tous, Pierre a été privilégié, mis à la tête de tous les Apôtres, en sorte qu'il « gouverne à titre personnel tous ceux que, en tant que chef, gouverne aussi le Christ... Car Dieu a accordé à cet homme une grande et admirable participation à sa puissance ; et s'il a voulu que les autres chefs aient avec lui quelque chose de commun, il n'a jamais donné que par lui ce qu'il n'a pas refusé aux autres. ». Suit le récit de la confession de Pierre à Césarée avec l'annonce de son privilège. « Si ce pouvoir est remis à Pierre d'une façon personnelle, c'est que la règle de Pierre est proposée à tous les chefs de l'Église ; le privilège de Pierre demeure donc partout où un jugement est rendu en vertu de son équité. Et il n'y a d'excès ni dans la sévérité ni dans l'indulgence là où rien ne se trouvera lié, rien délié que ce que saint Pierre aura soit délié, soit lié. » Ce pouvoir exceptionnel donné à Pierre a sa contrepartie dans le secours, exceptionnel aussi, que le Christ lui a promis, afin que, revenu de la tentation, il affermisse ses frères. « C'est de Pierre que le Seigneur prend un soin particulier... comme si les autres allaient se trouver plus en sécurité si l'âme du chef n'était pas vaincue. En Pierre, c'est la vigueur de tous qui est fortifiée et le secours de la grâce divine est ainsi ordonné que la fermeté accordée par le Christ à Pierre soit conférée par Pierre aux Apôtres. »

Ainsi est rappelé, avec fermeté et clarté, le rôle prépondérant de Pierre et, par voie de conséquence, de ses successeurs. Rien n'arrive aux autres Apôtres, et aux évêques, que par lui, aussi bien dans l'ordre des pouvoirs que dans celui des grâces nécessaires à leur accomplissement. La cause d'Hilaire allait être jugée à la lumière de ces principes. De fait Celidonius fut rétabli dans ses fonctions et Hilaire n'attendit pas d'avoir à répondre aux charges formulées contre lui, il disparut de Rome et rentra à Arles. Une lettre de 445 aux évêques de la Viennoise devait confirmer le jugement ; une Constitution de Valentinien III l'accompagnait et l'appuyait de l'autorité impériale, à vrai dire inférieure en fait à celle du Pape[1].

Cet incident avait amené S. Léon à préciser et à affirmer sa conception de l'autorité du Pontife romain. Celle-ci est à la fois collégiale et monarchique : tous les apôtres ont été investis par le Christ d'un charisme qui n'appartient qu'à eux ; et cependant c'est par Pierre que passe l'exercice de ce charisme en vertu de l'union très intime que le Christ a voulu établir entre lui-même et Pierre en tant que fondement de l'Église. La doctrine formulée ainsi avec tant de fermeté ne sera pas sans avoir une influence décisive dans la suite.

Le dernier sermon conservé sur le même sujet (96 - V) n'apportera rien de nouveau. Mais il s'achève sur une note optimiste : « Aux jours que nous vivons, les tristesses se muent en joie, les peines en repos, les désaccords en paix. » N'est-on pas à un moment heureux du Pontificat, alors que la menace des Huns d'Attila s'est éloignée grâce à l'intervention du Pape, que le Concile de Chalcédoine, enfin réuni sur l'initiative de l'empereur Marcien, a réglé — du moins peut-on le croire — les différends doctrinaux et disciplinaires entre les Églises d'Orient et d'Occident, que les hérétiques manichéens ont cessé d'être inquiétants pour le peuple fidèle ? Ces conditions se trouvaient réunies en 452, et rien ne s'oppose à ce que l'on date de cette année le dernier sermon.

---

1. Lettres X et XI dans *PL* 54, 628-640. Lire, sur le conflit entre Hilaire d'Arles et S. Léon, É. GRIFFE, *La Gaule chrétienne à l'époque romaine* : II. *L'Église des Gaules au Ve siècle*, 2e éd., Paris 1966, p. 200-212.

*
* *

L'établissement du texte critique des *Sermons* a fait faire à la question de leur datation des progrès décisifs. Une des découvertes de cette édition, en effet, a été de montrer que S. Léon fit exécuter, de son vivant, deux collections de ses écrits, dont la première groupait dans leur ordre les Sermons prononcés de 440 à 445. Cela a permis de dater avec certitude un bon nombre de sermons dont l'étude interne ne fournissait aucun critère précis. On trouvera indiquée pour chaque sermon la date qui a pu être précisée avec certitude ou conjecturée avec probabilité.

A la fin de ce dernier volume se trouvent les *Indices* qui concernent l'ensemble des quatre tomes consacrés aux *Sermons*. L'Index biblique distingue par des différences typographiques les citations littérales, les citations non littérales et les allusions, réminiscences, etc. L'Index analytique a été établi en relisant les sermons et notant au passage les idées exprimées. Il ne prétend pas relater tous les passages où les mêmes idées se retrouvent, mais il mentionne à peu près toutes celles qui se présentent dans les sermons ; tel quel, il pourra peut-être rendre quelques services.

Pour les citations scripturaires, nous avons utilisé habituellement les traductions de la « Bible de Jérusalem ». Dans de nombreux cas, cependant, le texte latin employé par S. Léon, et aussi l'interprétation qu'il lui donne, nous ont amené à proposer d'autres traductions. La numérotation adoptée pour les *Psaumes* est celle de la Vulgate.

*
* *

En terminant, il m'est agréable de dire tout ce que je dois à deux éminents spécialistes de S. Léon, le R. P. Ant. Lauras et M. le Professeur Ant. Chavasse, qui m'ont aidé le premier par ses révisions, le second par ses conseils ; qu'ils veuillent bien trouver ici l'expression de ma vive reconnaissance.

TEXTE ET TRADUCTION

(LXXVIII)

DE JEJUNIO PENTECOSTES SERMO I[1]

1. Hodiernam[2], dilectissimi, festivitatem descensione sancti Spiritus consecratam sequitur, ut nostis, solemne jejunium, quod animis corporibusque curandis salubriter institutum, devota nobis est observantia celebrandum[3]. Repletis namque apostolis virtute promissa[4], et in corda eorum Spiritu veritatis ingresso, non ambigimus inter caetera caelestis sacramenta

---

1. Variante : « Pour le jeûne du IVe mois » ; ainsi s'exprime par ailleurs le *Sacramentaire de Vérone*, dit *Léonien* (éd. Mohlberg, p. 26, 29) ; ce jeûne du IVe mois répond à ceux du Ier (carême), du VIIe (septembre) et du Xe mois (décembre). Au *8e sermon pour le jeûne de décembre*, 2, S. Léon dira que ces jeûnes périodiques marquant chacune des saisons de l'année nous font comprendre que « rien n'échappe aux préceptes divins et que les éléments sont tous au service de la parole de Dieu pour notre instruction » (*infra*, p. 211). — Ce sermon, qui fait partie de la première collection, établie par S. Léon lui-même, doit être daté du 11 mai 441 ; il faisait suite au *1er sermon de carême* (26) du 9 février 441.

2. Ce mot donne à entendre que le sermon a été prononcé le dimanche même de la Pentecôte et comme conclusion de la fête ; par contre les *Sermons « de Pentecoste »* (nos 62 à 64 de notre édition ; *SC* 74, p. 144-161) auront été prononcés au cours de la vigile préparatoire à la fête. Certains manuscrits intitulent le présent sermon : *De Pentecoste Sermo IV*.

3. La Collecte du samedi après les Cendres reprend presque textuellement les termes de notre sermon : « Ut hoc solemne jejunium, quod animabus corporibusque curandis salubriter institutum est,

(LXXVIII)

PREMIER SERMON SUR LE JEÛNE DE PENTECÔTE[1]

SOMMAIRE. — 1. L'institution apostolique de ce jeûne
et sa raison d'être. — 2. Son utilité pour les Apôtres et
pour nous. — 3. Jeûner après les saintes réjouissances
des fêtes pascales. — 4. L'aumône doit accompagner le
jeûne ; annonce des jours de jeûne et de prière.

1. La fête d'aujourd'hui[2], bien-aimés, fête consacrée
par la descente du Saint-Esprit, est suivie, comme vous
le savez, d'un jeûne solennel ; ce jeûne, dont la salutaire
institution vise à guérir les corps et les âmes, il nous
faut l'observer en nous y adonnant de tout cœur[3]. Les
Apôtres, en effet, viennent d'être remplis de la force
qui leur avait été promise[4] et l'Esprit de vérité est entré
dans leurs cœurs : ne doutons pas que, parmi tous les

devoto servitio celebremus. » Cette oraison, où le mot *servitium* a
remplacé *observantia*, vient du *Sacramentaire de Vérone* et a été
attribuée par A. Chavasse au pape Vigile ; cf. « Messes du pape Vigile
dans le Sacramentaire léonien », dans *Eph. Lit.* LXIV (1950), p. 205,
n. 79. Pour le sens du mot *observantia*, cf. Ign. CARTON, « Note sur
l'emploi du mot ' observantia ' dans les homélies de saint Léon »,
dans *Vig. Chr.* VIII, 1-2, janv.-avril 1954, p. 104-114 ; enfin pour
celui du mot *devota*, cf. GUILLAUME, « Jeûne et charité dans la liturgie
du carême », dans *N.R.T.* 1954, p. 247.

4. Cf. *Lc* 24, 49 : « Quoadusque induamini virtute ex alto » ;
Actes 1, 8 : « Accipietis virtutem supervenientis Spiritus Sancti
in vos. »

doctrinae, hanc spiritalis continentiae[1] disciplinam
de Paracleti magisterio primitus fuisse conceptam :
ut sanctificatae jejunio mentes conferendis sibi
charismatibus fierent aptiores. Aderat quidem Christi
discipulis protectio omnipotentis auxilii, et principibus nascentis Ecclesiae tota Patris Filiique Divinitas
in praesentia sancti Spiritus praesidebat. Sed contra
instantes impetus persequentium, contra minaces
fremitus impiorum, non corporis fortitudine, nec
carnis erat saturitate certandum ; cum hoc maxime
hominis interiora corrumpat, quod exteriora delectat ;
et tanto fiat rationalis anima purgatior, quanto
fuerit substantia carnis afflictior[2].

2. Hi itaque doctores, qui exemplis et traditionibus[3] suis omnes Ecclesiae filios imbuerunt, tiroci-
nium militiae christianae[4] sanctis inchoavere jejuniis :

1. S. Irénée avait déjà attribué aux Apôtres la prescription du
jeûne ; cf. référence dans BEUMER, *La tradition orale*, Paris 1967,
p. 56, n. 1. Dans la langue de S. Léon, le mot *continentia* (cf. *SC*
49 bis, p. 103, n. 5) n'a pas le sens du correspondant français *continence*, mais désigne essentiellement la restriction volontaire à l'égard
du boire et du manger. Chez S. Augustin par contre et, en général,
les Pères antérieurs à S. Léon, les *continentes* sont ceux qui ne se
marient pas, les ascètes et les moines. Il semble que S. Léon soit
un témoin de l'évolution du sens de ce mot. S'appuyant sur *Gal.*
5, 23, il voit dans la « continence » un des fruits du Saint-Esprit ;
cf. dans le même sens le sermon 63, 9 (*SC* 74, p. 156).

2. La même idée a été exprimée par S. Léon dans le *1er sermon
sur le carême*, 5 : « Parum est si carnis substantia tenuatur et animae
fortitudo non alitur. Afflicto paululum exteriore homine, reficietur
interior. » (*SC* 49 bis, p. 74). Comme ici, la *substantia carnis* est mise
en opposition avec l'*anima rationalis*. L'expression *substantia carnis*
pour désigner le corps est familière à S. Léon. Outre l'exemple ci-
dessus, on peut encore citer le *8e sermon pour Noël*, 7 : « Substantiam
carnis, ubi est plenitudinis Divinitatis inhabitatio corporalis. » (*SC*
22 bis, p. 174), etc.

3. Notons le mot *traditio* appliqué à l'enseignement des Apôtres
et que nous retrouverons dans la suite ; cet enseignement n'est pas,
en effet, une doctrine comme les autres, il est le fondement même

mystères de la doctrine céleste, ils n'aient dès le début tiré de l'enseignement du Paraclet cette discipline de l'abstinence spirituelle[1] ; grâce à elle, les âmes, sanctifiées par le jeûne, seraient rendues plus aptes à recevoir les charismes qui devaient leur être conférés. Certes, la protection d'un secours tout-puissant assistait les disciples du Christ et, dans le Saint-Esprit présent, toute la divinité du Père et du Fils veillait sur les princes de l'Église naissante. Mais, contre les assauts pressants des persécuteurs, contre les cris menaçants des impies, ce n'était ni par la vigueur du corps, ni par le rassasiement de la chair qu'il fallait combattre ; car ce qui réjouit l'homme extérieur est justement ce qui corrompt le plus l'homme intérieur et l'âme raisonnable se purifie d'autant plus qu'est davantage maîtrisée la chair, son associée[2].

2. Aussi ces docteurs, qui ont instruit tous les fils de l'Église par leurs exemples et leurs traditions[3], ont commencé par de saints jeûnes leur apprentissage de la discipline chrétienne[4] : de la sorte, ayant à faire la

de la doctrine chrétienne ; inspiré par l'Esprit-Saint, il se perpétuera par transmission vivante dans l'Église qui ne cessera, sous la même inspiration, de l'approfondir, mais sans jamais y rien ajouter. Sur l'importance de cette idée chez S. Léon, cf. A. LAURAS, « Saint Léon et la Tradition », dans *Rech. Sc. Rel.*, 1960, p. 166-184.

4. Ce service dans la milice chrétienne est le même que l'on a déjà rencontré dans les *Sermons sur le carême*; c'est l'entraînement pour la lutte contre le démon et les vices, à l'aide des armes de l'ascèse chrétienne, dont le jeûne est la principale. Cf. *1er sermon sur le carême* (*SC* 49 bis, p. 65 s.). Le terme de *militia christiana* se trouve employé dans l'oraison de l'imposition des cendres, dans un contexte qui emprunte les expressions mêmes de notre texte : « Concede nobis, Domine, praesidia militiae christianae sanctis inchoare jejuniis : ut contra spiritales nequitias pugnaturi, continentiae muniamur auxiliis. » Cette oraison vient du *Sacramentaire de Vérone, in jejunio quarti mensis* (éd. Mohlberg, n° 207). Nous retrouverons ce terme au *Sermon 68, 1, 4e sur le jeûne de Pentecôte* (*infra*, p. 42) et au *Sermon 75, 2, 3e sur le jeûne du VIIe mois* (*infra*, p. 92), et des expressions analogues se trouvent en d'autres passages des

ut contra spiritales nequitias¹ bellaturi* abstinentiae
arma caperent, quibus vitiorum incentiva truncarent.
Invisibiles enim adversarii et incorporales hostes
non erunt contra nos validi, si nullis carnalibus
desideriis fuerimus immersi. Cupiditas quidem nocendi
in tentatore perpetua est, sed inermis atque inefficax
erit, si nihil in nobis unde contra nos pugnet inve-
nerit². Quis autem hac fragili carne circumdatus,
et in isto mortis corpore³ constitutus, etiam qui
multum valideque profecerit, ita jam de sua stabi-
litate* securus sit, ut ab omnium se illecebrarum
periculo credat alienum ? Donet licet sanctis suis
quotidianam gratia divina victoriam, non aufert
tamen dimicandi materiam : quia et hoc ipsum de
misericordia protegentis est, qui naturae mutabili,
ne de confecto praelio superbiret, semper voluit
superesse quod vinceret.

3. Igitur post sanctae laetitiae dies, quos in
honorem Domini a mortuis resurgentis, ac deinde
in caelos ascendentis, exegimus, postque perceptum
sancti Spiritus donum, salubriter et necessarie
consuetudo est ordinata jejunii⁴ : ut si quid forte
inter ipsa festivitatum gaudia negligens libertas et

Sermons, quoique avec un sens différent : *acies christiana* (*Sermon
36*, 3, *11ᵉ sur le carême*, SC 49 bis, p. 186 ; *Sermon 88*, 2, *7ᵉ sur le
jeûne du Xᵉ mois* (*infra*, p. 202), *ecclesiasticus miles* (*Sermon 76*, 2,
4ᵉ sur le jeûne du VIIᵉ mois, *infra*, p. 104). S. Augustin emploie
l'expression *militia christiana* dans le même sens que S. Léon, à savoir
la discipline chrétienne : « Carnalem affectum et in nobis et in nostris
militia christiana ut perimamus hortatur. » (*Epist.* 243, 7, *CSEL* 57,
p. 574, 11) ; de même S. Pierre Chrysologue : « Est jejunium
invictus christianae militiae principatus. » (*Sermo VIII de jejunio
et eleemosyna, PL* 52, 209 B).

1. Cf. *Éphés.* 6, 12 : « Contra spiritualia nequitiae. » — Nous
rappelons que les astérisques signalent les corrections faites au texte
des Ballerini *(PL)* d'après le texte critique.

2. Ceci rappelle encore le *1ᵉʳ sermon sur le carême*, 4 : « Hi hostes

guerre aux esprits du mal[1], ils ont saisi les armes de
l'abstinence afin d'anéantir par leur moyen les séductions
des vices. Nos adversaires invisibles, en effet, et nos
ennemis incorporels seront sans force contre nous si nous
ne sommes pas immergés dans les désirs charnels. L'appétit
de nuire est, certes, continuel chez le tentateur ; mais
celui-ci sera désarmé et impuissant s'il ne trouve en
nous rien avec quoi combattre contre nous[2]. Qui donc,
revêtu de cette chair fragile et placé dans ce corps de
mort[3], serait déjà, même après de nombreux et solides
progrès, si assuré de sa stabilité qu'il se croie à l'abri de
tout danger de séduction ? La grâce divine, il est vrai,
donne quotidiennement la victoire à ses saints, mais sans
leur ôter la matière du combat ; car cela même est encore
une marque de la miséricorde de celui qui les protège,
lui qui a voulu que notre nature inconstante eût toujours
quelque chose à vaincre, afin qu'elle ne s'enorgueillît
point d'avoir gagné la bataille.

3. Donc, après les jours passés en une sainte liesse en
l'honneur du Seigneur, qui ressuscite des morts, puis
monte aux cieux, et après la réception du don du Saint-
Esprit, il a été aussi salutaire que nécessaire d'instituer
l'usage d'un jeûne[4] ; ainsi la rigueur d'une religieuse
privation amenderait tout ce que la liberté, dans sa

---

nostri contra se geri omnia sentiunt, quaecumque pro nostra salute
agere tentamus... Si ergo nos erigimur, illi corruunt ; si nos conva-
lescimus, illi infirmantur. Remedia nostra plagae ipsorum sunt,
quia curatione nostrorum vulnerum vulnerantur. » (SC 49 bis,
p. 70, 72).

3. Cf. Rom. 7, 24 : « Quis me liberabit de corpore mortis hujus ? »

4. Le Sacramentaire de Vérone reprend les mêmes termes dans
la préface de la messe in jejunio mensis quarti : « Vere dignum : post
illos enim laetitiae dies, quos in honorem Domini a mortuis resurgentis
et in caelos ascendentis exigimus ; postque perceptum sancti Spiritus
donum necessariae nobis haec jejunia sancta provisa sunt, ut pura
conversatione viventibus quae divinitus Ecclesiae sunt collata
permaneant. » (éd. Mohlberg, n° 229).

licentia immoderata* praesumpsit, hoc religiosae abstinentiae censura castiget : quae ob hoc quoque studiosius exsequenda est, ut illa in nobis quae hac die Ecclesiae divinitus sunt collata permaneant. Templum enim facti Spiritus sancti[1], et majore quam umquam copia divini fluminis irrigati[2], nullis debemus concupiscentiis vinci, nullis vitiis possideri, ut virtutis habitaculum nulla sit contaminatione pollutum.

4. Quod utique regente atque adjuvante Domino omnibus obtinere possibile est, si per jejunii purificationem, ac per misericordiae largitatem studeamus et peccatorum sordibus liberari, et caritatis fructibus esse fecundi. Quidquid enim in cibos pauperum, in curationes debilium, in pretia captivorum, et in quaelibet opera pietatis[3] impenditur, non minuitur, sed augetur, nec umquam apud Deum perire poterit quod fidelis benignitas erogarit, dum quodcumque tribuit*, id sibi recondit ad praemium[4]. *Beati* enim *misericordes, quoniam ipsorum miserebitur Deus*[5] ; neque delictorum memoria erit ubi testimonium pietatis affuerit[6].

Quarta igitur et sexta feria jejunemus ; sabbato autem apud beatissimum Petrum apostolum vigilias celebremus[7], cujus nos orationibus et a spiritalibus

1. Cf. *I Cor.* 6, 19 : « An nescitis quoniam membra vestra templum sunt Spiritus sancti qui in vobis est ? »

2. Cf. *Ps.* 45, 5 : « Fluminis impetus laetificat civitatem Dei. »

3. Pour le sens du mot *pietas* chez S. Léon, cf. GUILLAUME, *Jeûne et charité dans l'Église latine des origines au XIIe siècle*, Paris 1954, 66-72 ; voir également note 4 du *Ier sermon sur les Collectes*, dans *SC* 49 bis, p. 28.

4. Cf. *Matth.* 13, 44.

5. *Matth.* 5, 7.

6. Il s'agit du jugement dernier où les œuvres de charité seront

négligence, et la licence, dans ses excès, se seraient d'aventure permis au milieu des réjouissances de la fête ; une telle privation doit en outre être observée avec un zèle encore plus grand si l'on veut que demeurent en nous les dons divinement conférés à l'Église en ce jour. Car, devenus les temples de l'Esprit-Saint[1] et arrosés plus abondamment que jamais du fleuve des eaux divines[2], nous ne devons nous laisser vaincre par aucune convoitise ni posséder par aucun vice, afin que la demeure de la vertu ne soit souillée d'aucune impureté.

4. C'est ce que nous pouvons tous obtenir, en vérité, sous la conduite et avec l'aide du Seigneur, si, nous purifiant par le jeûne et nous montrant généreux dans l'exercice de la miséricorde, nous nous efforçons de nous libérer des souillures de nos péchés et d'être féconds en fruits de charité. En effet, tout ce qui est dépensé pour la nourriture des pauvres, pour le soin des malades, pour le rachat des captifs et pour toute œuvre de miséricorde[3], tout cela n'est pas une perte, mais un gain ; jamais ce qu'aura prodigué la bonté inspirée par la foi ne pourra périr auprès de Dieu, car tout ce qu'elle donne est un trésor qu'elle cache[4] pour sa propre récompense. «Bienheureux, en effet, les miséricordieux, car Dieu leur fera miséricorde[5]» ; et nul souvenir ne restera des péchés là où se présentera le témoignage de la bonté[6].

Nous jeûnerons donc mercredi et vendredi ; et samedi, nous célébrerons les veilles auprès du bienheureux apôtre Pierre[7], ayant confiance que, grâce à ses prières, nous

produites en témoignage, selon *Matth.* 25, 31-46 ; S. Léon avait déjà dit au *6e sermon sur les Collectes*, 1, dans un contexte qui se référait plus explicitement aux suprêmes assises : « Ut nulla ibi commemoratio cujusdam facienda sit criminis, ubi confessione Creatoris opera fuerint inventa pietatis. » (*SC* 49 bis, p. 58).

7. Dans la basilique Vaticane.

inimicis et a corporalibus* hostibus¹ confidimus
liberari. Per Dominum nostrum Jesum Christum,
qui cum Patre et Spiritu sancto vivit et regnat in
saecula saeculorum. Amen.

66

(LXXIX)

DE JEJUNIO PENTECOSTES SERMO II²

1. Dubitandum non est, dilectissimi, omnem
observantiam Christianam eruditionis esse divinae,
et quidquid ab Ecclesia in consuetudinem est devotionis receptum, de traditione apostolica et de sancti
Spiritus prodire doctrina ; qui nunc quoque cordibus
fidelium suis praesidet institutis³, ut ea omnes et
obedienter custodiant et sapienter intelligant. Nam
cum in die Pentecostes, quem a Pascha Domini
quinquagesimum celebramus⁴, promissus a Domino

---

1. L'*inimicus* est l'ennemi personnel, ici le démon qui s'attaque
à chacun en particulier ; l'*hostis* est l'ennemi public, ici le barbare
toujours menaçant pour l'Empire et la Ville. Il l'était particulièrement en 441 ; c'est, en effet, l'année suivante qu'un *modus vivendi* fut
conclu avec les envahisseurs, qui stabilisait provisoirement leurs
conquêtes. On comprend ainsi mieux les allusions de ce sermon,
comme celles du *Sermon 26, 1-2 (1ᵉʳ s. sur le carême, SC 49 bis, p. 65-
67)* et des *Sermons, 73, 1 (1ᵉʳ s. pour le jeûne de septembre, infra
p. 80)* et 93, 2 *(infra p. 252)* qui datent de cette même année 441.

2. Ce sermon est à dater du 31 mai 453.

3. S. Léon a parlé à plusieurs reprises des *instituta* de la tradition
apostolique. Le mot, qui est emprunté à la langue du droit et ne se
trouve dans l'Écriture, selon la Vulgate, qu'au 2ᵉ livre des Maccabées,
équivaut, semble-t-il, à *praecepta*, règle imposée soit à la foi, soit
aux mœurs. Citons, entre autres, au *3ᵉ sermon sur les Collectes (SC
49 bis, p. 32)* : « Quae apostolicis sunt traditionibus instituta »

serons délivrés aussi bien des ennemis spirituels que des adversaires corporels[1]. Par notre Seigneur Jésus-Christ, qui avec le Père et l'Esprit-Saint vit et règne dans les siècles des siècles. Amen.

66

(LXXIX)

DEUXIÈME SERMON SUR LE JEÛNE DE PENTECÔTE[2]

SOMMAIRE. — 1. Origine apostololique de ce jeûne. — 2. Ce que sont les jeûnes des infidèles et des hérétiques ; il nous faut jeûner aussi à l'égard de l'erreur. — 3. Notre jeûne doit être animé par la charité et se garder de l'orgueil. — 4. Tout rapporter à la gloire de Dieu.

1. On n'en saurait douter, bien-aimés, toute la discipline chrétienne nous a été enseignée par Dieu, et tout ce que l'Église a reçu et fait passer dans les usages de sa dévotion est issu de la tradition apostolique et de l'instruction du Saint-Esprit ; c'est cet Esprit qui, maintenant encore, gouverne par ses préceptes[3] les cœurs des fidèles, afin que tous les observent dans l'obéissance et les comprennent avec sagesse. En effet, le jour de la Pentecôte, que nous célébrons cinquante jours après la Pâque du Seigneur[4],

au 4e sermon id. 3 (ibid., p. 42) : « Dies nos apostolicae institutionis invitat » ; au 5e sermon id., 1 (ibid., p. 48) : « Apostolicae traditionis instituta servantes » ; au Sermon contre l'hérésie d'Eutychès, 1 : « Instituto a sanctis apostolis symbolo » (SC 22 bis, p. 204), etc.

4. Sensible au symbolisme des nombres, S. Léon, lorsqu'il parle de la fête de la Pentecôte, rappelle volontiers qu'elle vient cinquante jours après celle de Pâques ; ainsi dans les trois Sermons pour la Pentecôte (SC 74, p. 144, 149, 157), et au 4e sermon pour le jeûne de Pentecôte, 3. Au 1er sermon sur la Pentecôte, 1, il a expliqué le « mystère » du nombre cinquante (SC 74, p. 144-145).

Spiritus sanctus exspectantium mentes majore quam
umquam copia et clariore praesentia suae majestatis
impleverit, manifestissime patet inter caetera Dei
munera, jejuniorum quoque gratiam, quae hodiernam
festivitatem[1] indivisa subsequitur, tunc fuisse dona-
tam : ut sicut fuit concupiscentia initium peccatorum,
ita sit continentia origo virtutum[2].

2. In exercendo autem hoc Dei munere, non ideo
segniores esse debemus, quia et Judaei et haeretici
saepe ab edendi libertate se continent, et apud ipsos
paganos sunt quaedam vana jejunia. Aliud enim
agit sub veritate ratio, aliud sub falsitate deceptio.
Apud nos fides sanctificat etiam manducantem ;
apud illos infidelitas polluit jejunantem[3]. Unde quia
extra Ecclesiam catholicam nihil est integrum, nihil
castum, dicente Apostolo : *Omne quod non est ex
fide, peccatum est*[4] : cum divisis ab unitate corporis
Christi nulla similitudine comparamur, nulla communione miscemur : quod utique nobis saluberrimum
maximumque jejunium est. Ad virtutem enim conti-

1. Comme on l'a noté à propos du sermon précédent (*supra*, p. 24,
n. 2), ces mots laissent supposer que le présent sermon a été
prononcé le jour même de la Pentecôte.

2. S. Léon joue sur le mot *virtus* : les Apôtres ont été revêtus
« de la force d'en haut », « virtute ex alto » (*Lc* 24, 49 ; cf. de même
Actes 1, 8 : « Accipietis virtutem supervenientis Spiritus sancti in
vos ») ; mais, de ce sens du mot, S. Léon passe à celui de disposition
vertueuse de l'âme ; c'est l'ascèse qui développe une telle disposition,
comme les désirs mauvais développent l'habitude du péché, s'ils ne
sont pas tenus en bride. Mais, parce que le Saint-Esprit est descendu
sur les Apôtres et les a revêtus de la « vertu d'en haut », et que par là
a été inaugurée l'économie nouvelle de la grâce, le règne des vertus
dans les âmes a, par l'effet de cette même grâce, atteint le stade parfait
de son développement. Au *4e sermon sur le jeûne de Pentecôte*, 1
(*infra*, p. 40), S. Léon dira de même : « Ut sancti observatione jejunii,
omnium virtutum regulas inchoarent. »

3. S. Léon s'en prend ici aux Manichéens, au sujet desquels il
avait déjà dit, au *4e sermon sur le carême*, 4 : « Qui (diabolus) scivit

l'Esprit-Saint promis par le Seigneur remplit les âmes
de ceux qui l'attendaient d'une plus grande abondance
que jamais et d'une présence plus évidente de sa majesté ;
or il est très certain que, parmi les autres dons de Dieu,
la grâce des jeûnes aussi fut alors accordée, elle qui suit
inséparablement la fête d'aujourd'hui[1] ; ainsi, comme la
concupiscence avait été au principe des péchés, la continence allait-elle se trouver à l'origine des vertus[2].

2. Mais si, dans la mise en œuvre de ce don de Dieu,
nous ne devons pas nous montrer lâches, c'est que Juifs
aussi bien qu'hérétiques se refusent souvent à manger
comme ils le voudraient, et qu'il y a chez les païens eux-
mêmes des sortes de jeûnes, ceux-là vains. Autre chose
est, en effet, ce que fait la raison conduite par la vérité,
autre chose ce que fait l'erreur conduite par le mensonge.
Chez nous, la foi sanctifie même celui qui mange ; chez eux,
l'absence de foi souille celui qui jeûne[3]. Aussi, puisque,
hors l'Église catholique, rien n'est sain, rien n'est pur,
selon la parole de l'Apôtre : « Tout ce qui ne procède pas
de la foi est péché[4] », nous ne nous unissons par aucune
ressemblance, nous ne nous mêlons en aucune communion
à ceux qui sont séparés de l'unité du corps du Christ ;
et c'est là, en vérité, pour nous le plus salutaire et le plus
grand des jeûnes. Rien, en effet, ne concerne davantage

humano generi mortem inferre per cibum, novit et per ipsum nocere
jejunium... Vae illorum dogmati, apud quos etiam jejunando
peccatur. » (SC 49 bis, p. 108).

4. Rom. 14, 23, où S. Léon prend le mot fides dans le même sens
qu'il a fait au 8e sermon sur le carême, 1, à savoir la foi théologale,
alors que l'Apôtre avait en vue la bonne foi, dans un passage où il
est d'ailleurs question d'abstinence comme ici (cf. SC 49 bis, p. 150).
Cette interprétation du texte de Rom. 14, 23 est courante chez saint
Augustin ; cf. entre autres, De continentia, XII, 26, CSEL XLI,
p. 176 ; De gratia Christi, XXVI, 27, ibid. XLII, p. 148 ; De nuptiis
et concupiscentia, III, 4, ibid., p. 214. Cf. R. Araud, « 'Quidquid non
est ex fide peccatum est ', quelques interprétations patristiques »,
dans Mélanges de Lubac, L'homme devant Dieu, Paris 1963, I, 127-145.

nentiae nihil prius pertinet quam ab erroribus
abstinere, quia tunc demum bene ambulatur, cum
per viam veritatis inceditur[1]. Nam quia angusta
et ardua declinantes, proclivia et lata sectando,
cito in perditionem deveniunt[2], melior est gradus
lentior per iter rectum, quam velocitas festina per
devium.

3. Agnoscat ergo catholicus Christianus fructus
jejunii sui, quod etiam inter maximas largitates
sterilissimum erit, nisi de sancti Spiritus rigatione
processerit. Cum enim dicat Apostolus nullas sibi
virtutes sine caritate prodesse[3], idemque dicat
caritatem Dei diffusam esse in cordibus nostris
per Spiritum sanctum qui datus est nobis[4] : cavendum
est ne bona quae facere sine bonitate non possumus,
elatione perdamus. Nam omni se merito laude
dispoliat qui de studiis industriae suae in se magis
quam in Domino glorietur[5] : cum beatus David
doceat in sanctorum operibus Deum esse laudandum,
dicens : *Mirabilis Deus in sanctis suis, Deus Israel
ipse dabit virtutem et fortitudinem plebi suae*[6] ; et
iterum : *Domine, in lumine vultus tui ambulabunt,
et in nomine tuo exsultabunt tota die, et in justitia
tua exaltabuntur, quoniam gloria virtutis eorum es tu*[7].

4. Et ideo, dilectissimi, secundum eruditionem
Spiritus sancti, per quem Ecclesiae Dei omnium
virtutum collata sunt dona, suscipiamus alacri
fide solemne jejunium : et in mandatis, quae potue-

---

1. Au *8e sermon sur le carême*, 1, S. Léon avait déjà exprimé cette
idée que l'intégrité de la foi est nécessaire à qui veut pratiquer un
jeûne salutaire : « Tunc mens sanctum agit atque spiritale jejunium,
cum erroris cibos atque venena abjicit falsitatis. » (*SC* 49 bis, p. 152).

2. Cf. *Matth.* 7, 13 : « Lata porta et speciosa via est quae ducit ad
perditionem, et multi sunt qui intrant per eam. Quam angusta porta
et arcta via est quae ducit ad vitam. »

3. Cf. *I Cor.* 13, 1-3.

la vertu de continence que le fait de s'abstenir des erreurs, car assurément on ne marche bien que lorsqu'on s'avance sur le chemin de la vérité[1]. Ceux, en effet, qui évitent les sentiers étroits et raides pour prendre des routes faciles et larges s'en vont rapidement vers la perdition[2] ; mieux vaut donc marcher plus lentement par le droit chemin que de se presser hâtivement par des voies détournées.

3. Que celui qui est chrétien et catholique connaisse donc le fruit de son jeûne ; celui-ci, même accompagné des plus grandes aumônes, sera absolument stérile s'il n'a poussé dans un sol irrigué par le Saint-Esprit. L'Apôtre dit, en effet, que nulle vertu ne lui sert sans la charité[3] ; et il dit encore que « la charité de Dieu a été répandue dans nos cœurs par l'Esprit-Saint qui nous a été donné[4] » ; il nous faut donc prendre garde de ne pas perdre par l'orgueil les bonnes œuvres que nous ne pouvons faire sans la bonté. Car il renonce justement à tout droit à la louange, celui qui se glorifie en lui-même plutôt que dans le Seigneur[5] de son application et de son zèle ; le bienheureux David enseigne, en effet, que c'est Dieu qu'il faut louer dans les œuvres des saints, lorsqu'il dit : « Dieu est admirable en ses saints ; lui, le Dieu d'Israël, donnera force et puissance à son peuple[6] » ; et encore : « Seigneur, à la clarté de ta face ils iront ; en ton nom ils jubileront tout le jour, et en ta justice ils se glorifieront, car l'éclat de leur puissance, c'est toi[7]. »

4. C'est pourquoi, bien-aimés, conformément à ce que nous a appris l'Esprit-Saint, par qui ont été conférés à l'Église les dons de toutes les vertus, embrassons d'une foi alerte ce jeûne solennel ; en exécutant

4. *Rom.* 5, 5.
5. Cf. *I Cor.* 1, 31 : « Qui gloriatur, in Domino glorietur. »
6. *Ps.* 67, 36.
7. *Ps.* 88, 16-18.

rimus* efficere, contineamus nos ab inflatione jactan-
tiae, ad Dei gloriam cuncta referentes, qui et bonarum
est inspirator voluntatum, et bonarum est auctor
actionum, dicente Domino : *Sic luceat lumen vestrum*
coram hominibus, ut videant opera vestra bona, et
magnificent Patrem vestrum, qui in caelis est[1] : qui
vivit et regnat per omnia saecula saeculorum. Amen.

67

(LXXX)

DE JEJUNIO PENTECOSTES SERMO III

Sanctarum solemnitatum, dilectissimi, ordine cele-
brato et spiritalis laetitiae devotione completa[2],
oportet nos ad salubritatem recurrere parcitatis,
remediumque jejunii et exercendis mentibus et casti-
gandis adhibere corporibus[3] : ut quia nos satis de
hoc et divina monita et propria experimenta docue-
runt, primum pro* sacratissimorum dierum decursu*
divinae pietati gratias referamus, tum sanctas continentiae delicias appetentes, aliquantulum nobis de
terrenorum ciborum abundantia subtrahamus : ita
ut proficiat eleemosynis quod non impenditur mensis.

1. *Matth.* 5, 16.
2. Les deux sermons précédents se présentaient comme prononcés
le jour même de la Pentecôte (cf. *supra*, p. 24, n. 2, et p. 34, n. 1).
Selon les termes de celui-ci, par contre, les solennités de la fête sont
achevées et la dévotion des fidèles satisfaite. De plus ce sermon est
très court et n'annonce pas, comme le 1er et le 4e, les jours de jeûne
de la semaine. On peut supposer qu'il aura été prononcé le mercredi
dans l'octave de la fête comme une courte instruction destinée à
mettre en lumière le sens du jeûne de Pentecôte et la manière de s'en
bien acquitter.

ce que nous pourrons des commandements, gardons-nous de l'orgueil et de la jactance, mais rapportons tout à la gloire de Dieu, inspirateur des bonnes résolutions et auteur des bonnes actions, selon ce que dit le Seigneur : « Qu'ainsi votre lumière brille aux yeux des hommes, afin que, voyant vos bonnes œuvres, ils en rendent gloire à votre Père qui est dans les cieux[1] », lui qui vit et règne dans tous les siècles des siècles. Amen.

67

(LXXX)

TROISIÈME SERMON SUR LE JEÛNE DE PENTECÔTE

Sommaire. — Le jeûne est nécessaire après les réjouissances de la fête ; lui adjoindre l'aumône.

Voici que se termine, bien-aimés, la célébration des saintes solennités : la joie spirituelle de notre dévotion a été portée à son comble[2] ; il nous faut à présent recourir à une salutaire abstinence et administrer le remède du jeûne à la fois à nos esprits pour les stimuler et à nos corps pour les corriger[3]. De cela, puisque les avertissements divins aussi bien que notre propre expérience nous ont assez instruits, offrons d'abord des actions de grâces à la divine bonté à l'occasion de la fin des jours très saints ; puis, recherchant les chastes délices de l'abstinence, retranchons-nous quelque chose de l'abondance des aliments terrestres, afin de faire profiter nos aumônes de ce qui n'est pas accordé à nos tables. En effet, lorsque,

---

3. Deux fins de l'ascèse sont indiquées ici : fortifier l'âme par l'exercice d'une action pénible à la nature, et réprimer l'ardeur du corps en lui refusant ce qu'il convoite.

Tunc enim demum ad animae curationem proficit
medicina jejunii, cum abstinentia jejunantis esuriem
reficit indigentis[1]. Quia ergo scimus apud misericordem Deum jejuniis praecellere eleemosynae largitatem, dicente ipso Domino : *Date eleemosynam, et
omnia munda sunt vobis*[2] : si animas nostras a peccatorum sordibus cupimus emundari, eleemosynam
pauperibus non negemus, ut in die retributionis ad
promerendam Dei misericordiam, misericordiae operibus adjuvemur[3], per Christum Dominum nostrum.
Amen.

68

(LXXXI)

DE JEJUNIO PENTECOSTES SERMO IV

1. Inter omnia, dilectissimi, apostolicae instituta[4]
doctrinae, quae ex divinae eruditionis fonte manarunt,
dubium non est, influente in Ecclesiae principes
Spiritu sancto, hanc primum ab eis observantiam
fuisse conceptam, ut sancti observatione jejunii,
omnium virtutum regulas inchoarent : quia multum

---

1. L'opposition des verbes *proficit* et *reficit*, avec le jeu de mots
que la traduction a essayé de rendre, souligne l'échange qui se réalise
grâce à l'aumône de celui qui se prive : le bienfait physique par
lequel celui-ci « refait » le corps de l'indigent retourne au bienfaiteur
sous la forme d'une bénédiction spirituelle dont son âme profite.
S. Léon le dira plus explicitement en d'autres passages des *Sermons
sur les jeûnes*, par exemple au *1ᵉʳ sermon sur le jeûne de septembre*, 1 :
« Quos (pauperes) qui reficit, animam suam pascit, et temporales
epulas in delicias mutat aeternas. » (cf. *infra*, p. 80).

2. *Lc* 11, 41.

grâce à sa privation, celui qui jeûne refait le pauvre qui a faim, c'est justement alors que le remède du jeûne parfait la guérison de son âme[1]. Sachant donc qu'aux yeux du Dieu de miséricorde, la largesse des aumônes l'emporte sur les jeûnes, selon la parole du Seigneur : « Faites l'aumône et tout, pour vous, sera pur[2] », ne refusons pas l'aumône aux pauvres, si nous désirons que nos âmes soient purifiées des souillures du péché ; ainsi, au jour de la rétribution, les œuvres de miséricorde nous aideront à obtenir la miséricorde de Dieu[3], par le Christ notre Seigneur. Amen.

68

(LXXXI)

QUATRIÈME SERMON SUR LE JEÛNE DE PENTECÔTE

SOMMAIRE. — 1. Le jeûne vient en aide à la pratique des vertus. — 2. La privation volontaire, en réprimant la chair, rend la liberté à l'esprit. — 3. Le jeûne est nécessaire après les réjouissances de la fête. — 4. Joindre l'aumône au jeûne ; annonce des jours de prière et de jeûne.

1. Parmi tous les préceptes[4] que nous ont enseignés les Apôtres, bien-aimés, préceptes dont la source fut ce qu'ils avaient appris de Dieu, le Saint-Esprit, en tombant sur les chefs de l'Église, leur fit, n'en doutons pas, concevoir d'abord cette discipline selon laquelle il faut mettre la pratique d'un saint jeûne au principe des règles relatives à toutes les vertus ; l'observation des commandements

---

3. Cf. *Matth.* 5, 7 : « Beati misericordes, quoniam ipsi misericordiam consequentur, »

4. On a rencontré plus haut le mot *instituta* appliqué à l'enseignement des Apôtres ; cf. *Sermon 66* (*supra*, p. 32, n. 3).

ad praecepta Dei exsequenda prodesset, si Christiana
militia contra incentiva omnia vitiorum continentiae
se sanctificatione muniret. Cum enim per illecebram
cibi irrepserit prima causa peccati, quo salubriore
Dei munere utitur redempta libertas, quam ut
noverit abstinere concessis, quae frenare se nescivit
a vetitis ? *Omnis quidem creatura Dei bona est, et
nihil est abjiciendum quod cum gratiarum actione
percipitur*[1] ; sed non ad hoc creati sumus ut foeda
et impudenti aviditate omnes mundi copias expe-
tamus, tamquam quod licet sumi non liceat
praetermitti.

2. Laudetur Deus, qui hominum usui tam multa
donavit ; sed agnoscat rationalis animus majores
delicias menti datas esse quam carni. Et cum audit
sibi per Spiritum sanctum dici : *Post concupiscentias
tuas non eas, et a voluntate tua vetare*[2]*, intelligat
sibi contra omnia quae sensibus corporeis blandiuntur,
temperantiae sectandam esse virtutem, per quam,
dum exterioris hominis voluptas minuitur, sapientia
interioris augetur. Non enim idem vigor cordis est
sub onere cibi, qui sub levitate jejunii ; nec eumdem
sensum potest satietas generare quam parcitas. Quia
cum caro concupiscens adversus spiritum[3] spiritali
cupiditate superatur, libera obtinetur sanitas et sana
libertas : ut et caro mentis judicio et mens Dei
regatur auxilio[4].

---

1. *I Tim.* 4, 4. S. Léon s'est référé à ce texte pour réfuter les
Manichéens qui proscrivaient certains aliments comme des émana-
tions du Principe mauvais. Cf. *4e sermon sur le carême* 4, et *2e sermon
sur la Pentecôte*, 7 (*SC* 49 bis, p. 111 et 74, p. 155).

2. *Sir.* 18, 30.

3. Cf. *Gal.* 5, 17 : « Caro enim concupiscit adversus spiritum. »

4. S. Léon a exprimé la même idée, et presque dans les mêmes
termes, au *1er sermon sur le carême*, 2 : « Quia tunc est vera pax
homini et vera libertas, quando et caro animo judice regitur, et

de Dieu trouverait alors, en effet, grand profit si la discipline chrétienne, pour lutter contre tous les attraits des vices, s'armait de l'abstinence et de la sanctification qu'elle procure. Car puisque c'est par l'attrait de la nourriture que s'insinua la première occasion du péché, de quel don plus salutaire de Dieu la liberté rachetée pourra-t-elle se servir, sinon de savoir se priver de ce qui est permis, elle qui n'a pas su se retenir de ce qui était défendu ? Sans doute, « tout ce que Dieu a créé est bon, et nul aliment n'est à proscrire, si on le prend avec action de grâces[1] » ; cependant nous n'avons pas été créés pour convoiter toutes les richesses du monde avec une avidité honteuse et sans pudeur, comme s'il n'était pas permis de laisser de côté ce qu'il est permis de prendre.

2. Dieu soit loué, qui a fait don aux hommes de tant de choses pour qu'ils en usent! Mais que l'âme raisonnable sache que de plus grandes délices ont été données à l'esprit qu'à la chair. Lorsqu'elle s'entend dire par l'Esprit-Saint : « Ne suis pas tes désirs et renonce à ton inclination[2] », qu'elle comprenne qu'il lui faut s'attacher à la vertu de tempérance pour résister à tout ce qui flatte les sens ; car, grâce à cette vertu, la sagesse de l'homme intérieur grandit, tandis que diminue la volupté de l'homme extérieur. Le cœur, en effet, n'a pas la même vigueur quand il est appesanti par la nourriture que lorsqu'il est allégé par le jeûne, et la satiété ne peut engendrer la même sensibilité que la sobriété. Car, lorsque la chair convoitant contre l'esprit[3] est vaincue par le désir spirituel, l'homme parvient à une libre santé et à une saine liberté, afin que, du même coup, la chair soit régie par le jugement de l'esprit et l'esprit par le secours de Dieu[4].

animus Deo praeside gubernatur » (SC 49 bis, p. 68) ; à ce texte, le rappel de Gal. 5, 17, avait servi, comme ici, d'introduction, et le développement subséquent suivait la même ligne de pensée que dans le passage qui nous occupe.

3. Ad hanc ergo utilitatem nos, dilectissimi,
praesens tempus invitat, ut a resurrectione Domini
usque ad adventum Spiritus sancti quinquaginta
diebus emensis, quos in laetitia praecipuae festivitatis
exegimus, ad jejuniorum remedia recurramus : ne
forte per occasionem licentiae blandioris aliquas
negligentiae culpas delectabilium usus inciderit. Terra
enim carnis nostrae, nisi assiduis fuerit subacta
culturis, cito de segni otio spinas tribulosque producit,
et partu degeneri dabit fructum non horreis inferen-
dum, sed ignibus concremandum, dicente Domino :
*Omnis plantatio quam non plantavit Pater meus caelestis
eradicabitur*[1]. Custodienda igitur nobis est omnium
germinum seminumque generositas, quam ex summi
Agricolae[2] plantatione concepimus, et vigili sollicitudine providendum ne Dei munera aliqua invidentis
inimici fraude violentur, et in paradiso virtutum
concrescat silva vitiorum[3].

4. Ad declinandum autem hoc malum, nihil est
potentius eleemosynis atque jejuniis, dum et carnales
cupiditates continentia necat, et desideriorum spirita-
lium fructus misericordiae cultura* multiplicat[4]. Unde

---

1. *Matth.* 15, 13.

2. Cf. *Jn* 15, 1 : « Ego sum vitis vera, et Pater meus agricola est. »

3. Ce passage est le seul dans les *Sermons sur le jeûne de Pentecôte*
à contenir une allusion au symbolisme agraire des « Quatre-Temps ».
De telles allusions seront plus fréquentes dans les *Sermons* sur les
« jeûnes » des VIIe et X[e] mois ; cf. *infra*.

4. Cf. *II Cor.* 9, 10 : « Qui autem administrat semen seminanti,
... multiplicabit semen vestrum et augebit incrementa frugum
justitiae vestrae. » S. Léon a expliqué, à l'occasion des « Collectes »
et du carême, comment l'aumône produit cette multiplication du
fruit de nos bons désirs : d'abord en soulageant le pauvre dans ses
nécessités matérielles en même temps qu'elle profite au riche pour
les besoins de son âme, « ut uno facto duobus vellet (Creator) esse

3. A profiter de cet avantage, le temps d'à présent nous invite donc, bien-aimés. Voici, en effet, que, depuis la résurrection du Seigneur jusqu'à l'avènement du Saint-Esprit, cinquante jours se sont écoulés, jours que nous avons passés dans l'allégresse de la plus grande des fêtes ; recourons donc maintenant au remède des jeûnes, de peur qu'à la faveur d'un relâchement plus doux à la nature, l'usage de ce qui nous plaît ne nous ait fait tomber en quelques fautes de négligence. La terre de notre nature charnelle, en effet, si elle n'est soumise à une culture assidue, ne tarde pas à produire les épines et les ronces qu'engendre une paresseuse oisiveté ; en une moisson dénaturée, elle donnera un fruit destiné non à être engrangé, mais à être consumé par le feu, selon la parole du Seigneur : « Tout plant que n'a pas planté mon Père céleste sera déraciné[1]. » Il nous faut donc veiller à la fécondité de toutes les graines et semences qui ont germé en nous après y avoir été jetées par le suprême Agriculteur[2] et nous devons apporter un soin vigilant à ce que les dons de Dieu ne soient pas profanés par la ruse de l'ennemi jaloux, afin que dans le paradis des vertus ne croisse pas aussi la forêt des vices[3].

4. Mais, pour éviter ce malheur, rien n'est plus puissant que les aumônes et les jeûnes, car d'une part l'abstinence tue les convoitises charnelles et, de l'autre, la culture de la miséricorde multiplie les fruits des désirs spirituels[4].

succursum » (*1er sermon sur les Collectes*, SC 49 bis, p. 30) ; ensuite en « couvrant une multitude de péchés » (*2e sermon id., ibid.*, p. 32), et parce que « la nourriture donnée à l'indigent achète le royaume des cieux », et que « celui qui distribue les biens temporels devient héritier des éternels » (*4e sermon id.*, 2, *ibid.*, p. 43) ; enfin parce que « grâces seront rendues à Dieu par la voix de beaucoup » (*10e sermon sur le carême*, 5, *ibid.*, p. 179).

caritatem vestram solemniter admonemus[1] ut per
castigationem corporis et per opera pietatis mundari
ab omnium peccatorum sorde cupientes, quarta et
sexta feria jejunemus ; sabbato autem apud beatissimum Petrum apostolum vigilias celebremus : cujus
meritis et orationibus ita nos per omnia credimus
adjuvandos, ut misericordia Dei et jejuniis nostris
adsit et votis, per Christum Dominum nostrum.
Amen.

69

(LXXXII)

IN NATALI APOSTOLORUM PETRI ET PAULI[2]

1. Omnium quidem sanctarum solemnitatum, dilectissimi, totus mundus est particeps, et unius fidei
pietas exigit ut quidquid pro salute universorum
gestum recolitur, communibus ubique gaudiis celebretur. Verumtamen hodierna festivitas, praeter
illam reverentiam quam toto terrarum orbe prome-
ruit, speciali et propria nostrae urbis exsultatione
veneranda est : ut ubi praecipuorum apostolorum
glorificatus est exitus, ibi in die martyrii eorum sit

1. L'annonce des jeûnes reçoit son caractère de solennité du fait
que le Pape les promulgue officiellement au cours de la liturgie de la
Pentecôte ; c'est une *institution*, comme il se plaît à le dire, et l'initiative privée y a peu de part. S. Léon dira plus loin, notamment à
propos du « jeûne » de septembre, que ce caractère communautaire
lui confère une valeur et une force très particulières (cf. *infra*, p. 92 s.).
2. Comme il ressort de l'édition critique des *Sermons*, S. Léon
a donné deux éditions de ce sermon, dont la seconde, publiée par les
Ballerini et reproduite ici, est deux fois plus longue que la première.
Ce sermon doit être daté du 29 juin 441.

C'est pourquoi nous adressons cette exhortation solennelle à votre charité[1] : aspirons à nous purifier de toute tache de péché par la mortification du corps et les œuvres de miséricorde et, dans ce but, jeûnons mercredi et vendredi ; samedi, par contre, nous célébrerons les veilles auprès du saint apôtre Pierre, dont les mérites et les prières nous aideront de toute manière, nous le croyons, en sorte que la miséricorde de Dieu seconde nos jeûnes et nos vœux, par le Christ notre Seigneur. Amen.

69

(LXXXII)

EN L'ANNIVERSAIRE
DES APÔTRES PIERRE ET PAUL[2]

SOMMAIRE. — 1. Le souvenir des apôtres Pierre et Paul doit être honoré à un titre spécial par la ville de Rome. — 2. La grandeur de l'Empire romain a été voulue par la divine Providence. — 3. Mission de S. Pierre. — 4. Sa venue à Rome sous l'impulsion de l'amour. — 5. Le triomphe du martyre l'y attendait. — 6. Venue de S. Paul à Rome. Les persécutions ne nuisent pas à l'Église, mais au contraire augmentent sa vigueur. — 7. Exhortation à croire à la protection des deux saints Apôtres.

1. A toutes les saintes solennités, bien-aimés, le monde entier prend part et la piété née d'une foi unique demande que le souvenir de ce qui fut accompli pour le salut de tous soit partout célébré dans une allégresse commune à tous. Cependant la fête d'aujourd'hui n'a pas seulement mérité d'être honorée par la terre entière, elle doit en outre être vénérée par notre Ville avec une joie particulière et personnelle, en sorte que, là où la mort des premiers parmi les Apôtres a été entourée de gloire, là aussi la joie

laetitiae principatus. Isti enim sunt viri per quos
tibi Evangelium Christi, Roma, resplenduit ; et
quae eras magistra erroris, facta es discipula veritatis.
Isti sunt sancti patres tui[1] verique pastores, qui
te regnis caelestibus inserendam multo melius multoque felicius condiderunt, quam illi quorum studio
prima moenium tuorum fundamenta locata sunt :
ex quibus is qui tibi nomen dedit fraterna te caede
foedavit. Isti sunt qui te ad hanc gloriam provexerunt,
ut gens sancta, populus electus, civitas sacerdotalis
et regia[2], per sacram beati Petri sedem caput orbis
effecta, latius praesideres religione divina quam
dominatione terrena. Quamvis enim multis aucta
victoriis jus imperii tui terra marique protuleris,
minus tamen est quod tibi bellicus labor subdidit
quam quod pax Christiana subjecit[3].

2. Deus namque bonus, et justus, et omnipotens,
qui misericordiam suam humano generi numquam
negavit, omnesque in commune mortales ad cogni-
tionem sui abundantissimis semper beneficiis erudivit,

---

1. S. Léon s'est-il souvenu ici de Plutarque qui, dans sa *Vie de
Romulus* (13, 6), rappelle que, à la différence des autres nations qui
donnent à leurs sénateurs le nom de chef, les Romains ont donné
aux leurs celui de *Pères*, voulant ainsi marquer l'extrême considération et les honneurs qu'on leur accorde, mais aussi le devoir qui leur
incombe de veiller aux intérêts et à la défense des humbles ? Cicéron
a rappelé volontiers que le Sénat lui décerna le titre de « Père de la
patrie » : « Me, me ille absentem, ut patrem, deplorandum putabat,
quem Q. Catulus, quem multi alii saepe in Senatu patrem patriae
nominarant » (*Or. pro Sextio*, 121) ; de même dans *Or. in Pisonem*, 6.
Pour S. Léon, ces titres, qu'ils aient été appliqués au fondateur de
Rome ou aux rois et magistrats de la Ville, n'étaient que provisoires ;
seuls les saints Apôtres les ont vraiment mérités, eux qui ont fondé
la Cité dans le Christ.
2. Cf. *I Pierre* 2, 9 : « Vos autem genus electum, regale sacerdotium, gens sancta, populus acquisitionis. » Cl. Lepelley a noté,
à propos de ce passage, que, aux yeux de S. Léon et de ses contemporains, la protection des saints tutélaires de la Ville avait remplacé

soit la plus haute au jour de leur martyre. Ces hommes, en effet, sont ceux par qui l'évangile du Christ a brillé pour toi, ô Rome ; et toi qui étais maîtresse d'erreur, tu es devenue par eux disciple de la vérité ! Ce sont eux tes saints pères[1] et tes vrais pasteurs, qui, pour t'intégrer au royaume céleste, t'ont bien mieux et plus heureusement fondée que ceux par l'initiative de qui ont été posées les premières assises de tes murs, l'un d'eux, celui qui t'a donné ton nom, t'ayant même souillée du meurtre de son frère ! Ce sont eux qui t'ont promue à une telle gloire que, nation sainte, peuple choisi, cité sacerdotale et royale[2], devenue grâce au saint Siège de Pierre la tête de l'univers, tu règnes sur un plus vaste empire par le moyen de la religion divine que tu ne le fis par celui de la suprématie terrestre. Si, en effet, accrue par de nombreuses victoires, tu as étendu sur terre et sur mer ton droit souverain, pourtant ce que la guerre et ses labeurs ont mis sous tes pieds est moindre que ce que la paix chrétienne t'a soumis[3].

2. Car Dieu, aussi bon que juste et tout-puissant, qui n'a jamais refusé sa miséricorde au genre humain et, par les bienfaits les plus abondants, a toujours appris à la généralité des mortels à le connaître, a, par une

---

celle des héros fondateurs en qui se confiait la cité païenne : « Ce parallèle entre Romulus et Rémus d'une part, Pierre et Paul d'autre part, illustre de façon caractéristique la christianisation de la religion de la Cité », dit cet auteur, qui ajoute : « Ces idées étaient étrangères à S. Augustin qui, opposant lui aussi le caractère temporaire de l'Empire à l'éternité de l'Église (ainsi dans Cité de Dieu, III, 6 ; XV, 5 ; même allusion au fratricide de Romulus), n'en tire aucun prétexte pour exalter l'Église de Rome » (« Saint Léon le Grand et la Cité romaine », dans Rev. Sc. Rel., 35, 1961, p. 148 et n. 72).

3. PROSPER D'AQUITAINE, dont on sait les liens avec S. Léon, a chanté de même dans son Carmen de Ingratis :
    « Sedes Roma Petri, quae pastoralis honoris
    Facta caput mundo, quidquid non possidet armis
    Relligione tenet. » (PL 51, 97).

voluntariam errantium caecitatem et proclivem in
deteriora nequitiam secretiori consilio et altiori
pietate miseratus est, mittendo Verbum suum aequale
sibi atque coaeternum. Quod caro factum[1] ita divinam
naturam naturae univit humanae, ut illius ad infima
inclinatio, nostra fieret ad summa provectio. Ut
autem hujus inenarrabilis gratiae[2] per totum mundum
diffunderetur effectus, Romanum regnum divina
providentia praeparavit ; cujus ad eos limites incrementa perducta sunt, quibus cunctarum undique
gentium vicina et contigua esset universitas. Disposito
namque divinitus operi maxime congruebat, ut multa
regna uno confoederarentur imperio, et cito pervios
haberet populos praedicatio generalis, quos unius
teneret regimen civitatis. Haec autem civitas ignorans
suae provectionis auctorem, cum pene omnibus
dominaretur gentibus, omnium gentium serviebat
erroribus, et magnam sibi videbatur suscepisse
religionem, quia nullam respuerat falsitatem. Unde
quantum erat per diabolum tenacius illigata, tantum
per Christum est mirabilius absoluta.

3. Nam cum duodecim apostoli, accepta per Spiritum sanctum omnium locutione linguarum, imbuen-
dum Evangelio mundum, distributis sibi terrarum
partibus, suscepissent[3], beatissimus Petrus princeps

1. Cf. *Jn* 1, 14.
2. Cf. *II Cor.* 9, 15 : « Gratias Deo super inenarrabili dono ejus » ;
dans le *De vocatione omnium gentium* II, 16, Prosper d'Aquitaine
a écrit ceci, en des termes proches de ceux de S. Léon : « Ad cujus rei
effectum credimus providentia Dei Romani regni latitudinem
praeparatam ; ut nationes vocandae ad unitatem corporis Christi,
prius jure unius consociarentur imperii ; quamvis... multos populos
sceptro crucis Christi illa subdiderit, quos armis suis ista non domuit.
Quae tamen per apostolici sacerdotii principatum amplior facta est
arce religionis quam solio potestatis » (*PL* 51, 704).

décision secrète et une bonté éminente, pris en pitié
l'aveuglement volontaire des égarés et leur perversité
encline au mal et leur a envoyé son Verbe égal et coéternel
à lui-même. S'étant fait chair[1], celui-ci a uni la nature
divine à la nature humaine de telle façon que sa descente
vers ce qu'il y a de plus humble devînt notre élévation
vers ce qu'il y a de plus sublime. Mais, pour que l'effet
de cette grâce inénarrable[2] se répandît à travers le monde
entier, la divine Providence prépara l'Empire romain
qui, en s'accroissant, étendit tellement ses limites que
celles-ci rendirent voisins et contigus tous les peuples de
l'univers. Il convenait, en effet, souverainement à l'œuvre
divinement décrétée que de nombreux royaumes fussent
confédérés sous un seul pouvoir et qu'une prédication
générale trouvât des peuples facilement accessibles parce
qu'assujettis au gouvernement d'une seule cité. Mais cette
cité ignorait l'auteur de son élévation ; dominant sur
presque tous les peuples, elle s'était asservie aux erreurs
de tous les peuples, et pensait avoir embrassé une grande
religion parce qu'elle n'avait rejeté aucun mensonge.
Aussi, plus fermement était-elle enchaînée par le diable,
plus merveilleusement fut-elle délivrée par le Christ.

3. Lorsqu'en effet les douze Apôtres, ayant reçu
par l'action du Saint-Esprit la faculté de parler toutes
les langues, prirent le monde en charge pour lui enseigner
l'Évangile et se furent distribué entre eux les diverses
parties de la terre[3], saint Pierre, chef du corps apostolique,

3. Notons chez S. Léon la croyance au partage du monde entre
les Apôtres avant leur séparation. Cette croyance, souvent enjolivée
de légendes, donnera lieu, au Moyen Age, à une fête liturgique, celle
de la *Divisio Apostolorum*, qui se célébrera à la mi-juillet surtout
en Allemagne et dans le Nord de la France ; cf. PENDRIZET, *Le
calendrier parisien à la fin du Moyen Age*, Paris 1933, p. 174 ;
Dom J. LECLERCQ, « Sermon sur la Divisio Apostolorum attribuable
à Gottschalk de Limbourg », dans *Sacris Erudiri* 1955, 219-228,
avec nombreuses références.

apostolici ordinis, ad arcem Romani destinatur
imperii : ut lux veritatis quae in omnium gentium
revelabatur salutem, efficacius se ab ipso capite per
totum mundi corpus effunderet. Cujus autem nationis
homines in hac tunc urbe non essent ? aut quae
usquam gentes ignorarent quod Roma didicisset ?
Hic conculcandae philosophiae opiniones, hic dissol-
vendae erant terrenae sapientiae vanitates, hic
confutandus daemonum cultus, hic omnium sacrile-
giorum* impietas destruenda, ubi diligentissima
superstitione habebatur collectum quidquid usquam
fuerat variis erroribus institutum[1].

4. Ad hanc ergo urbem tu, beatissime Petre
apostole, venire non metuis, et consorte gloriae
tuae Paulo apostolo aliarum adhuc Ecclesiarum
ordinationibus occupato, silvam istam frementium
bestiarum et turbulentissimae profunditatis oceanum,
constantior quam cum supra maré gradereris[2], ingre-
deris. Nec mundi dominam times Romam, qui in
Caiphae domo expaveras sacerdotis ancillam[3]. Numquid aut judicio Pilati, aut saevitia Judaeorum
minor erat vel in Claudio potestas, vel in Nerone
crudelitas ? Vincebat ergo materiam formidinis vis
amoris ; nec aestimabas pavendos quos susceperas
diligendos. Hunc autem intrepidae caritatis affectum
jam tunc profecto conceperas quando professio tui
amoris in Dominum trinae interrogationis est solidata
mysterio[4]. Nec aliud ab hac mentis tuae intentione

---

1. S. Léon a-t-il pensé ici au célèbre texte de TACITE à propos des
chrétiens : « Repressaque in praesens exitiabilis superstitio rursum
erumpebat, non modo per Judaeam, originem ejus mali, sed per
urbem etiam quo cuncta undique atrocia aut pudenda confluunt
celebranturque » (*Annales* XV, 44) ? Ce serait un des rares cas où
l'on pourrait trouver dans les *Sermons* une réminiscence d'un auteur
profane.

est envoyé à la citadelle de l'Empire romain : ainsi la lumière de la vérité, révélée pour le salut de tous les peuples, se répandrait plus efficacement, à partir de la tête elle-même, à travers le corps entier du monde. Or quelle était la nation qui n'eût pas alors de représentant dans cette ville ? Ou quels étaient les peuples, en quelque lieu que ce fût, qui pussent ignorer ce que Rome avait appris ? C'est ici que devaient être foulées aux pieds les raisons de la philosophie, ici que devaient être anéantis les mensonges de la sagesse terrestre, ici que devait être confondu le culte des démons, ici que devait être détruite l'impiété de tous les sacrifices, ici même où se trouvait rassemblé par la plus active des superstitions tout ce que les erreurs les plus variées avaient en tout lieu inventé[1].

4. C'est donc en cette ville que tu ne crains pas de venir, ô saint apôtre Pierre ; et tandis que l'apôtre Paul, associé à ta gloire, est encore occupé à organiser d'autres églises, tu pénètres dans cette forêt peuplée de fauves rugissants et dans l'abîme de cet océan furieux, plus assuré que lorsque tu marchais sur la mer[2]. Tu ne crains pas Rome, maîtresse du monde, toi qui, dans la maison de Caïphe, as pris peur devant la servante du grand prêtre[3]. Étaient-elles donc moindres que le jugement de Pilate ou que la fureur des Juifs, la puissance de Claude ou la cruauté de Néron ? C'est que la force de l'amour triomphait des raisons de craindre et que tu ne pensais pas avoir à redouter ceux que tu avais reçu la mission d'aimer. Mais cette disposition de charité intrépide, tu l'avais déjà conçue quand l'amour que tu avais professé pour le Seigneur fut fortifié par le mystère de sa triple interrogation[4]. On ne demanda alors rien d'autre à

2. Cf. *Matth.* 14, 30.
3. Cf. *Matth.* 26, 70.
4. Cf. *Jn* 21, 15-17.

quaesitum est, quam ut pascendis ejus quem diligeres, ovibus, cibum, quo ipse eras opimatus, impenderes.

5. Augebant quoque fiduciam tuam tot signa miraculorum, tot dona charismatum, tot experimenta virtutum. Jam populos, qui ex circumcisione crediderant, erudieras[1] : jam Antiochenam Ecclesiam, ubi primum Christiani nominis dignitas est orta[2], fundaveras ; jam Pontum, Galatiam, Cappadociam, Asiam atque Bithyniam legibus evangelicae praedicationis imbueras[3] ; nec aut dubius de proventu operis, aut de spatio tuae ignarus aetatis[4], tropaeum crucis Christi Romanis arcibus inferebas, quo te divinis praeordinationibus anteibant et honor potestatis, et gloria passionis.

6. Ad quam beatus coapostolus tuus, vas electionis[5], et specialis magister gentium[6] Paulus occurrens, eo tibi consociatus est tempore, quo jam omnis innocentia, omnis pudor, omnisque libertas sub Neronis laborabat imperio. Cujus furor per omnium vitiorum inflammatus excessum, in hunc eum usque torrentem suae praecipitavit insaniae, ut primus nomini Christiano atrocitatem generalis persecutionis inferret, quasi per sanctorum neces gratia Dei posset exstingui : cujus* hoc ipsum erat maximum lucrum, ut contemptus vitae hujus occiduae, perceptio fieret felicitatis aeternae. *Pretiosa*

---

1. S. Pierre avait d'abord exercé son ministère parmi les Juifs de Jérusalem et de Judée, selon ce que dit S. Paul en *Gal.* 2, 7 : « Creditum est mihi evangelium praeputii, sicut et Petro circumcisionis : qui enim operatus est Petro in apostolatum circumcisionis, operatus est et mihi inter gentes. »

2. Cf. *Actes* 11, 26 : « Ita ut cognominarentur primum Antiochiae discipuli Christiani. »

3. Cf. *I Pierre* 1, 1 : « Petrus, Apostolus Jesu Christi, electis advenis dispersionis Ponti, Galatiae, Cappadociae, Asiae et Bithyniae ».

la résolution de ton âme que de donner en aliment, aux brebis que tu devais paître, celui que tu aimais et dont tu t'étais toi-même nourri.

5. Il y avait aussi, pour accroître ta confiance, les signes de tant de miracles, le don de tant de charismes, l'expérimentation de tant d'œuvres merveilleuses ! Déjà tu avais instruit les peuples venus de la circoncision[1] ; déjà tu avais fondé l'église d'Antioche, où naquit le noble nom de chrétien[2] ; déjà tu avais enseigné les lois de la doctrine évangélique au Pont, à la Galatie, à la Cappadoce, à l'Asie et à la Bithynie[3] ; et, sans douter de la fécondité de l'œuvre ni ignorer le temps qui te restait à vivre[4], tu apportais le trophée de la croix du Christ en ces hauts lieux de Rome où t'attendaient, par une divine prédestination, et l'honneur de l'autorité et la gloire du martyre.

6. En cette même ville arrivait saint Paul, apôtre avec toi, vase d'élection[5] et docteur spécial des païens[6], pour t'être associé dans le temps même où déjà toute innocence, toute pudeur, toute liberté étaient opprimées sous le pouvoir de Néron. La fureur de celui-ci, allumée par l'excès de tous les vices, le précipita dans un torrent de folie, au point qu'il fut le premier à décréter contre le nom chrétien une persécution générale et atroce, comme si la grâce de Dieu pouvait être éteinte par le massacre des saints : celle-ci, au contraire, y trouvait le plus grand des profits, à savoir que le mépris de cette vie éphémère devenait l'entrée en possession du bonheur éternel.

---

4. Cf. *II Pierre* 1, 14 : « Certus quod velox est depositio tabernaculi mei secundum quod et Dominus noster Jesus Christus significavit mihi. »

5. *Actes* 9, 15.

6. Cf. *II Tim.* 1, 11 : « In quo positus sum ego praedicator et apostolus et magister gentium. »

est ergo *in conspectu Domini mors sanctorum ejus*[1] ;
nec ullo crudelitatis genere destrui potest sacramento
crucis Christi fundata religio. Non minuitur persecutionibus Ecclesia, sed augetur ; et semper Dominicus
ager segete ditiori vestitur, dum grana, quae singula
cadunt, multiplicata nascuntur[2]. Unde duo ista
praeclara divini seminis germina in quantam sobolem
pullularint, beatorum millia martyrum protestantur ;
quae apostolicorum aemula triumphorum, urbem
nostram purpuratis* lateque rutilantibus populis
ambierunt, et quasi ex multarum honore gemmarum
conserto uno diademate coronarunt.

7. De quo praesidio, dilectissimi, divinitus nobi
ad exemplum patientiae et confirmationem fidei
praeparato, universaliter quidem in omnium sanctorum commemoratione laetandum est, sed in horum
excellentia patrum merito est exsultantius gloriandum
quos gratia Dei in tantum apicem inter omnia
Ecclesiae membra provexit, ut eos in corpore, cui
caput est Christus[3], quasi geminum constitueret*
lumen oculorum. De quorum meritis atque virtutibus,
quae omnem loquendi superant facultatem, nihil
diversum, nihil debemus sentire discretum : quia
illos et electio pares, et labor similes, et finis fecit
aequales. Sicut autem et nos experti sumus, et nostri
probavere majores, credimus atque confidimus, inter
omnes labores istius vitae, ad obtinendam misericordiam Dei, semper nos specialium patronorum
orationibus adjuvandos : ut quantum propriis peccatis
deprimimur, tantum apostolicis meritis erigamur.

1. *Ps.* 115, 15.
2. Cf. *Jn* 12, 24 : « Amen, amen dico vobis, nisi granum frumenti
cadens in terram, mortuum fuerit, ipsum solum manet ; si autem
mortuum fuerit, multum fructum affert. »

« Précieuse est donc aux regards de Dieu la mort de ses saints[1] », et aucune espèce de cruauté ne peut détruire la religion fondée par le mystère de la croix du Christ. L'Église n'est pas amoindrie, mais agrandie par les persécutions ; et le champ du Seigneur se revêt sans cesse d'une plus riche moisson, lorsque les grains, tombant seuls, renaissent multipliés[2]. Aussi quelle descendance ont donnée en se développant ces deux plants excellents divinement semés, des milliers de saints martyrs sont là pour l'attester : émules des triomphes des Apôtres, ils ont ceint notre ville de foules empourprées et brillantes, dont l'éclat s'étend largement, et ils l'ont couronnée comme d'un diadème unique rehaussé par le feu de nombreuses pierreries.

7. De cette protection à nous divinement ménagée pour être un exemple de patience et un appui dans la foi, nous devons, certes, bien-aimés, nous réjouir d'une façon générale, lorsqu'on rappelle le souvenir de tous les saints ; mais nous avons raison de nous glorifier par de plus grands transports de joie de l'excellence de tels pères ; la grâce de Dieu, en effet, les a à ce point placés au faîte parmi tous les membres de l'Église qu'il en a fait comme les deux yeux dans le corps dont le Christ est la tête[3]. De leurs mérites et de leurs vertus, supérieurs à tout ce que l'on peut dire, nous ne devons rien penser qui les oppose, rien qui les divise, car l'élection les a rendus pareils, le labeur semblables et la fin égaux. Mais, comme nous-mêmes l'avons expérimenté et comme nos anciens l'ont éprouvé, nous croyons fermement que, parmi tous les travaux de cette vie, les prières de nos patrons particuliers nous aideront à obtenir la miséricorde de Dieu ; ainsi, autant nous sommes accablés par le poids de nos péchés personnels, autant serons-nous relevés par les mérites

---

3. Cf. *Éphés.* 1, 22 : « Et ipsum dedit caput supra omnem Ecclesiam quae est corpus ejus. »

Per Dominum nostrum Jesum Christum, cui est cum Patre et sancto Spiritu eadem potestas, una Divinitas in saecula saeculorum. Amen.

70

(LXXXIII)

IN NATALI S. PETRI APOSTOLI[1]

1. Exsultemus in Domino, dilectissimi, et spirituali jucunditate laetemur : quia unigenitus* Patris Filius, Dominus noster Jesus Christus ad insinuanda nobis dispensationis[2] et Divinitatis suae* mysteria, apostolici ordinis primum huic civitati beatum Petrum* dignatus est praerogare, cujus hodierna solemnitas, recurrente triumpho martyrii, specimen et decus contulit orbi terrarum[3]. Hoc enim obtinuit, dilectissimi, illa confessio, quae a Deo Patre inspirata apostolico cordi[4], omnia humanarum opinionum incerta transcendit, et firmitatem petrae, quae nullis

---

1. Il y a une étroite parenté entre ce sermon et le *Sermon* 95 (IV) que l'on trouvera plus loin. Selon A. Chavasse, qui en donne la preuve dans l'édition critique des *Sermons*, c'est le premier qui est à la source du second, celui-ci étant en relation avec les démêlés que le Pape S. Léon eut avec l'évêque d'Arles, Hilaire, en 444-445. Cf. LENAIN DE TILLEMONT, *Mémoires*..., tome XV, art. 14-15, p. 72-75 ; *Lettre* X de S. Léon (*PL* 54, 628-636). Cf. l'Introduction, *supra*, p. 19. — Le présent sermon est à dater du 29 juin 443.

2. Le mot *dispensatio* désigne le plan divin de salut, l'« économie » du don de Dieu aux hommes par la Rédemption.

3. C'est le martyre lui-même de S. Pierre qui a été pour le monde modèle et honneur, mais, pour S. Léon, la fête liturgique de son anniversaire fait à ce point revivre mystiquement l'événement commémoré que, dans l'expression qu'il emploie, c'est elle qui édifie

des Apôtres. Par notre Seigneur Jésus-Christ, à qui
appartiennent, avec le Père et le Saint-Esprit, une même
puissance, une seule divinité, dans les siècles des siècles.
Amen.

70

(LXXXIII)

EN L'ANNIVERSAIRE DE L'APÔTRE SAINT PIERRE[1]

SOMMAIRE. — 1. La gloire de S. Pierre est la récompense
de sa foi manifestée lors de sa confession du Fils de Dieu. —
2. Le privilège de S. Pierre dans le collège apostolique
et dans l'Église. — 3. S. Pierre intercède pour tous les
pasteurs de l'Église.

1. Exultons de joie dans le Seigneur, bien-aimés, et
soyons remplis d'allégresse spirituelle, car le Fils unique
du Père, notre Seigneur Jésus-Christ, a daigné, pour
nous faire connaître les mystères de son plan de salut[2] et
de sa divinité, députer à cette ville saint Pierre, le chef
du corps apostolique ; c'est en son honneur que nous
célébrons aujourd'hui, au jour anniversaire de son triom-
phal martyre, une fête qui a apporté à la terre entière
un modèle et une gloire[3]. Telle est, en effet, bien-aimés,
la récompense de cette profession de foi qui, inspirée
par Dieu le Père au cœur de l'Apôtre[4], s'éleva plus haut
que toutes les incertitudes des opinions humaines et

et honore le monde. Cf. note 1 du *1ᵉʳ sermon pour Noël*, dans *SC*
22 bis, p. 66. Ici commence un long passage qui est commun avec le
Sermon 94, 3.

4. Cf. *Matth.* 16, 17 : « Beatus es, Simon Bar Jona, quia caro et
sanguis non revelavit tibi, sed Pater meus qui in caelis est. »

impulsionibus quateretur, accepit[1]. Evangelica* reserante historia[2], omnes apostolos Dominus quid de se homines opinentur interrogat*. At ubi quid habeat discipulorum sensus exigitur, ille primus est in Domini confessione, qui primus est in apostolica dignitate. Qui cum dixisset : *Tu es Christus Filius Dei vivi*, respondit ei Jesus : *Beatus es, Simon Barjona, quia caro et sanguis non revelavit tibi, sed Pater meus qui in caelis est*[3] ; id est, ideo beatus es, quia Pater meus te docuit, nec terrena opinio* fefellit, sed inspiratio caelestis instruxit ; et non caro nec sanguis, sed ille me tibi, cujus sum unigenitus, indicavit. *Et ego*, inquit, *dico tibi* ; hoc est, sicut tibi Pater meus* manifestavit Divinitatem meam, ita ego notam tibi facio excellentiam tuam. *Quia tu es Petrus* ; id est, cum ego sim inviolabilis petra, ego lapis angularis[4], qui facio utraque unum[5] ; tamen tu quoque petra es, quia mea virtute solidaris, ut quae mihi potestate sunt propria, sint tibi mecum participatione communia.

2. *Super hanc petram aedificabo Ecclesiam meam, et portae inferi non praevalebunt adversus eam*[6]. Super hanc, inquit, fortitudinem aeternum exstruam templum, et Ecclesiae meae caelo inseranda sublimitas, in hujus fidei firmitate consurget. Hanc confessionem portae inferi non tenebunt, mortis vincula non ligabunt. Vox enim ista vox vitae est[7], et sicut confessores suos in caelestia provehit, ita

---

1. Cette phrase se retrouve textuellement dans le *Sermon* 94 (III), 3 ; puis, après quatre mots qui n'appartiennent qu'au présent sermon, la suite est commune avec le *Sermon* 95 (IV), 2 en partie et 3.

2. Cf. *Matth.* 16, 13.

3. *Ibid.*, 16-17.

4. Cf. *Éphés.* 2,20 : « Ipso summo angulari lapide Christo Jesu. »

5. Cf. *ibid.*, 14 : « Ipse enim est pax nostra, qui fecit utraque unum. »

reçut la fermeté d'un roc qu'aucune secousse n'ébranlerait[1]. Selon le récit évangélique[2], voici que le Seigneur demande à tous les Apôtres ce que les hommes pensent de lui. Mais, dès que la question vient sur le sentiment des disciples, celui-là est le premier à confesser le Seigneur qui est le premier dans la dignité d'apôtre. Il avait dit : « Tu es le Christ, le Fils du Dieu vivant », Jésus lui répond : « Heureux es-tu, fils de Jonas, car cette révélation t'est venue non de la chair et du sang, mais de mon Père qui est dans les cieux[3] » ; autrement dit, tu es heureux, car c'est mon Père qui t'a enseigné et ce n'est pas une opinion de la terre qui t'aurait trompé, mais c'est une inspiration du ciel qui t'a instruit ; et ni la chair ni le sang ne m'ont désigné à toi, mais celui-là dont je suis l'unique engendré. « Et moi, dit-il, je te dis » ; ce qui signifie : de même qu'à toi mon Père a manifesté ma divinité, ainsi moi, à toi, je fais connaître ton excellence : « Car tu es Pierre » ; c'est-à-dire : bien que je sois, moi, la pierre indestructible, moi, la pierre angulaire[4] « qui des deux ne fais qu'un seul[5] », toi aussi, cependant, tu es pierre, car ma force t'affermit, en sorte que ce qui m'appartient en propre par puissance te soit commun avec moi par participation.

2. « Sur cette pierre, je bâtirai mon Église, et les portes de l'enfer ne prévaudront point contre elle[6]. » Sur la solidité de ce fondement, dit-il, je construirai un temple éternel et la sublimité de mon Église, qui doit être introduite au ciel, s'élèvera sur la fermeté de cette foi. Les portes de l'enfer n'auront pas raison de cette confession, les liens de la mort ne l'enchaîneront pas. Cette parole, en effet, est une parole de vie[7] et, de même qu'elle élève aux cieux ceux qui la confessent, de même plonge-t-elle aux enfers

---

6. *Matth.* 16, 18.

7. Cf. *Jn* 6, 63 : « Verba quae ego locutus sum, spiritus et vita sunt » ; et 68 : « Verba vitae aeternae habes. »

negatores ad inferna demergit. Propter quod dicitur beatissimo Petro : *Tibi dabo claves regni caelorum : et quaecumque ligaveris super terram, erunt ligata et in caelis, et quaecumque solveris super terram, erunt soluta et in caelis*[1]. Transivit quidem etiam in alios apostolos* jus istius potestatis, sed non frustra uni commendatur quod omnibus intimetur. Petro enim ideo hoc singulariter creditur, quia cunctis Ecclesiae rectoribus Petri forma[2] proponitur. Manet ergo Petri privilegium, ubicumque ex ipsius fertur aequitate[3] judicium ; nec nimia est vel severitas, vel remissio, ubi nihil erit ligatum, nihil solutum, nisi quod beatus Petrus aut ligaverit aut solverit.

3. Instante autem passione sua Dominus, quae discipulorum suorum erat turbatura constantiam, *Simon*, inquit, *Simon, ecce Satanas expostulavit ut vos cribraret sicut triticum. Ego autem rogavi pro te, ne deficiat fides tua; et tu aliquando conversus confirma fratres tuos, ne intretis in tentationem*[4].

---

1. *Matth.* 16, 19.

2. Le mot *forma* n'est pas aisé à traduire. JALLAND le traduit par *person* (*The Life and time of St. Leo the Great*, London 1941, p. 67) ; de même STEEGER (Bibliothek der Kirchenväter, *Leo der Grosse*, München 1927, p. 15 et 439). Cette traduction est-elle suffisante ? On peut penser que le mot connote les idées de prééminence existentielle de par l'appel singulier du Seigneur, et par suite, d'autorité et d'exemple. On a essayé d'exprimer cela par le mot *règle* qui ne le rend sans doute qu'imparfaitement.

3. Le premier sens du mot *aequitas* est celui de justice : justice objective dans les lois et les jugements ; ainsi S. HILAIRE écrit : « Quia non idem sit regnare quam judicare ; quia regnum dominatio sit, judicium vero modus sit aequitatis. » (*In Ps. II*, 44, *PL* 9, 288) ; justice subjective chez les magistrats ; ainsi CICÉRON : « Quem pater moriens tum tutoribus et propinquis, tum legibus, tum aequitati magistratuum, tum judiciis vestris commendandum putavit. » (*In Verrem* II, 1, 151). En ce sens, l'*aequitas Petri* est le droit qu'a l'Apôtre de juger, ce qu'il fait toujours avec justice. Mais l'*aequitas*

ceux qui la nient. C'est pourquoi il est dit à saint Pierre :
« Je te donnerai les clefs du royaume des cieux ; tout ce
que tu auras lié sur la terre se trouvera lié dans les cieux
et tout ce que tu auras délié sur la terre se trouvera délié
dans les cieux[1]. » Certes, le droit d'exercer ce pouvoir
est passé aussi aux autres Apôtres, mais ce n'est pas en
vain qu'est confié à un seul ce qui doit être signifié à
tous. Si, en effet, ce pouvoir est remis à Pierre d'une façon
personnelle, c'est que la règle[2] de Pierre est proposée à
tous les chefs de l'Église. Le privilège de Pierre demeure
donc partout où un jugement est rendu en vertu de son
équité[3] et il n'y a d'excès ni dans la sévérité ni dans
l'indulgence là où rien ne se trouvera lié, rien délié, que
ce que saint Pierre aura soit lié, soit délié.

3. Or, à l'approche de sa Passion, qui allait troubler
la constance de ses disciples, le Seigneur déclara : « Simon,
Simon, voici que Satan vous a réclamés pour vous cribler
comme le froment. Mais j'ai prié pour toi, afin que ta foi
ne défaille pas. Toi donc, quand tu seras revenu, affermis
tes frères, de peur que vous n'entriez en tentation[4]. »

est aussi le droit naturel, souvent par opposition au droit écrit, qui
peut éclairer le sens de celui-ci, en interpréter la lettre et empêcher
les excès du légalisme. Ainsi encore CICÉRON : « Juris retineri sententiam et aequitatem plurimum valere opportere, an verbo ac littera
jus omne torqueri, vos statuite, recuperatores, utrum utilius esse
videatur. » (*Pro Caecina*, XXVIII 77) ; « Galba... multa pro aequitate
contra jus dicere. » (*De Oratore*, I, LVI, 240). A ce point de vue,
l'Apôtre Pierre peut, en vertu de son équité, interpréter souverainement la loi évangélique ; il peut aussi arbitrer les conflits entre
évêques, ce qu'il continue de faire dans la personne de ses successeurs.

4. *Lc* 22, 31-32.46. S. Léon groupe en une seule citation des
versets voisins de S. Luc. Il faut cependant noter que certaines
versions du troisième évangile présentent le même texte long que
notre auteur, ajoutant aux v. 31-32 de notre Vulgate : « Et rogate
(orate) ne intretis in temptationem » (cf. *N.T.* éd. Wordsworth-White).
S. Léon a pu utiliser une de ces versions. La même citation se retrouvera au *Sermon* 95, 3 (*infra*, p. 272).

Commune erat omnibus apostolis periculum de
tentatione formidinis, et divinae protectionis auxilio
pariter indigebant, quoniam diabolus omnes exagitare[1], omnes cupiebat elidere[2] ; et tamen specialis
a Domino Petri cura suscipitur, et pro fide Petri*
proprie supplicatur, tamquam aliorum status certior
sit futurus, si mens principis victa non fuerit. In
Petro ergo omnium fortitudo munitur, et divinae
gratiae ita ordinatur auxilium, ut firmitas, quae per
Christum Petro tribuitur, per Petrum apostolis
conferatur[3]. Nam et post resurrectionem suam
Dominus beato Petro apostolo post regni claves,
ad trinam aeterni amoris professionem, mystica
insinuatione ter dixit : *Pasce oves meas*[4] : quod
nunc quoque* proculdubio facit et mandatum
Domini pius pastor[5] exsequitur, confirmans nos
cohortationibus*, et pro nobis orare non cessans, ut
nulla tentatione superemur. Si autem hanc pietatis
suae curam omni populo Dei, sicut credendum est,
ubique praetendit, quanto magis nobis alumnis
suis opem suam dignatur impendere, apud quos in
sacro beatae dormitionis toro, eadem qua praesedit
carne requiescit ? Cum itaque, dilectissimi, tantum
nobis videamus praesidium divinitus institutum, rationabiliter et juste in ducis nostri meritis et dignitate
laetamur, gratias agentes sempiterno Regi Redemptori nostro Domino Jesu Christo, quod tantam

---

1. Même mot dans *I Sam.* 16, 14, où il désigne une sorte de
possession diabolique : « Exagitabat eum spiritus nequam. »

2. Cf. *Mc* 9, 20 : « Et elisus in terram, volutabatur spumans » ;
Lc 9, 39 : « Ecce spiritus apprehendit eum... et elidit. » Comme le
mot *exagitare*, la Vulgate emploie *elidere* en parlant de la possession
diabolique.

3. Ici se termine le long passage commun avec le *Sermon* 95, 2-3 ;
la suite commence avec le § 4 du même sermon, mais la fin et le début

Le danger que leur ferait courir la tentation de crainte était commun à tous les Apôtres et ils avaient tous également besoin du secours de la protection divine, car le diable désirait les tourmenter tous[1], les faire tomber tous[2] ; et pourtant c'est de Pierre que le Seigneur prend un soin particulier et c'est pour la foi de Pierre qu'il prie spécialement, comme si les autres allaient se trouver plus en sécurité si l'âme du chef n'était pas vaincue. En Pierre, c'est donc la vigueur de tous qui est fortifiée et le secours de la grâce divine est ainsi ordonné que la fermeté accordée par le Christ à Pierre soit conférée par Pierre aux Apôtres[3]. Car, après sa résurrection, le Seigneur, qui avait remis les clefs du royaume à l'apôtre saint Pierre, lui dit par trois fois, confiant à sa triple déclaration d'un éternel amour une mystérieuse consigne : « Pais mes brebis[4]. » Cela, ce bon pasteur[5] le fait, sans nul doute, maintenant aussi et il obéit au commandement du Seigneur en nous fortifiant par ses exhortations et en ne cessant pas de prier pour nous, afin que nulle tentation n'ait raison de nous. Mais si, comme il faut le croire, il étend cette sollicitude de sa bonté partout et à tout le peuple de Dieu, combien plus daigne-t-il prodiguer son secours à nous, ses enfants, auprès de qui il repose sur la couche sacrée d'un bienheureux sommeil, et dans le corps même avec lequel il nous gouverna ! Aussi, bien-aimés, à la vue d'un si grand secours découlant pour nous de l'institution divine, il est raisonnable et juste que nous nous réjouissions des mérites et de la dignité de notre chef, rendant grâces au Roi éternel, notre Rédempteur le Seigneur Jésus-Christ, d'avoir donné une telle puissance à celui

en sont curieusement intervertis ; la liaison des idées se ressent de cette interversion.

4. *Jn* 21, 17.

5. S. Pierre.

potentiam dedit ei quem totius Ecclesiae principem
fecit, ad gloriam et laudem nominis sui[1] : cui est
honor et gloria in saecula saeculorum. Amen.

71

(LXXXIV)

IN OCTAVIS APOSTOLORUM PETRI ET PAULI

De neglecta solemnitate

1. Religiosam devotionem, dilectissimi, qua ob
diem castigationis et liberationis nostrae, cunctus
fidelium populus ad agendas Deo gratias confluebat,
pene ab omnibus proxime fuisse neglectam, ipsa paucorum qui adfuerunt raritas demonstravit : et cordi meo
multum tristitiae intulit, et plurimum pavoris*
incussit[2]. Magnum enim periculum est homines esse

---

1. Cf. *Phil.* 1, 11 : « In gloriam et laudem Dei. »
2. A quel événement S. Léon fait-il allusion ? En l'absence de
preuve décisive, les historiens étaient partagés. Pour Chr. COURTOIS
(*Les Vandales et l'Afrique*, Paris 1955, p. 195), il s'agissait de la
libération de Rome après son occupation par Genséric en 455. Rappelons les faits qui intéressent la vie de S. Léon. L'empereur Maxime
Pétrone, proclamé empereur d'Occident après l'assassinat de
Valentinien III, survenu le 16 mars de cette même année, avait été
lui-même tué par ses soldats le 12 juin suivant. Trois jours après, le
roi des Vandales Geiseric, plus connu sous le nom de Genséric, avait
occupé Rome et ses troupes s'étaient livrées pendant deux semaines
à un pillage systématique, *secura et libera scrutatione*, dit PROSPER
D'AQUITAINE (*Chron.* 1375, dans *M.G.H. a.a.*, IX, 484). Ce fut le
29 juin, fête des SS. Pierre et Paul, que le pape obtint du conquérant
qu'il se retirât sans avoir attenté à la vie des personnes. Une cérémonie
d'action de grâces aurait été donc ordonnée et l'anniversaire célébré
chaque année, par exemple au jour octave de la fête des apôtres
Pierre et Paul. Or on célébrait, dans la Rome païenne, du 6 au

qu'il a fait prince de toute l'Église, à la gloire et louange
de son nom[1] ; à lui honneur et gloire dans les siècles des
siècles. Amen.

71

(LXXXIV)

POUR L'OCTAVE DES APÔTRES PIERRE ET PAUL

à propos de la solennité négligée

SOMMAIRE. — 1. Rappel de la délivrance obtenue et regrets
en face de l'ingratitude. — 2. Invitation à remédier à
cette grave négligence par une réparation proportionnée.

1. Les sentiments de piété et de dévotion, bien-aimés,
qui faisaient affluer le peuple entier des fidèles afin de
rendre grâces à Dieu pour un jour qui fut à la fois celui
de notre châtiment et celui de notre délivrance, ont été
tout récemment négligés par presque tout le monde ;
le nombre extrêmement réduit de ceux qui furent présents
l'a montré, et mon cœur en a été rempli d'une grande
tristesse et frappé d'une crainte extrême[2]. Nous sommes
en grand péril, en effet, lorsque les hommes sont ingrats

12 juillet, les *Ludi apollinares* et il en subsistait des vestiges au temps
de S. Léon ; c'est donc au profit de ces jeux que la solennité d'action
de grâces aurait été « négligée ». Pour d'autres auteurs, l'événement
auquel se réfère S. Léon était plus ancien : il fallait y voir l'évacuation
de Rome par les troupes du roi wisigoth Alaric, le 27 août 410, après
trois jours d'occupation et de pillage. Telle était l'opinion de
P. COURCELLE dans son *Histoire littéraire des grandes invasions
germaniques*, p. 235, n. 2, d'accord avec G. MORIN, « Une fête romaine
éphémère du Vᵉ siècle, l'anniversaire de la prise de Rome par
Alaric », dans *Historisches Jahrbuch*, LIII (1933), p. 45-50. La catas-
trophe de 410 avait particulièrement frappé les contemporains : on

ingratos Deo, et per oblivionem beneficiorum ejus
nec de correptione compungi, nec de remissione
laetari. Vereor igitur, dilectissimi, ne vox illa prophetica tales increpasse videatur, quae dicit : *Flagellasti
eos, et non doluerunt; castigasti eos, et noluerunt
accipere disciplinam*[1]. Quae enim in eis correctio
ostenditur, in quibus tanta aversio reperitur ? Pudet
dicere, sed necesse est non tacere : plus impenditur
daemoniis quam apostolis, et majorem obtinent
frequentiam insana spectacula quam beata mar-
tyria[2]. Quis hanc urbem reformavit saluti ? quis
a captivitate eruit ? quis a caede defendit ? ludus
Circensium, an cura sanctorum ? quorum utique
precibus divinae censurae flexa sententia est, ut
qui merebamur iram servaremur ad veniam.

2. Tangat, obsecro, dilectissimi, cor vestrum illa
sententia Salvatoris, qui cum decem leprosos misericordiae virtute mundasset[3], unum tantum ex eis
dixit ad agendas gratias revertisse : significans
videlicet de ingratis, quod huic pietatis officio, etiam
si corporis assecuti sunt sanitatem, non tamen
sine animi impietate defuerint*. Ne ergo ista ingra-

---

connaît l'accablement de S. Jérôme à cette nouvelle et c'est en 413
que S. Augustin commença à publier son grand ouvrage, la *Cité
de Dieu*, où il entreprenait de venger la Providence de Dieu des
calomnies des païens. Une fête aurait donc été instituée à Rome pour
commémorer la délivrance du 27 août 410, et les jeux du cirque
auxquels S. Léon reproche aux fidèles d'avoir été plus assidus qu'à
l'action de grâces à rendre à Dieu seraient ceux du 28 août en
l'honneur du soleil et de la lune ; on notera à ce propos la phrase de
S. Léon : « Liberationem nostram non, sicut opinantur impii, stellarum
effectibus, sed ineffabili omnipotentis Dei misericordiae deputantur. »
La publication de l'édition critique des *Sermons* a tranché la question
en faveur de la seconde opinion ; le sermon qui nous occupe fait,
en effet, partie de la première collection des *Sermons* publiée par
. SLéon lui-même et qui comprend les sermons de 440 à 445. Il ne peut

envers Dieu et ne sont ni touchés par ses avertissements
ni réjouis de son pardon. Je crains donc, bien-aimés, que
le prophète ne semble avoir parlé pour reprendre ces
hommes-là, lorsqu'il s'exprimait ainsi : « Tu les as frappés
et ils n'ont rien senti ; tu les a corrigés et ils ont refusé
la leçon[1]. » Quel amendement, en effet, voit-on en ceux chez
qui l'on trouve un si grand dégoût ? On a honte de le dire,
mais il est nécessaire de ne pas le taire : on accorde davantage aux démons qu'aux Apôtres, et la foule est plus
empressée à des spectacles extravagants qu'aux sanctuaires
des saints[2]. Qui donc a rendu le salut à cette ville ? Qui
l'a arrachée à l'esclavage ? Qui l'a défendue du massacre ?
Est-ce les jeux du cirque ou la sollicitude des saints ?
C'est grâce à la prière de ceux-ci, en vérité, que la sentence
de la justice divine s'est infléchie pour nous conserver
en vue du pardon, nous qui méritions la colère.

2. Que votre cœur, je vous en prie, bien-aimés, soit
touché par cette parole du Sauveur qui, ayant purifié
dix lépreux par sa miséricordieuse puissance[3], dit qu'un
seul d'entre eux revint rendre grâces : il désignait par là
les ingrats et signifiait que, même s'ils ont obtenu la
santé du corps, ce n'est pourtant pas sans impiété de l'âme
qu'ils ont manqué à ce devoir de piété. Donc, pour que vous

donc remonter à 455 ; il faut le dater de 442, peu de jours après le
28 août de cette année, soit le 30 août ou le 6 septembre.

1. *Jér.* 5, 3.

2. Le mot *martyrium* désigne proprement les tombeaux des
martyrs et les sanctuaires construits au-dessus d'eux ; cf. l'étude que
leur a consacrée A. GRABAR, *Martyrium*, Paris 1946. Les jeux du
cirque étaient, pour les Pères de l'Église, une des manifestations
privilégiées du démon et un de ses pièges favoris, non seulement en
raison de la licence ou de la cruauté des spectacles, mais aussi parce
que les représentations s'accompagnaient d'actes idolâtriques ; ils
constituaient par excellence la « pompa diaboli » ; cf. WASZINK,
« Pompa diaboli », dans *Vigiliae Christianae*, I, 1947, p. 13-41.

3. Cf. *Lc* 17, 11-19.

torum nota etiam vobis, dilectissimi, possit ascribi[1], revertimini ad Dominum intelligentes mirabilia quae in nobis dignatus est operari[2], et liberationem nostram, non, sicut opinantur impii, stellarum effectibus, sed ineffabili omnipotentis Dei misericordiae deputantes, qui corda furentium barbarorum mitigare dignatus est, ad tanti vos beneficii memoriam toto fidei vigore conferte. Gravis negligentia majore satisfactione curanda est. Ad emendationem nostram utamur lenitate parcentis : ut beatus Petrus et omnes sancti qui nobis* in multis tribulationibus affuerunt, obsecrationes nostras pro vobis apud misericordem Deum juvare dignentur, per Christum Dominum nostrum. Amen.

72

(LXXXV)

IN NATALI S. LAURENTII MARTYRIS

1. Cum omnium, dilectissimi, summa virtutum et totius plenitudo justitiae de illo amore nascatur, quo Deus proximusque diligitur[3], in nullis profecto

---

1. S. Léon a pu penser ici à la *nota censoria* qui, dans l'ancienne Rome, frappait les citoyens indignes. Les censeurs, en établissant la *tabula censoria* pour le recensement du peuple romain, notaient en face du nom du condamné le motif de sa déchéance. Celui-ci était exclu du sénat ou de l'ordre des chevaliers et rétrogradé parmi les *aerarii*, citoyens non inscrits dans une tribu, soumis à la capitation et privés du droit de vote. C'était donc une vraie dégradation et elle résultait de tout acte de nature à porter atteinte à la puissance matérielle ou morale de l'État. Cf. DAREMBERG et SAGLIO, *Dict. des antiquités grecques et romaines*, I, 2, 996-997, art. « Censor ». D'une semblable flétrissure, S. Léon considère comme dignes les chrétiens

ne puissiez pas être marqués de cette note qui frappe les
ingrats[1], bien-aimés, revenez au Seigneur et comprenez
les merveilles qu'il a daigné accomplir en nous[2] ; attribuez
notre délivrance non pas, comme le croient les impies,
à l'influence des étoiles, mais à l'ineffable miséricorde
du Dieu tout-puissant qui a daigné adoucir les cœurs de
barbares furieux, et ranimez de toute la force de votre foi
le souvenir d'un si grand bienfait. Il faut guérir une grave
négligence par une plus grande réparation. Profitons
pour notre amendement de la clémence de celui qui nous
épargne, et que saint Pierre et tous les saints qui nous
ont secourus dans de multiples tribulations daignent
appuyer nos prières pour vous auprès du Dieu de miséricorde, par le Christ notre Seigneur. Amen.

72

(LXXXV)

EN L'ANNIVERSAIRE DE SAINT LAURENT MARTYR

SOMMAIRE. — 1. L'exemple des martyrs est utile à tous les
    hommes. — 2. L'arrestation et le jugement du diacre
    Laurent. — 3. Son supplice. — 4. La confusion du persé-
    cuteur et le triomphe de Laurent ; l'intercession du
    saint martyr.

1. La somme de toutes les vertus et la plénitude de
toute justice naissent, bien-aimés, de l'amour même
dont Dieu et le prochain sont aimés[3]. Aussi n'y a-t-il

ingrats envers Dieu, comme la *nota censoria* marquait les citoyens
ingrats envers la République.
2. Cf. *Ps.* 67, 29 : « Confirma hoc, Deus, quod operatus es in
nobis. »
3. Cf. *Rom.* 13, 10 : « Plenitudo legis est dilectio. »

hic amor sublimius excellere clariusque fulgere,
quam in beatissimis martyribus invenitur : qui
Domino nostro Jesu Christo pro omnibus hominibus
mortuo tam propinqui sunt imitatione caritatis
quam similitudine passionis. Quamvis enim illi
dilectioni, qua Dominus nos redemit, nulla cujusquam benignitas possit aequari, quia aliud est pro
justo mori hominem sua necessitate moriturum,
aliud pro impiis occumbere a debito mortis alienum[1],
multum tamen universis hominibus etiam martyres
contulerunt, quorum fortitudine ita ejus largitor
usus est Dominus, ut poenam mortis et atrocitatem
crucis nulli suorum vellet esse terribilem, sed multis
faceret imitabilem. Si ergo nullus bonus sibi soli
est bonus, nec cujusquam sapientis sibi tantum
sapientia est amica ; et haec verarum natura virtutum
est, ut multos a tenebroso abducat errore, qui earum
clarus est lumine : ad erudiendum Dei populum
nullorum est utilior forma quam martyrum. Sit
eloquentia* facilis ad exorandum ; sit ratio efficax
ad suadendum ; validiora tamen sunt exempla quam
verba ; et plus est opere docere quam voce.

2. In quo excellentissimo genere doctrinae beatus
martyr Laurentius, cujus passione dies hodiernus
illustris est, quam gloriosa polleat dignitate, etiam
persecutores ipsius sentire potuerunt, cum illa mirabilis animi fortitudo, de Christi principaliter amore
concepta, non solum ipsa non cederet, sed etiam
alios exemplo suae tolerantiae roboraret. Cum enim
furor gentilium potestatum in electissima quaeque
Christi membra saeviret, ac praecipue eos qui ordinis

1. Cf. *ibid*. 5, 6-7 : « Ut quid enim Christus, cum adhuc infirmi
essemus, secundum tempus pro impiis mortuus est ? Vix enim
pro justo quis moritur... »

assurément personne en qui l'on voie cet amour s'élever
plus haut et briller avec plus d'éclat que dans les saints
martyrs, eux que l'imitation de la charité aussi bien que
la similitude des souffrances rapproche de notre Seigneur
Jésus-Christ mort pour tous les hommes. Certes, la bonté
d'un homme, quel qu'il soit, ne saurait être mise sur le
même rang que l'amour par lequel le Seigneur nous a
rachetés, car autre chose est que meure pour un juste
un homme qui doit nécessairement mourir, autre chose
que succombe pour les impies celui qu'aucune dette ne
liait à la mort[1]. Pourtant les martyrs ont, eux aussi,
apporté beaucoup à l'ensemble des hommes, car le Seigneur
dont ils avaient reçu leur courage, s'est servi de celui-ci ;
il a voulu, en effet, que ni la peine de la mort, ni l'atrocité
de la croix ne soient redoutables pour les siens, mais
il les a rendues, au contraire, imitables par beaucoup.
Si donc nul homme bon n'est bon que pour soi-même,
s'il n'est pas non plus de sage dont la sagesse ne soit une
amie que pour lui ; si, d'autre part, telle est la nature
des vertus authentiques que celui qui resplendit de leur
lumière retire beaucoup d'hommes des ténèbres de l'erreur,
il n'est pas d'exemple plus utile pour instruire le peuple
de Dieu que celui des martyrs. Que l'éloquence supplée
facilement, que la raison persuade efficacement, soit ;
les exemples sont pourtant plus puissants que les paroles
et l'enseignement des actes ajoute à celui des discours.

2. Dans ce genre éminent d'instruction, combien
excella en dignité et en gloire le saint martyr Laurent,
dont la passion a illustré ce jour ! Ses persécuteurs eux-
mêmes purent s'en rendre compte lorsque son admirable
force d'âme, issue avant tout de l'amour du Christ, non
seulement ne fléchit pas elle-même, mais encore fortifia
les autres par l'exemple de sa patience. En effet, la fureur
des autorités païennes sévissait contre les membres choisis
du Christ et s'attaquait de préférence à ceux qui appar-

erant sacerdotalis impeteret[1], in levitam Laurentium,
qui non solum ministerio sacramentorum, sed etiam
dispensatione ecclesiasticae substantiae praeeminebat,
impius persecutor efferbuit, duplicem sibi praedam
de unius viri comprehensione promittens, quem si
fecisset sacrae pecuniae traditorem, faceret etiam
verae religionis exsortem. Armatur itaque gemina
face homo pecuniae cupidus et veritatis inimicus :
avaritia, ut rapiat aurum ; impietate, ut auferat
Christum. Postulat sibi ab immaculato sacrarii
praesule opes ecclesiasticas, quibus avidissimus inhia-
bat, inferri. Cui levita castissimus ubi eas repositas
haberet ostendens, numerosissimos sanctorum pauperum obtulit greges, in quorum victu atque vestitu
inamissibiles condiderat facultates, quae tanto inte-
grius erant salvae, quanto sanctius probabantur
expensae.

3. Fremit* praedo frustratus, et in odium religionis,
quae talem divitiarum usum instituisset, ardescens*,
direptionem thesauri potioris aggreditur ; ut apud
quem nullam denariorum substantiam reperisset,
illud depositum, quo sacratius erat dives, auferret.
Renuntiare Christo Laurentium jubet, et solidissi-
mam illam levitici animi fortitudinem diris parat
urgere suppliciis. Quorum ubi prima nihil obtinent,
vehementiora succedunt. Laceros artus et multa
verberum sectione concisos* subjecto praecipit igne
torreri : ut per cratem ferream, quae jam de fervore
continuo vim in se haberet urendi, conversorum

---

1. La persécution de Valérien (257-258), au cours de laquelle
aurait péri S. Laurent, chercha surtout à priver les communautés
chrétiennes de leurs chefs, évêques, prêtres, diacres. Dans un sermon
attribué à Maxime de Turin, mais non retenu comme authentique
par son éditeur critique, A. Mutzenbecker (*CC* 23), on lit : « Ut
perniciosus dominicum gregem feralis bestiae rabies insatiati laniaret,
nocendi artifex inimicus pervigiliis prius molitur custodiam pastoris

tenaient à l'ordre sacerdotal[1]. Le persécuteur impie
s'enflamma donc aussi de fureur contre le lévite Laurent
qui se distinguait non seulement en administrant les
sacrements, mais encore en dispensant les biens ecclésias-
tiques ; il se promettait ainsi un double butin de l'arrestation d'un seul homme, car, en obtenant de lui qu'il
livrât les deniers sacrés, il en ferait aussi un transfuge
de la vraie religion. C'est pourquoi cet homme avide
d'argent et ennemi de la vérité s'arme d'un double bran-
don : de l'avarice pour s'emparer de l'or, de l'impiété
pour arracher le Christ. Il demande au gardien sans
reproche du trésor sacré de lui livrer les biens d'Église
qu'il convoitait dans son avidité. Sur quoi le pieux lévite,
montrant où il les avait déposés, lui présenta les troupes
innombrables de chrétiens pauvres, à la nourriture et au
vêtement desquels il avait réservé ces biens inaliénables,
d'autant plus intégralement préservés qu'on les prouvait
ainsi plus saintement dépensés.

3. Le voleur frustré frémit d'indignation et, s'enflam-
mant de haine contre une religion qui avait institué
un tel usage des richesses, entreprend le pillage d'un trésor
plus précieux encore : à celui chez qui il n'a pas trouvé
de fortune en deniers, il veut enlever un dépôt qui le rend
plus saintement riche. Il ordonne à Laurent de renier le
Christ et se dispose à vaincre par de cruels supplices
l'inébranlable force d'âme du lévite. Les premiers n'obtenant rien, de plus rigoureux leur succèdent. Il prescrit de
brûler sur le feu les membres déjà lacérés et coupés par
la morsure innombrable des coups de fouet. Ainsi, grâce
à une claie de fer qui, maintenue incandescente, avait
déjà de soi le pouvoir de brûler, le supplice serait rendu

eripere. » (*PL* 57, *Hom.* 75, 411 A). La lettre LXXX, 1, de S. CYPRIEN,
de fin août 258, écrite à la nouvelle du second édit de Valérien, donne
des précisions sur les rigueurs du pouvoir impérial à l'égard des
chrétiens en vue (*CSEL* 3², p. 839 ; lettre 82 dans *PL* 4, 429 s.).

alterna mutatione membrorum, fieret cruciatus vehementior et poena productior.

4. Nihil obtines, nihil proficis, saeva crudelitas. Subtrahitur inventis tuis materia mortalis, et Laurentio in caelos abeunte tu deficis[1]. Flammis tuis superari caritatis Christi flamma non potuit[2], et segnior fuit ignis qui foris ussit quam qui intus accendit[3]. Servisti, persecutor, martyri, cum saevisti[4] ; auxisti palmam, dum aggeras poenam. Nam quid non ad victoris gloriam ingenium tuum reperit, quando in honorem transierunt triumphi, etiam instrumenta supplicii[5] ?

Gaudeamus igitur, dilectissimi, gaudio spiritali, et de felicissimo inclyti[6] viri fine gloriemur in Domino[7], qui est mirabilis in sanctis suis[8], in quibus nobis et praesidium constituit et exemplum ; atque ita per universum mundum clarificavit gloriam suam, ut a solis ortu usque ad occasum[9], leviticorum luminum coruscante fulgore, quam clarificata est Jerosolyma Stephano, tam illustris fieret Roma Laurentio[10]. Cujus oratione et patrocinio adjuvari nos sine cessatione confidimus : ut quia omnes, sicut

---

1. S. Cyprien écrit de même dans sa lettre VIII aux martyrs et confesseurs : « Non cessistis suppliciis, sed vobis potius supplicia cesserunt. » (PL 4, 246 B ; CSEL 3², 491, Ep. X, 2).

2. Cf. Rom. 8, 35.37 : « Quis nos separabit a caritate Christi ?... Sed in his omnibus superamus propter eum... » On pense aussi à Cant. 8, 7 : « Aquae multae non potuerunt extinguere caritatem. »

3. Le Ps.-Maxime écrit dans le même sens : « Nec poenali flexus incendio est, cujus in pectore insuperabilis Spiritus Sancti flamma fervebat... Terrenum penitus tabescit incendium, ubi fervore sancti Spiritus caelestis animus incalescit. » (PL 57, 410 B, 682 C). Et S. Maxime de Turin : « Ardebat extrinsecus beatus martyr tyranni saevientis incendiis, sed major illum intrinsecus Christi amoris flamma torquebat. » (CC 23, p. 94 ; PL 57, 509 A).

4. La traduction française a cherché à rendre le jeu de mots de S. Léon : « Servisti... cum saevisti ».

plus terrible et la peine plus prolongée si l'on retournait les membres pour les présenter tour à tour à la flamme.

4. Tu n'obtiens rien, tu n'arrives à rien, sauvage cruauté ! La matière sujette à la mort est soustraite à tes inventions et, Laurent s'en allant au ciel, toi tu échoues[1]. La flamme de l'amour du Christ n'a pu être vaincue par tes flammes[2] et le feu qui consuma du dehors fut plus faible que celui qui brûla au-dedans[3]. Persécuteur, tu as servi le martyr quand tu as sévi contre lui[4] ! Tu as accru sa récompense en ajoutant à sa peine ! Car est-il quelque chose que ton ingéniosité n'ait pas trouvé pour la gloire du vainqueur, quand même les instruments de son supplice ont tourné à l'honneur de son triomphe[5] !

Réjouissons-nous donc, bien-aimés, d'une joie spirituelle et, de la très heureuse fin de cet homme illustre[6], glorifions-nous dans le Seigneur[7] qui, admirable en ses saints[8], a mis pour nous en eux un secours en même temps qu'un exemple ; il a manifesté sa gloire à travers l'univers entier, en sorte que, du lever du soleil à son couchant[9], brille la lumière de ses lévites et que Rome devienne aussi célèbre grâce à Laurent, que Jérusalem avait été glorifiée par Étienne[10]. Nous avons confiance d'être aidés sans relâche par sa prière et son patronage ; ainsi,

5. Dans le cortège du triomphateur, on portait les armes des peuples vaincus ; ainsi dans celui de S. Laurent, que S. Léon se représente, portera-t-on l'instrument de supplice par lequel son persécuteur avait pensé le vaincre, mais qui a tourné à la défaite et à la confusion de celui-ci.

6. C'est cet homme illustre que le poète PRUDENCE nommera le « Consul perpétuel de la Rome céleste » (*Peristephanon*, II, 559-560, *PL* 60, 335).

7. Cf. *I Cor.* 1, 31 : « Qui gloriatur, in Domino glorietur. » *Phil.* 3, 3 : « Gloriamur in Christo Jesu. »

8. *Ps.* 67, 36.

9. *Ps.* 49, 1.

10. S. AUGUSTIN dit aussi : « Quam non potest abscondi Roma, tam non potest abscondi Laurentii corona » (*PL* 38, 1393).

Apostolus ait, *quicumque volunt in Christo pie vivere,
persecutionem patiuntur*[1], corroboremur spiritu caritatis[2], et ad superandas omnes tentationes constantis
fidei perseverantia muniamur[3]. Per Dominum nostrum Jesum Christum, viventem et regnantem cum
Patre et Spiritu sancto in saecula saeculorum.
Amen[4].

73

(LXXXVI)

DE JEJUNIO SEPTIMI MENSIS SERMO I[5]

1. Observantiam[6] quidem vestram, dilectissimi, ita
novimus esse devotam, ut animas vestras non solum
legitimis, sed etiam voluntariis jejuniis excolatis.

---

1. *II Tim.* 3, 12.

2. Cf. *Éphés.* 3, 16 : « Virtute corroborari per Spiritum ejus. »

3. Cf. *ibid.* 17 : « Christum habitare per fidem in cordibus vestris. » C'est aussi à la foi de notre martyr que le pape S. Damase
attribue sa victoire, dans le quatrain qu'il lui a consacré :

> « Verbera, carnifices, flammas, tormenta, catenas
> Vincere Laurenti sola fides potuit.
> Haec Damasus cumulat supplex altaria donis,
> Martyris egregium suspiciens meritum. » (*PL* 13, 388).

4. Il est intéressant de comparer ce sermon de S. Léon à ceux
qu'ont consacrés à S. Laurent d'autres panégyristes antérieurs à lui
ou ses contemporains, S. Augustin, S. Maxime de Turin ; pour
S. Augustin, cf. *Sermons* CCCII à CCCIV (*PL* 38, 1385-1397) ;
Tract. XXVII *in Joannem* (*PL* 35, 1621) ; pour Maxime de Turin,
Sermons IV et XXIV (*CC* 23, p. 13-15, 93-95 ; *PL* 57, *Sermo* 70,
675-678 ; *Homilia* 109, 507-510) ; pour le Ps.-Maxime, *Sermo* 71
(*PL* 57, 670-680) et 73 (681-682). Le *Sermon* 72 mis par *PL* 57 (679-
682) sous le nom de S. Maxime n'est autre que le sermon de S. Léon
qui nous occupe ici. Tous se rencontrent pour rappeler l'action
charitable du diacre Laurent et le saint usage qu'il fit des biens

puisque, selon la parole de l'Apôtre, « tous ceux qui
veulent vivre pieusement dans le Christ souffrent persécution[1] », nous serons fortifiés par l'Esprit de charité[2]
et défendus par la persévérance d'une foi pleine de constance[3] pour surmonter toutes les épreuves. Par notre
Seigneur Jésus-Christ qui vit et règne avec le Père et
l'Esprit-Saint dans les siècles des siècles. Amen[4].

73

(LXXXVI)

PREMIER SERMON SUR LE JEÛNE
DU SEPTIÈME MOIS[5]

SOMMAIRE. — 1. Encouragement au jeûne. — 2. Encouragement aux vertus et surtout à la charité ; annonce des
jeûnes.

1. Nous connaissons, bien-aimés, votre zèle pour
l'observance religieuse[6], car, non contents des jeûnes
prescrits, vous prenez encore soin de vos âmes en observant
des jeûnes volontaires. Cependant, à cette ferveur, nous

de l'Église. S. Augustin lui fait dire : « Pergant mecum vehicula in
quibus apportem opes Ecclesiae. » Et lorsque les chariots chargés de
pauvres gens sont présentés au juge : « Hae sunt opes Ecclesiae »,
dit-il, parole que l'évêque d'Hippone commente ainsi : « Et verum
est, fratres : magnae opes sunt Christianorum, necessitates egentium »
(PL 38, 1389). Mais, à la différence des auteurs cités, S. Léon est
muet sur le martyre du pape Sixte II qui, marchant au supplice,
aurait prédit à son diacre qu'il le suivrait dans trois jours ; muet sur
les sarcasmes que S. Laurent aurait décochés au juge pendant son
supplice. On voit donc que notre auteur est plus sobre dans son récit,
et que, faisant l'éloge du diacre romain, il a su faire œuvre originale.
    5. Ce sermon est de septembre 441.
    6. Cf. Ignace Carton, art. cit. supra p. 25, n. 3.

Verumtamen adjicienda est huic studio etiam nostrae
admonitionis hortatio*, ut si qui sunt in hoc exercitio
tardiores, in his saltem diebus communi abstinentiae
se obedienter adjungant, in quibus nos oportet
sacratissimam consuetudinem attentius celebrare, ut
per humilitatem jejunii contra omnes hostes nostros[1]
divinum mereamur auxilium. Res enim est praecipui
operis, quam et ex auctoritate indicimus, et ex
caritate suademus : ut paululum edendi libertate
compressa, castigationi corporum et pauperum studeamus alimoniae, quos qui reficit animam suam
pascit, et temporales epulas in delicias mutat aeternas.

2. In locum igitur malarum cupiditatum sanctorum desideriorum incrementa succedant. Cesset
iniquitas, sed non sit otiosa justitia. Quem nullus
patitur opprimentem, sentiat aliquis adjuvantem.
Parum est enim non auferre aliena, nisi largiaris
et propria. Sub oculis justi judicis sumus[2], qui novit
quantam unicuique bene operandi dederit facultatem. Non vult otiosa esse munera sua, qui servis
suis sic mensuras mysticorum distribuit talentorum,
ut creditum qui liberaliter erogasset, augeret ; qui
steriliter servasset, amitteret[3]. Et ideo, dilectissimi,
quia septimi mensis jejunium celebrare nos convenit,
sanctitatem vestram monemus ut quarta et sexta
feria jejunemus ; sabbato vero apud beatum Petrum
Apostolum pariter vigilemus, cujus suffragantibus

---

1. Le jeûne est souvent présenté dans l'Écriture comme un moyen
pour arrêter les malheurs publics en apaisant la colère de Dieu ;
cf. *Joël* 1, 14 ; 2, 15. S. Léon y reviendra au *Sermon* 75, 1, *infra*,
p. 90. S. MAXIME DE TURIN dit, lui aussi : « Murus inexpugnabilis
est contra adversarium resistere elemosinis, dimicare jejuniis »
(*Sermo* LXXXVI, 1, dans *CC* 23, p. 352 ; hom. 87, 1 dans *PL* 57,
451 B). Comme on l'a rappelé à propos du sermon 65 (*supra* p. 32,
n. 1), nous sommes en septembre 441 et la pression des armées
barbares est de plus en plus inquiétante.

devons encore ajouter nos exhortations et nos avertissements, afin que, s'il en est de moins empressés dans
cet exercice, ils se joignent en esprit d'obéissance à l'abstinence commune au moins durant ces jours ; au cours de
ceux-ci, en effet, il nous faut nous adonner avec plus
d'application à ce qui est devenu une très sainte coutume.
Ainsi mériterons-nous, en nous humiliant par le jeûne,
de recevoir le secours divin contre tous nos ennemis[1].
C'est, en effet, chose de grande importance que celle que
nous vous prescrivons en vertu de notre autorité et à
laquelle nous vous encourageons par charité, à savoir
que, imposant quelque frein à notre liberté de manger,
nous ayons à cœur de châtier nos corps et de nourrir
les pauvres : qui restaure ceux-ci sustente son âme et
échange des aliments éphémères contre des délices éternelles.

2. Qu'en place des cupidités mauvaises viennent donc
les fruits des saints désirs. Que cesse l'iniquité, mais que
la justice ne soit pas inactive. Que l'homme dont personne
ne souffre l'oppression fasse sentir à quelqu'un sa compassion. C'est peu de chose, en effet, que de ne pas prendre
ce qui est à autrui, si l'on ne donne aussi ce qui est à nous.
Nous sommes sous le regard du juste juge[2] qui sait quels
moyens il a donnés à chacun pour faire le bien. Il ne veut
pas que ses dons restent inemployés, lui qui a départi
à ses serviteurs telle et telle mesure de talents mystiques,
en sorte que celui qui aura généreusement distribué ce
qui lui était confié l'augmentera, et celui qui l'aura
stérilement gardé le perdra[3]. Aussi, bien-aimés, puisqu'il
nous convient de célébrer le jeûne du septième mois,
nous engageons votre sainteté à jeûner mercredi et vendredi ; et samedi, nous veillerons ensemble auprès du
saint apôtre Pierre ; puissions-nous obtenir, par l'inter-

2. Cf. *Ps.* 7, 12 : « Deus judex justus ».
3. Cf. *Matth.* 25, 14-30.

meritis ab omnibus tribulationibus mereamur absolvi :
per Jesum Christum Dominum nostrum, qui vivit
et regnat in saecula saeculorum. Amen.

74

(LXXXVII)

DE JEJUNIO SEPTIMI MENSIS SERMO II[1]

1. Deus humani generis conditor et redemptor,
qui nos ad promissiones vitae aeternae[3] per semitas
vult ambulare justitiae[2], quia non defuturae erant
tentationes quae nobis in itinere virtutum insidiosis
adversarentur occursibus, multis nos praesidiis, dilectissimi, quibus laqueos diaboli obtereremus, instruxit :
inter quae hoc famulis suis saluberrimum contulit,
ut contra omnes inimici dolos fortitudine se continentiae[4] et operibus pietatis[5] armarent. Ille enim
qui ab initio primis hominibus[6] interdicti cibi inseruit
appetitum, et male credulis per illecebram edendi
omnium concupiscentiarum virus infudit, easdem
fraudes retractare non desinit, et in natura, quam scit
suis seminibus esse vitiatam, sationis suae germen

---

1. Ce sermon est de septembre 442.

2. L'image est biblique ; cf. *Prov.* 2,8 : « Servans semitas justitiae » ;
12, 28 : « In semita justitiae vita » ; *Is.* 40, 14 : « Docuit eum semitam
justitiae », etc.

3. Cf. *I Tim.* 4, 8 : « Pietas... promissionem habens vitae quae
nunc est et futurae » ; *II Tim.* 1, 1 : « Secundum promissionem
vitae ».

4. Le mot est à prendre dans le même sens que plus haut, *Sermon*
65, 1 (cf. *supra*, p. 26, n. 1).

5. Pour le sens du mot *pietas*, déjà rencontré au *Sermon* 65, 4,
cf. *supra*, p. 30, n. 3.

6. Adam et Ève.

cession de ses mérites, d'être délivrés de toutes
tribulations ! Par Jésus-Christ notre Seigneur, qui vit et
règne dans les siècles de siècles. Amen.

74

(LXXXVII)

DEUXIÈME SERMON SUR LE JEÛNE DU SEPTIÈME MOIS[1]

SOMMAIRE. — 1. Les pièges du démon s'exercent, depuis
l'origine, par le moyen de la nourriture. — 2. Utilité du
jeûne, uni à la prière, dans le combat chrétien. — 3. Les
malades qui ne peuvent jeûner, doivent se racheter par
l'aumône. — 4. Récompense et sécurité de l'aumône.

1. Dieu, créateur et rédempteur du genre humain,
veut que nous marchions par les sentiers de la justice[2]
vers les promesses de la vie éternelle[3] ; mais, parce que
les tentations ne devaient pas manquer qui nous assail-
liraient de leurs attaques insidieuses sur le chemin
des vertus, il nous a, bien-aimés, munis de secours
nombreux pour nous permettre de briser les filets du
diable ; parmi eux, il en est un, très salutaire, qu'il a
donné à ses serviteurs : c'est à savoir de s'armer, contre
toutes les ruses de l'ennemi, d'une courageuse abstinence[4]
et des œuvres de la miséricorde[5]. Celui, en effet, qui,
dès l'origine, mit au cœur des premiers humains[6] l'appétit
d'un aliment interdit et, par la séduction d'une nourriture,
versa en des cœurs perversement crédules le poison de
toutes les convoitises, celui-là ne cesse pas de remettre
en œuvre les mêmes tromperies ; dans une nature dont
il sait qu'elle fut corrompue par la graine qu'il y a semée,

inquirit, ut ad labefactanda studia virtutis, desiderium voluptatis accendat. Quoniam poena ipsius
est provectio Christiana[1], nec potest eorum animos
aliquo modo laedere, qui noverunt, auxiliante Domino,
in sua carne regnare. Rationabili ergo moderatione
sanctoque proposito frenandae sunt rebelles cupiditates, nec sinendum est ut castis et spiritalibus
desideriis corporales concupiscentiae reluctentur.
Agnoscat interior homo exterioris sui se esse rectorem,
et* mens divino gubernata dominatu terrenam
substantiam in bonae voluntatis cogat obsequium[2].
Nec enim deest nobis ad hunc ordinem conservandum,
misericordissimi Regis auxilium, qui nos saluber-
rimae observantiae ratione formavit*, praefiniens
nobis per temporum recursus quosdam jejuniorum
dies in quibus castigatione corporum virtus robo-
raretur animorum.

2. Hujus autem remedii munus, dilectissimi, etiam
in isto qui septimus est mense dispositum est, quod
nos prompta convenit alacritate suscipere ; ut praeter
illam abstinentiam, qua quisque se peculiariter
atque privatim secundum modum suae possibilitatis
exercet, haec quae omnibus simul indicitur animosius
celebretur. Nam in omni agone certaminis Christiani,
utilitas continentiae plurimum valet, ita ut quidam
saevissimorum spiritus daemonum, qui ab obsessis
corporibus nullis exorcizantium fugantur imperiis,
sola jejuniorum et orationum virtute pellantur,
dicente Domino : *Hoc genus daemoniorum non*

1. Cette idée que le progrès des chrétiens est le tourment du diable
s'est déjà rencontré au *1er sermon sur le carême*, 4 (*SC* 49 bis, p. 73).
2. Encore une idée chère à S. Léon et bien dans la logique de son
esprit ordonné : la vie chrétienne a pour but de rétablir l'équilibre
initial rompu par le péché, l'esprit commandant au corps et Dieu
commandant à l'esprit ; alors régnera dans l'homme la vraie paix

il recherche ce qui a levé de pareilles semailles, de telle sorte que, afin d'ébranler le zèle pour la vertu, il allume le désir de la volupté. Le progrès des chrétiens, en effet, est son propre châtiment[1] et il ne peut faire aucun mal aux âmes de ceux qui ont appris, avec l'aide du Seigneur, à régner sur leur corps. Une modération raisonnable et une sainte résolution doivent donc imposer un frein aux convoitises rebelles et il ne faut pas permettre aux appétits charnels de s'opposer aux désirs chastes et spirituels. Que l'homme intérieur sache être le maître qui commande à son être extérieur, et que l'esprit, gouverné par l'autorité divine, contraigne ce qui, en l'homme, est de la terre à obéir à la volonté bonne[2]. Et, pour garder cet ordre, le secours du Roi très miséricordieux ne nous manque pas, en effet, lui qui nous a instruits de la méthode d'une si salutaire discipline, prévoyant pour nous certains jours de jeûne au retour des saisons, jours au cours desquels la correction infligée au corps affermirait la force de l'âme.

2. Or le bienfait de ce remède, bien-aimés, a trouvé place en ce mois-ci également, le septième ; il nous faut l'accueillir avec empressement et allégresse, afin que, en plus de l'abstinence à laquelle chacun s'exerce à titre spécial et personnel selon la mesure de ce qu'il peut faire, on s'adonne avec plus de cœur à celle-ci qui est ordonnée à tous en même temps. Car, dans tout l'exercice du combat chrétien, l'abstinence est grandement utile et efficace, à tel point que certains des plus féroces esprits démoniaques, qu'aucune objurgation des exorcistes n'arrive à chasser des corps qu'ils occupent, sont expulsés par la seule puissance des jeûnes et des prières, selon le mot du Seigneur : « Cette espèce de démon n'est chassée que par

et la parfaite liberté : « Tunc est vera pax hominis et vera libertas, quando et caro animo judice regitur, et animus Deo praeside gubernatur », est-il dit au *1er sermon sur le carême*, 2 (*ibid.*, p. 68).

ejicitur nisi in jejunio et oratione[1]. Grata ergo est
Deo et terribilis diabolo jejunantis oratio, nec latet
quantum acquirat saluti suae, quae tantum praestat
alienae[2].

3. In hac sane observantia, dilectissimi, quamvis
omnes nos unanimiter oporteat esse devotos, si
qui tamen sunt quorum voluntati aliqua obsistat
infirmitas, laborem qui supra vires est corporum,
redimant impendiis facultatum. Multa enim sunt
opera pietatis quae ipsam edendi necessitatem merito
ampliore commendent, si jejunantium purificationem
studio benignitatis acquirunt. Nam cum ii qui nihil
omittunt de humiliatione jejunii sub sterili fatiga-
tione desudent, nisi se eleemosynarum, qua possunt,
erogatione sanctificent[3], dignum est ut in alimoniam
pauperum abundantior sit eorum largitio, quorum
ad abstinendum minor est fortitudo. Quod ergo
quis in sua sibi infirmitate non denegat, alienae
inopiae libenter impendat, et propriam necessitatem
faciat sibi cum indigente communem. Non culpatur
infirmus jejunium solvens, a quo cibum accipit
pauper esuriens ; nec escam sumendo polluitur,
qui eleemosynam impertiendo mundatur, dicente
Domino : *Date eleemosynam, et ecce omnia munda
sunt vobis*[4].

4. In quo opere, dilectissimi, etiam ii qui ab
epularum delectatione se continent, fructus sibi
debent misericordiae comparare, ut quod abun-

1. *Matth.* 17, 21 (Vulg.).
2. A savoir le possédé qu'elle délivre du démon.
3. Cette idée que l'aumône doit toujours accompagner le jeûne
et en être comme le complément, est essentielle chez S. Léon et se
retrouvera souvent dans la suite. C'est surtout dans les *Sermons
sur les jeûnes* qu'elle est mise en valeur. Bien qu'elle soit capitale
dans sa doctrine du jeûne, notre auteur l'a reçue d'une tradition

le jeûne et la prière[1]. » La prière de celui qui jeûne est donc agréable à Dieu et terrible au diable et il n'échappe à personne quel grand bien elle obtient pour le salut de celui qui prie, puisqu'elle en procure un si notable à celui d'un autre[2].

3. Assurément, bien-aimés, il importe que, dans la pratique de cette observance, tous se montrent unanimement dévots ; si pourtant il en est que la maladie empêche d'agir comme ils le voudraient, qu'ils rachètent au prix de leur argent l'œuvre pénible qui est au-dessus de leurs forces. Multiples, en effet, sont les œuvres de miséricorde qui garantissent un plus grand mérite à la nécessité même de manger, si l'on se purifie aussi bien que ceux qui jeûnent par l'ardeur à pratiquer la bonté. Car, s'il est vrai que s'épuisent en une peine stérile ceux qui n'omettent rien pour s'humilier par le jeûne, mais ne se sanctifient pas par la distribution d'aumônes qu'ils pourraient faire[3], il est juste que ceux qui ont moins de force pour se priver soient plus généreux dans leurs largesses pour nourrir les pauvres. Donc ce que, à cause de la faiblesse, on ne se refuse pas, qu'on le dépense volontiers pour soutenir l'indigence d'autrui et que l'on communie dans son propre besoin avec celui du pauvre. On ne taxera pas de faute le malade qui rompt le jeûne, si le pauvre qui a faim reçoit de lui sa nourriture ; et il n'est pas souillé par les aliments qu'il prend, celui qui se purifie en faisant l'aumône, selon la parole du Seigneur : « Faites l'aumône et tout, pour vous, sera pur[4]. »

4. Dans l'exercice de cette œuvre, bien-aimés, ceux qui se privent du plaisir des festins doivent aussi amasser pour eux-mêmes les fruits de la miséricorde, afin que,

---

antérieure à lui ; cf. GUILLAUME, *Jeûne et charité*, Paris 1954 ; pour S. Léon, nous renvoyons à notre article : « Un docteur de l'aumône, S. Léon le Grand », dans *Vie Spir.*, mars 1957, p. 266-287.

4. *Lc* 11, 41.

dantius seminaverint, copiosius metant[1]. Non enim
umquam agricolae suo seges ista mentitur, aut
incertam spem habet operis cultura pietatis[2]. Quidquid hoc modo serentis manu spargitur, non aestus
urit, non torrens trahit, non grando prosternit[3].
Incolumes semper sunt omnes pietatis expensae ;
nec solum integrae manent, sed et modo augentur,
et qualitate mutantur. De terrenis caelestia prodeunt,
de parvis magna gignuntur, et temporale donum
in praemium transit aeternum. Quisquis igitur
divitias amas, quisquis multiplicari quae possides
concupiscis, in haec lucra accendere, in haec rerum
tuarum augmenta suspira, de quibus nihil fur
abripit, nihil tinea corrumpit, nihil rubigo consu-
mit[4]. Noli desperare de fenore, noli de accipiente
diffidere. *Quod uni horum fecistis, mihi fecistis*[5],
quis dicat, intellige ; et apud quem opes tuas colloces[6],
perspicacibus fidei oculis securus agnosce. Non
dubitet de receptione, cui Christus debitor est.
Non sit anxia liberalitas, nec triste jejunium :
hilarem enim datorem diligit Deus[7], qui fidelis est
in verbis suis[8], et abundanter largita retribuit,
quae benigne largienda donavit Jesus Christus
Dominus noster, qui vivit et regnat in saecula
saeculorum. Amen.

1. Cf. *II Cor.* 9, 6 : « Qui parce seminat, parce et metet ; et qui
seminat in benedictionibus, de benedictionibus et metet. »

2. Cf. *I Cor.* 9, 10 : « Debet in spe qui arat, arare ; et qui triturat,
in spe fructus percipiendi. »

3. Cf. *Matth.* 7, 25 : « Descendit pluvia et venerunt flumina et
flaverunt venti... »

4. Cf. *ibid.* 6, 20 : « Thezaurizate vobis thesauros in caelo, ubi
neque aerugo neque tinea demolitur, et ubi fures non effodiunt nec
furantur. »

5. *Ibid.*, 25, 40.

ayant semé abondamment, ils moissonnent largement[1].
Jamais, en effet, une telle récolte ne trompe celui qui y
donne ses soins et elle ne comporte aucune incertitude
quant à l'avenir, la culture qui s'applique aux œuvres
de la miséricorde[2]. Tout ce que répand la main d'un tel
semeur, la canicule ne le brûle pas, le torrent ne l'emporte
pas, la grêle ne le verse pas[3]. Les richesses répandues
en œuvres de miséricorde sont toutes et toujours garanties
de rester intactes ; non seulement elles demeurent entières,
mais encore elles augmentent en quantité et se transforment
en qualité. De biens terrestres sortent des biens célestes,
de petites choses en naissent de grandes et un don temporel
devient une récompense éternelle. Qui que tu sois donc,
toi qui aimes les richesses, toi qui aspires à voir se multiplier
ce que tu possèdes, enflamme-toi de désir pour de tels
profits, soupire après de tels accroissements de tes biens ;
de ceux-là, le voleur n'emporte rien, la mite ne gâte rien,
la rouille ne détruit rien[4]. Ne désespère pas de percevoir
tes intérêts, ne te défie pas de celui qui a reçu ton bien.
« Ce que vous avez fait à l'un de ceux-ci, c'est à moi
que vous l'avez fait[5] » ; comprends qui dit cela ; et,
en toute sécurité, les yeux de la foi grands ouverts, reconnais auprès de qui tu places ton avoir[6]. Qu'il ne mette
pas en doute le retour de son dû, celui dont le Christ
est le débiteur. Que la générosité ne soit pas inquiète,
ni triste le jeûne : « Dieu, en effet, aime celui qui donne
avec joie[7] » ; il est fidèle en ses paroles[8] et paie abondamment les largesses qu'en sa bonté il a données pour qu'on
en fasse des largesses, lui, Jésus-Christ notre Seigneur,
qui vit et règne dans les siècles des siècles. Amen.

---

6. Les termes sont pris au langage de la banque : *collocatio, fenus,
receptio.*

7. *II Cor.* 9, 7.

8. Cf. *Ps.* 144, 13 : « Fidelis Dominus in omnibus verbis suis. »

75

(LXXXVIII)

DE JEJUNIO SEPTIMI MENSIS SERMO III[1]

1. Ad exorandam, dilectissimi, misericordiam Dei, et ad renovandum statum fragilitatis humanae, quantum valeant religiosa jejunia, sanctorum prophetarum praedicatione cognoscimus ; qui divinae justitiae commotionem, quam frequenter populus Israel merito iniquitatis inciderat, non nisi jejunio protestantur posse placari. Unde et Joel propheta admonet dicens : *Haec dicit Dominus Deus vester : convertimini ad me in toto corde vestro, in jejunio, et fletu, et planctu, et disrumpite corda vestra et non vestimenta vestra, et convertimini ad Dominum Deum vestrum : quia misericors est, et patiens, et magnanimus, et multum misericors*[2] ; et iterum : *Sanctificate jejunium, praedicate curationem*[3], *congregate plebem, sanctificate Ecclesiam*[4]. Quae cohortatio, dilectissimi, nostris quoque est amplectenda temporibus, quia hujus curationis remedia etiam a nobis sunt necessarie praedicanda, ut in observantia sanctificationis

1. Ce sermon est de septembre 443.
2. *Joël* 2, 12-13.
3. Au lieu de ces mots, la Vulgate porte : « Vocate coetum. »
4. *Ibid.* 15-16. Ces textes sont lus à la messe du mercredi des Cendres.

75

(LXXXVIII)

TROISIÈME SERMON SUR LE JEÛNE
DU SEPTIÈME MOIS[1]

SOMMAIRE. — 1. Le jeûne apaise la justice de Dieu ; témoignage des prophètes à ce sujet. — 2. L'entraînement en commun du peuple de Dieu pour la guerre contre le démon est préférable à l'initiative privée. — 3. L'observance des « jeûnes » de septembre nous invite à cette pratique commune. — 4. Tableau de la société chrétienne idéale gouvernée par la charité. — 5. Mesure à adopter dans la pratique de l'aumône ; annonce des jeûnes de la semaine.

1. Bien-aimés, nous savons par la prédication des saints prophètes de quelle valeur sont les jeûnes religieusement observés, pour gagner la miséricorde de Dieu et restaurer en sa condition la fragile nature humaine ; ces prophètes proclament, en effet, que seul le jeûne peut apaiser l'irritation de la justice divine, si souvent encourue par le peuple d'Israël à cause de son iniquité. C'est pourquoi le prophète Joël donne cet avertissement : « Parole du Seigneur votre Dieu : revenez à moi de tout votre cœur, dans le jeûne, les pleurs et les cris de deuil ; déchirez vos cœurs et non vos vêtements et revenez au Seigneur votre Dieu ; car il est miséricordieux et patient, généreux et riche en grâces[2] » ; et encore : « Sanctifiez un jeûne, annoncez la guérison[3], réunissez le peuple, sanctifiez l'assemblée[4]. » Cette exhortation, bien-aimés, il nous faut la recevoir aussi de notre temps, car il est indispensable que nous aussi « annoncions » les remèdes qui procurent cette « guérison », afin que, en observant cet antique moyen de sanctification, les chrétiens acquièrent

antiquae, quod perdidit Judaica praevaricatio, acquirat Christiana devotio.

2. Divinarum namque* reverentia sanctionum, inter quaelibet spontaneae observantiae studia, habet semper privilegium suum : ut sacratius¹ sit quod publica lege celebratur quam quod privata institutione dependitur. Exercitatio enim continentiae, quam sibi quisque proprio indicit arbitrio, ad utilitatem cujusdam pertinet portionis ; jejunium vero, quod universa Ecclesia suscipit, neminem a generali purificatione sejungit ; et tunc fit potentissimus Dei populus, quando in unitatem sanctae obedientiae omnium fidelium corda conveniunt, et in castris militiae Christianae² similis ex omni parte praeparatio, et eadem est ubique munitio³. Fremat licet cruenti hostis pervigil furor, et latebrosas undique praetendat insidias, neminem tamen capere, neminem poterit vulnerare, si nullum inermem, nullum desidem, nullum invenerit ab opere pietatis exsortem.

3. Ad hujus ergo invictae unitatis potentiam, dilectissimi, etiam hoc nos solemne jejunium septimi mensis invitat : ut a curis saecularibus actibusque terrenis liberos ad Dominum animos erigamus. Et quia hanc intentionem semper necessariam non omnes possumus habere perpetuam, saepiusque per humanam fragilitatem a supernis in terrena recedimus*, istis saltem diebus, qui nobis ad saluberrima

---

1. On a ici un écho de la conception sacrée du droit chez les anciens en général et, en particulier, chez les Romains : le droit n'était jamais considéré comme indépendant de la religion, comme profane. Aussi ce qui est sanctionné par une loi publique est-il plus « sacré » que ce qui vient d'une convention privée. Cf. sur ce caractère sacré des lois : FUSTEL DE COULANGES, *La Cité antique*, II, XI, « La loi ».

2. Cf. *II Cor.* 10, 4 : « Arma militiae nostrae » ; *I Tim.* 1, 18 : « Milites in illis bonam militiam ».

3. *Castra, praeparatio, munitio*, autant de termes empruntés

par leur dévotion ce que les Juifs ont perdu par leur prévarication.

2. Or le respect des institutions divines a toujours, par rapport à toute pratique de ferveur personnelle, une place de choix, qui fait que ce que l'on observe en vertu d'une loi publique est plus sacré[1] que ce qui dépend d'une disposition privée. L'exercice de l'abstinence que chacun s'impose à soi-même de son propre chef ne vise, en effet, qu'au bien d'une partie des chrétiens ; par contre le jeûne qu'embrasse l'Église universelle ne laisse personne en dehors de la purification générale ; et le peuple de Dieu obtient le maximum de sa puissance lorsque les cœurs des fidèles s'accordent tous dans l'unité d'une sainte obéissance et que, dans le camp de l'armée chrétienne[2], on voit partout un même entraînement et partout une même défense[3]. Notre sanguinaire ennemi peut bien gronder d'une fureur toujours en éveil et tendre partout ses pièges secrets, il ne pourra cependant ni capturer ni blesser personne, s'il ne trouve personne qui soit sans armes, personne qui soit oisif, personne qui ne prenne sa part des œuvres de la piété.

3. Ce jeûne solennel du septième mois, bien-aimés, nous invite donc à cette unité aussi puissante qu'invincible, afin que nous élevions vers le Seigneur des âmes libérées des soucis du siècle et des activités de la terre. Or, comme nous ne pouvons avoir tous constamment cette application pourtant toujours nécessaire, et que trop souvent l'humaine fragilité nous fait quitter les choses du ciel pour celles de la terre, profitons donc au moins de ces jours qui ont été prévus pour nous procurer les remèdes

à la langue militaire. Comme dans les *Sermons sur le carême,* la perspective est celle d'une guerre que le peuple chrétien mobilisé soutient contre l'ennemi du salut : on s'entraîne à des exercices, on se fortifie pour soutenir un siège. S. Léon préfère ces « manœuvres » communes à la stratégie individuelle des francs-tireurs ; il y reviendra au sermon suivant, 2.

sunt remedia praestituti, mundanis nos occupatio-
nibus subtrahamus, et aliquid temporis quod prosit
ad bona aeterna furemur. *In multis enim,* sicut
scriptum est, *offendimus omnes*[1]. Et licet quotidiano
Dei munere a diversis contaminationibus emundemur,
inhaerent tamen incautis animis plerumque maculae
crassiores, quas oporteat diligentiori cura ablui et
impendio majore deleri. Plenissima autem peccatorum
obtinetur abolitio quando totius Ecclesiae una est
oratio et una confessio. Si enim duorum vel trium
sancto pioque consensui omnia quae poposcerint
Dominus praestanda promittit[2], quid negabitur multorum millium plebi unam observantiam pariter
exsequenti, et per unum spiritum concorditer suppli-
canti ?

4. Magnum est in conspectu Domini, dilectissimi,
valdeque pretiosum[3], cum totus Christi populus
eisdem simul instat officiis, et in utroque sexu omnes
gradus omnesque ordines eodem cooperantur affectu ;
cum in declinando malo ac faciendo bono[4] par
cunctorum et una sententia est ; cum in operibus
servorum suorum glorificatur Deus[5], et totius pietatis
auctori[6] in multa gratiarum actione benedicitur[7].
Aluntur esurientes, vestiuntur nudi, visitantur infirmi[8], et nemo quod suum est quaerit, sed quod
alterius[9], dum ad relevandam alienam miseriam

1. *Jac.* 3, 2.

2. Cf. *Matth.* 18, 19.

3. Réminiscence verbale des mots du *Ps.* 115, 15 : « Pretiosa
in conspectu Domini mors sanctorum ejus. »

4. Cf. *Ps.* 36, 27 : « Declina a malo et fac bonum. »

5. Cf. *Matth.* 5, 16 : « Ut videant opera vestra bona et glorificent
Patrem vestrum qui in caelis est. »

6. Cf. *Jac.* 1, 17 : « Omne datum optimum et omne donum
perfectum desursum est, descendens a Patre luminum. »

les plus salutaires ; soustrayons-nous aux occupations du monde et dérobons un peu de temps qui nous serve à acquérir les biens éternels. « En beaucoup de choses, en effet, comme il est écrit, nous commettons tous des fautes[1]. » Sans doute les dons que Dieu nous fait tous les jours nous purifient de bien des souillures ; cependant des taches assez grossières demeurent le plus souvent imprimées sur les âmes négligentes, taches qu'il faudrait laver au prix d'un soin plus attentif et effacer à plus grands frais. Or on obtient la remise la plus totale des péchés lorsque la prière de l'Église entière est une, et une sa profession de foi. Car, si le Seigneur promet d'accorder à la sainte et pieuse entente de deux ou trois tout ce qu'ils demanderaient[2], que refusera-t-il à un peuple de plusieurs milliers de personnes se soumettant pareillement à une même discipline et suppliant d'un seul cœur et dans un même esprit ?

4. C'est, aux regards du Seigneur, une chose grande et fort précieuse[3], bien-aimés, que le peuple entier du Christ s'applique ensemble aux mêmes devoirs et que les chrétiens de l'un et l'autre sexe, à tous les degrés et dans tous les ordres, collaborent dans un même sentiment ; qu'une seule et même détermination les anime tous à fuir le mal et à faire le bien[4] ; que Dieu soit glorifié dans les œuvres de ses serviteurs[5] et l'auteur de toute bonté[6] béni par une multiple action de grâces[7]. Les affamés sont alors nourris, ceux qui étaient nus sont vêtus, les malades sont visités[8] ; personne ne cherche son propre intérêt, mais plutôt celui d'autrui[9], cependant que chacun se contente de la mesure qui lui convient, afin de pouvoir

7. Cf. *II Cor.* 9, 12 : « Abundat per multas gratiarum actiones in Domino. »

8. Cf. *Matth.* 25, 35-36 : « Esurivi, et dedistis mihi manducare... » etc.

9. Cf. *I Cor.* 10, 24 : « Nemo quod suum est quaerat, sed quod alterius. »

unicuique mensura sua sufficit, et facile est invenire
hilarem largitorem[1], ubi modum operis ratio temperat facultatis. Per hanc autem Dei gratiam, *quae
operatur omnia in omnibus*[2], communis fidelium
fructus et commune fit meritum. Quoniam quidem
potest et eorum par esse animus quorum impar
est census, et cum alter de alterius laetatur largitate,
cui aequari non potuit impendio, aequatur affectu.
Nihil in tali populo inornatum* nihilque diversum
est, ubi ad unum pietatis vigorem omnia sibi totius
corporis membra consentiunt ; nec de sua tenuitate
confunditur qui de aliorum opulentia gloriatur. Decus
enim universitatis est excellentia portionis, et cum
Dei spiritu omnes agimur[3], non solum illa nostra
sunt quae ipsi gerimus, sed etiam illa de quibus
in aliorum actione gaudemus.

5. Amplectamur igitur, dilectissimi, beatam istam
sacratissimae unitatis soliditatem, et solemne jejunium concordante proposito bonae voluntatis inea-
mus. Nihil a quoquam arduum, nihil asperum
quaeritur, nec aliquid nobis quod vires nostras
excedat indicitur, sive in abstinentiae castigatione,
sive in eleemosynae largitate. Sciunt singuli quid
possint quidve non possint. Ipsi modulum suum
pendant, ipsi justa et rationabili taxatione se censeant,
ut sacrificium misericordiae non cum tristitia offera-
tur, nec inter damna numeretur[4]. Hoc pio impendatur
operi quod cor justificet, quod conscientiam lavet,
quod denique et accipienti prosit et danti. Felix
quidem ille est animus multumque mirabilis, qui

1. Cf. *II Cor.* 9, 7 : « Hilarem datorem diligit Deus. »
2. *I Cor.* 12, 6.
3. Cf. *Rom.* 8, 14 : « Quicumque enim Spiritu Dei aguntur, ii
sunt filii Dei. »
4. Cf. *II Cor.* 9, 7 : « Unusquisque prout destinavit in corde
suo, non ex tristitia, aut ex necessitate. »

soulager la misère des autres ; enfin il est facile de trouver quelqu'un qui donne avec joie[1], là où la règle qui mesure l'action est la possibilité de chacun. La grâce de Dieu, « qui opère tout en tous[2] », rend commun à tous le fruit produit par les fidèles et leur rend commun le mérite. C'est que, en effet, le cœur peut être le même chez ceux dont les revenus ne sont pas les mêmes ; et, d'autre part, lorsque quelqu'un se réjouit de la générosité d'un autre, celui qu'il n'a pu égaler par ses dons, il l'égale par l'affection. Dans un tel peuple, rien de vulgaire, rien qui crée l'opposition, lorsque tous les membres du corps entier s'entendent dans un même élan d'amour fraternel et que celui qui se glorifie de l'opulence des autres n'éprouve pas de confusion du fait de sa propre pauvreté. L'honneur de l'ensemble est la gloire de chaque partie et, lorsque nous sommes tous mus par l'Esprit de Dieu[3], ce qui est nôtre n'est pas seulement ce que nous accomplissons nous-mêmes, mais encore ce dont nous nous réjouissons dans les actions d'autrui.

5. Embrassons donc, bien-aimés, cette bienheureuse fermeté que donne une très sainte unité et entrons dans le jeûne solennel avec l'unanimité d'un propos animé par la bonne volonté. Rien n'est demandé à personne qui soit pénible, rien qui soit difficile et rien ne nous est imposé qui excède nos forces, qu'il s'agisse de se mortifier par l'abstinence ou de se montrer généreux dans l'aumône. Chacun sait ce qu'il peut et ce qu'il ne peut pas. A chacun d'estimer sa propre mesure, à chacun de se taxer selon un barême juste et raisonnable, afin que le sacrifice de la miséricorde ne soit pas offert avec tristesse ni compté parmi les pertes[4]. Que l'on consacre à cette bonne œuvre ce qui peut justifier le cœur, laver la conscience, être enfin utile et à celui qui reçoit et à celui qui donne. Heureuse, certes, et très digne d'admiration, l'intention de qui, aimant

facultatum defectionem benefaciendi amore non metuit, et daturum sibi eroganda non diffidit, a quo quod erogaret accepit. Sed quia magnanimitas ista paucorum est[1]*, plenum etiam pietatis est ut suorum curam quisque non deserat, nos perfectioribus non praejudicantes, ea vos regula generaliter cohortamur ut mandatum Dei secundum possibilitatis vestrae mensuram operemini. Hilarem enim benevolentiam esse decet[2], quae sic suam temperet largitatem, ut de illa et pauperum refectio gaudeat, et domestica sufficientia non laboret. *Qui autem ministrat semen seminanti, et panem ad manducandum praestabit, et multiplicabit semen vestrum, et augebit incrementa frugum justitiae vestrae*[3].

Quarta igitur et sexta feria jejunemus, sabbato autem apud beatissimum Petrum apostolum pariter vigilias celebremus, cujus meritis et orationibus confidimus nobis per omnia misericordiam Dei nostri esse praestandam : per Dominum nostrum Jesum Christum, qui vivit et regnat in saecula saeculorum. Amen.

---

1. Au *4e sermon sur le carême*, 1, S. Léon a souligné de même qu'il y en a peu qui sachent se garder dans une dévotion continuelle et se maintenir devant Dieu tels qu'il faudrait que l'on soit pour célébrer dignement la fête de Pâques : « Sed quia haec fortitudo paucorum est... » (*SC* 49 bis, p. 102).

faire le bien, ne craint pas que les ressources viennent
à lui manquer et ne doute pas que celui dont elle a reçu
pour donner ne lui donne de quoi donner. Mais comme
une telle grandeur d'âme n'appartient qu'au petit nombre[1],
la perfection de la piété filiale exige aussi que l'on ne
délaisse pas le soin de ses proches ; aussi, sans préjuger
des plus parfaits, vous exhortons-nous d'une manière
générale en vous donnant pour règle d'exécuter le commandement de Dieu selon la mesure de vos possibilités.
Il convient que la bonté soit joyeuse[2] ; aussi doit-elle
régler sa générosité de telle sorte que, grâce à celle-ci,
les pauvres se réjouissent d'être sustentés et que les
besoins domestiques ne viennent pas à en souffrir. « Celui
qui fournit au semeur la semence, donnera le pain
pour vous nourrir, multipliera votre semence et fera
croître les fruits de votre justice[3]. »

Nous jeûnerons donc mercredi et vendredi ; et samedi,
nous célébrerons ensemble les veilles auprès du saint
apôtre Pierre, dont les mérites et les prières, nous en avons
la confiance, feront que la miséricorde de notre Dieu
nous soit accordée en tout ; par notre Seigneur Jésus-
Christ qui vit et règne dans les siècles des siècles. Amen.

2. Cf. *II Cor.* 9, 7.
3. *Ibid.* 10.

76

(LXXXIX)

DE JEJUNIO SEPTIMI MENSIS SERMO IV[1]

1. Praedicationem nostram, dilectissimi, familiaris vobis adjuvat consuetudo, et ratio temporis commendat officium sacerdotis, ne aut onerosum videatur aut arduum, quod et praeceptum exigit legis, et devotio temperat voluntatis : quae cum in unum, gratia Dei auxiliante, conveniunt, non *littera occidit, sed spiritus vivificat*[2]. *Ubi autem spiritus Dei, ibi libertas*[3], quae legem non timore exsequitur, sed amore. Obedientia enim mollit imperium, nec dura ibi necessitate servitur, ubi diligitur quod jubetur. Cum ergo vos, dilectissimi, ad quaedam quae etiam in veteri Testamento instituta sunt cohortamur, non Judaicae vos observantiae jugo subdimus, nec consuetudinem vobis populi carnalis indicimus. Excellit super illorum jejunia continentia Christiana : et si quid nobis atque illis commune est in temporibus,

1. Ce sermon est de septembre 444.
2. Cf. *II Cor.* 3, 6.
3. *Ibid.*, 17.

76

(LXXXIX)

QUATRIÈME SERMON SUR LE JEÛNE DU SEPTIÈME MOIS[1]

SOMMAIRE. — 1. Nous jeûnons selon un précepte hérité de l'ancienne loi, mais dans un esprit nouveau. — 2. Il vaut mieux combattre le démon dans les rangs de l'armée chrétienne que livré à ses seules forces. — 3. Le démon se sert, pour nous tenter, de la beauté des créatures ; comment déjouer ses pièges. — 4. Les exercices de la vie chrétienne nous dégagent des soucis du siècle pour nous appliquer aux réalités divines. — 5. Notification des jeûnes du septième mois. — 6. Riches et pauvres s'aident mutuellement ; annonce des jours de jeûne.

1. Une coutume qui vous est familière, bien-aimés, vient en aide à notre prédication et le retour de la saison apporte son soutien au devoir du pontife ; ainsi nous ne trouverons ni pesant ni pénible ce que la loi demande en même temps que l'ordonne la ferveur de la volonté ; lorsque, la grâce de Dieu aidant, l'une et l'autre concourent pour ne plus faire qu'une, la lettre ne tue pas, mais l'esprit vivifie[2]. Or, « où est l'Esprit de Dieu, là est la liberté[3] », cette liberté qui obéit à la loi, non par crainte, mais par amour. L'obéissance, en effet, adoucit le commandement et l'on ne sert pas en esclave d'une dure nécessité là où l'on aime ce qui est ordonné. Lors donc que nous vous exhortons, bien-aimés, à certaines pratiques instituées dès l'ancien Testament, nous ne vous soumettons pas au joug de l'observance judaïque et nous ne vous prescrivons pas un usage qui fut propre à un peuple charnel. L'abstinence chrétienne l'emporte sur ses jeûnes et, si quelque chose nous est commun avec lui quant au temps où nous

non concordat in moribus. Habeant illi nudipedalia
sua[1], et in tristitia vultuum ostentent otiosa jejunia[2];
nos in nullo ab habitus nostri honestate* dissimiles,
nec a justis et necessariis operibus abstinentes,
edendi licentiam simplici parcitate cohibemus : ut
in usu ciborum modus eligatur, non creatura dam-
netur.

2. Quamvis autem unicuique nostrum liberum sit
voluntariis castigationibus proprium corpus afficere,
et nunc moderatius, nunc vero districtius repugnantes
spiritui carnales concupiscentias[3] edomare, quibusdam tamen diebus ab omnibus oportet pariter
celebrari generale jejunium, et tunc est efficacior
sacratiorque[4] devotio, quando in operibus pietatis
totius Ecclesiae unus animus et unus est sensus.
Publica enim praeferenda sunt propriis ; et ibi
intelligenda est praecipua ratio utilitatis, ubi vigilat
cura communis[5]. Teneat igitur diligentiam suam

1. Les *nudipedalia* étaient, dans la Rome païenne, des processions
que l'on faisait nu-pieds pour obtenir des dieux la cessation de
calamités publiques. TERTULLIEN y fait allusion dans l'*Apologeticus*
40 (*PL* 1, 487) et dans *De jejuniis*, 16 (*PL* 2, 976). Un tel rite d'expia-
tion existait-il dans le judaïsme ? La Bible n'en parle pas ; elle montre
seulement David, en fuite devant son fils Absalon, « gravissant et
pleurant la Montée des Oliviers, la tête voilée et les pieds nus
(*II Sam.* 15, 30) ; de même chez les Prophètes, c'est un rite de deuil
que d'aller déchaussé et nu (*Mich.* 1, 8 ; *Is.* 20, 2 s.). S. JÉRÔME
suppose que S. Paul l'a pratiqué comme un rite du naziréat (*Comm.
in Ep. ad Gal.* 4, 8, *PL* 26, 375, par référence à *Actes* 18, 18 ; de même
Epist. 111, 10, *PL* 22, 922) ; CASSIEN prête la même opinion à l'abbé
Joseph, dans ses *Collationes*, 17, 20 (*PL* 49, 1074 A ; *SC* 54, p. 269).
S. AUGUSTIN mentionne une secte dont les adeptes marchaient
toujours pieds nus, parce que Dieu avait commandé à Moïse, Josué
et Isaïe d'ôter leurs chaussures (*De haeresibus ad Quodvultdeus*, 68,
PL 42, 42).

2. Cf. *Matth.* 6, 16 : « Cum autem jejunatis, nolite fieri sicut
hypocritae tristes ; exterminant enim facies suas, ut appareant
hominibus jejunantes. »

l'observons, il ne concorde pas quant à la manière de le faire. Qu'ils aient, eux, leur processions « nu-pieds[1] » et que la tristesse de leurs visages fasse éclater la vanité de leurs jeûnes[2] ; pour nous, ne changeant en rien l'honnêteté de notre comportement et ne nous abstenant pas des travaux justes et nécessaires, nous restreignons notre liberté de manger par une sobriété toute simple, en sorte que, dans l'usage des aliments, il s'agisse pour nous de fixer librement une mesure, non de condamner la créature.

2. Libre à chacun de nous de soumettre son corps à des pénitences volontaires et de dompter, tantôt plus modérément, tantôt plus rigoureusement, les désirs charnels qui s'opposent à l'esprit[3]. Il faut cependant qu'à certains jours, tous célèbrent également un jeûne général ; la dévotion est alors plus efficace et plus religieuse[4], un même cœur et un même sentiment animant les œuvres de piété de toute l'Église. Ce qui est commun, en effet, doit passer avant ce qui est personnel et il faut comprendre que l'utilité reçoit le premier rang là où demeure vigilante la sollicitude de tous[5]. Que chacun

---

3. Cf. *Rom.* 7, 23 . « Video autem aliam legem in membris meis, repugnantem legi mentis meae. »

4. Le mot *sacratus* est toujours difficile à traduire ; rencontré au sermon précédent en relation avec la loi, il est ici appliqué à la *devotio*. Il semble qu'il implique ici, associée à l'idée d'efficacité *(efficacior)*, celle d'une force divine, sacrée au sens classique du mot, on pourrait dire « numineuse ». C'est ce pouvoir donné directement par Dieu à son Église, qui revêt, dans la pensée de S. Léon, les manifestations communautaires de la dévotion des fidèles.

5. Il y a ici l'énoncé d'un principe social de S. Léon, qui fait de lui un maître de l'esprit ecclésial et de la liturgie de l'Église. Le 2ᵉ Concile du Vatican ne s'en est-il pas souvenu dans sa Constitution sur la Liturgie, lorsqu'il a dit : « Chaque fois que les rites, selon la nature propre de chacun, comportent une célébration commune..., on soulignera que celle-ci, dans la mesure du possible, doit l'emporter sur leur célébration individuelle et quasi privée » ? (I, III, B 27, trad. *Doc. cath.*, 15 déc. 1963, 1642).

observantia singulorum, et contra nequitiae spiritalis
insidias[1], implorato divinae protectionis auxilio,
caelestia quisque arma corripiat. Sed ecclesiasticus
miles, etiamsi specialibus praeliis possit fortiter
facere, tutius tamen et felicius dimicabit, si contra
hostem palam in acie steterit : ubi non suis tantum
viribus certamen ineat, sed sub invicti Regis imperio
fraternis consociatus agminibus bellum universale
conficiat. Minori enim discrimine plures confligunt
cum hoste quam singuli ; nec facile patet vulneri,
quem opposito scuto fidei[2], non sua tantum, sed
etiam aliorum fortitudo defendit : ut ubi una est
omnium causa, sit una victoria.

3. Quia igitur adversarius noster insidiari nobis
diversa tentationum arte non desinit, et haec est
una versutiarum ejus intentio, ut redemptos Christi
sanguine a mandatis Dei possit abducere, omni
diligentia praecavendum est ut nullis inimici jaculis
vulneremur. Tela enim ipsius non sunt aspera corporis
sensibus, sed nimium carni, ut animae noceant,
blandiuntur. Trahunt oculos ad varias cupiditates,
ut de mundi pulchritudine aut concupiscentiae
accendantur faces, aut superstitionum gignantur
errores[3]. Per insidiosos etiam sonos mollibus ictibus
pulsatur auditus, ut animi soliditas illecebrosa modu-
latione solvatur, et lethalium consuetudine suavi-
tatum incauta et parum sobria corda capiantur

---

1. Cf. *Éphés.* 6, 12 : « Contra spiritualia nequitiae... »
2. Cf. *ibid.* 16 : « In omnibus sumentes scutum fidei. »
3. Par ces derniers mots, S. Léon vise sans doute le culte rendu
aux astres en raison de leur beauté et de l'impression qu'ils produisen
sur l'homme ; il s'en est pris ailleurs à cette superstition ; cf. *7e sermor
pour Noël*, 4 (*SC* 22 bis, p. 156, n. 3) ; *4e sermon sur le carême*,
(49 bis, p. 112-113). Mais, plus généralement, il peut vouloir aussi

se garde donc diligent dans son observance et que, après avoir imploré le secours de la protection divine, il saisisse les armes célestes pour lutter contre les pièges de l'esprit du mal[1]. Mais le soldat de l'Église, même s'il peut se comporter courageusement dans des combats singuliers, luttera cependant plus sûrement et plus heureusement si, face à l'ennemi, il se tient ostensiblement parmi l'armée rangée en bataille : là il n'engagera pas le combat avec ses seules forces, mais, uni aux bataillons de ses frères sous le commandement du Roi invincible, il livrera une guerre qui est celle de tous. L'issue du combat est, en effet, moins hasardeuse quand on se mesure avec l'ennemi à plusieurs que quand on le fait en isolé ; et il n'est pas facilement exposé aux coups, celui que, sous la protection du bouclier de la foi[2], défend non seulement sa propre vaillance, mais aussi celle des autres ; ainsi, là où est une la cause de tous, une aussi sera la victoire.

3. Notre adversaire ne cesse pas de nous tendre des pièges, usant de l'art varié de ses tentations, et l'unique but de ses artifices est de pouvoir détourner des commandements de Dieu ceux qui ont été rachetés par le sang du Christ ; il nous faut donc veiller en toute attention pour n'être blessés par aucune des armes que peut lancer l'ennemi. Car ses traits, loin d'être rudes à nos sens corporels, flattent grandement la chair afin de nuire à l'âme. Ils attirent les yeux vers toutes sortes de choses désirables, pour que la beauté du monde, tantôt allume les feux de la concupiscence, et tantôt engendre les erreurs de la superstition[3]. L'ouïe aussi est frappée doucement de sons pleins de dangers, afin qu'une mélodie voluptueuse relâche la fermeté de l'âme et que des cœurs sans prudence et peu sur leurs gardes se laissent prendre, grâce à l'accoutumance, à des douceurs mortelles. Mais les secours

iser tous les cultes idolâtriques, dans lesquels la beauté de la créature st divinisée.

Sed hos diaboli dolos inefficaces et irritos faciunt
divinae praesidia gratiae, et evangelicae praecepta
doctrinae. Quoniam qui acceperunt Spiritum sanctum, et a quibus timor Domini non de poenae
formidine, sed de Dei caritate conceptus est, illaeso
fidei pede laqueos talium conterunt captionum, ut
creaturarum omnium pulchritudine ad gloriam et
laudem sui utantur auctoris, eumque diligant super
omnia, per quem facta sunt omnia[1].

4. In hujus admirationem, dilectissimi, omnium
fidelium tendat affectio ; de hoc sibi delectationes
non corruptibiles, sed aeternas, sapiens continentia
petat, et in amorem* boni sine quo nullus est bonus[2]
incontaminata castitas inardescat. Ad hoc enim
nobis tradita sunt exercitia Christiana ut, resecata
omni illicita voluptate, in sanctas et spiritales delicias
aestuemus. Et cum nos oporteat semper studere
virtutibus, quidam tamen dies ideo sunt ad castigationem communis observantiae consecrati, ut anima
quae terrenis adhuc desideriis implicatur et curis
saecularibus impeditur, ex intervallo saltem ad
divina respiret ; et quia portio divini* agri est
dignos caelestibus horreis afferat fructus. Ibi enim
spes est metendi ubi fuerit diligentia seminandi.

5. His, dilectissimi, ad profectum vestrum pro
temporis occasione perstrictis, jejunium vobis septimi mensis indicimus, in quo vos non solum de
ciborum abstinentia, sed etiam de pietatis operibus
commonemus : ut quod vestris usibus religiosa
parcitate subtrahitis in alimoniam pauperum et in

---

1. Cf. *Jn* 1, 3 : « Omnia per ipsum facta sunt. »
2. Cf. *Mc* 10, 18 : « Nemo bonus, nisi unus Deus. »

de la grâce divine et les préceptes de la doctrine évangélique
rendent ces ruses du diable inefficaces et vaines. Car ceux
qui ont reçu l'Esprit-Saint et chez qui la crainte du
Seigneur vient non de la peur du châtiment, mais de
l'amour de Dieu, ceux-là foulent aux pieds, par une foi
que rien n'entame, les lacets de ces pièges : de la sorte,
ils usent de la beauté de toutes les créatures pour glorifier
et louer leur auteur et ils aiment par-dessus toutes choses
celui par qui ont été faites toutes choses[1].

4. Que ce soit donc vers l'admiration pour ce Créateur,
bien-aimés, que se tournent tous les cœurs fidèles ; que,
par une abstinence avisée, ils recherchent en lui des
délectations qui ne soient pas corruptibles, mais éternelles,
et que, dans une chasteté sans tache, ils s'enflamment
d'amour pour le Bon sans qui nul n'est bon[2]. La tradition
des exercices de la vie chrétienne, en effet, nous a été
donnée, qui veut que, retranchant toute volupté illicite,
nous brûlions de désir pour des délices saintes et spirituelles. Et, bien que nous ayons toujours à nous appliquer
aux vertus, certains jours cependant ont précisément
été consacrés à l'observance commune de la mortification,
afin que l'âme encore embarrassée de désirs terrestres
et arrêtée par les soucis du siècle, puisse, au moins par
intervalles, tourner ses aspirations vers les réalités divines ;
afin aussi que, étant une portion du champ divin, elle
porte des fruits dignes des greniers célestes. Il y a, en
effet, espérance de récolter là où il y aura eu diligence
à semer.

5. Ces choses brièvement rappelées, bien-aimés, à
l'occasion du temps et pour votre progrès, nous vous
notifions le jeûne du septième mois ; ce jeûne, nous vous
le confirmons, ne consiste pas seulement à s'abstenir
d'aliments, mais aussi à œuvrer pour la miséricorde ;
c'est pourquoi, ce que vous soustrayez à votre usage
par une religieuse restriction, faites-le passer à l'alimen-
tation des pauvres et à la nourriture des malades ; dans

cibos debilium transferatis ; omnibus quidem indigentibus generali benevolentia consulentes, sed maxime
eorum memores qui sunt de membris corporis Christi
et nobis unitate catholicae fidei copulantur. Plus
enim debemus nostris pro consortio gratiae, quam
alienis pro communione naturae.

6. Abundet ergo in vobis, dilectissimi, benignitas
Christiana ; et sicut recurrentia anni tempora desi-
deratis ut plena sint fructibus, ita et corda vestra
pascendis sint fecunda pauperibus[1]. Quibus utique
potuit Deus, cujus sunt omnia, necessariam conferre
substantiam, et tales eis tribuere facultates, ut in
nullo vestris largitionibus indigerent ; sed et illis
et vobis multa virtutum materia defuisset, si nec
illos ad patientiae coronam inopia exerceret, nec vos
ad misericordiae gloriam copia provocaret. Mirabiliter
autem providentia divina disposuit ut essent in
Ecclesia et sancti pauperes et divites boni, qui
invicem sibi ex ipsa diversitate prodessent, cum ad
aeterna et incorrupta praemia promerenda Deo
gratias agerent accipientes, et Deo gratias agerent
largientes : quoniam, sicut scriptum est, et *patientia
pauperis* * *non peribit in aeternum*[2], et *hilarem
datorem diligit Deus*[3].

Quarta igitur et sexta feria jejunemus ; sabbato
vero apud beatissimum Petrum apostolum vigilias
celebremus, sperantes nos ita ipsius orationibus adju-

---

1. Allusion directe à la saison en laquelle on récolte les fruits
le septième mois, l'automne ; d'où l'exhortation à la fécondité des
cœurs en fruits de charité, dont la nature offre le modèle. On retrou
vera la même idée aux *1er sermon sur le jeûne du Xe mois*, 3 et au 9e, 2
(*infra*, p. 158 et 220).

un sentiment de bienveillance ouvert à tous, prenez, certes, à cœur tous ceux qui sont dans le besoin, mais souvenez-vous surtout de ceux qui sont membres du corps du Christ et nous sont unis par l'unique foi catholique. Car nous devons davantage aux nôtres en raison de la participation à la même grâce qu'aux autres en raison de la communion à la même nature.

6. Que la bonté chrétienne abonde donc en vous, bien-aimés ; et, comme vous désirez que ce retour annuel de la saison soit riche en fruits, puissent vos cœurs être également féconds pour nourrir les pauvres[1]. Dieu, à qui tout appartient, aurait, certes, pu leur donner les biens nécessaires et leur accorder des moyens tels qu'ils n'aient aucunement besoin de vos largesses ; mais, à eux comme à vous, il aurait manqué de grandes occasions de vertus si les uns ne gagnaient pas la couronne de la patience en supportant l'indigence et si les autres n'acquéraient pas la gloire de la miséricorde en se laissant pousser à celle-ci par leur propre abondance. La providence divine a admirablement disposé qu'il y ait dans l'Église et de saints pauvres et de bons riches, qui soient mutuellement utiles les uns aux autres par leur diversité même, ceux qui reçoivent rendant grâces à Dieu et ceux qui donnent rendant grâces à Dieu, les uns et les autres méritant ainsi les récompenses éternelles et incorruptibles ; car, ainsi qu'il est écrit, d'une part, « la patience du pauvre ne périra pas à jamais[2] », et, d'autre part, « le Seigneur aime qui donne avec joie[3] ».

Nous jeûnerons donc mercredi et vendredi ; et samedi, nous célébrerons les veilles auprès du saint apôtre Pierre, espérant être aidés de ses prières, en sorte que le Dieu

2. *Ps.* 9, 19.
3. *II Cor.* 9, 7.

vandos, ut Deus misericordiarum[1] jejunii* sacrificio
placatus exaudiat per Jesum Christum Dominum
nostrum, qui vivit et regnat in saecula saeculorum.
Amen.

77

(XC)

DE JEJUNIO SEPTIMI MENSIS SERMO V[2]

1. Sacratum, dilectissimi, in septimo mense jejunium, ad communis devotionis exercitia praedicamus,
fidenter vos paternis cohortationibus incitantes, ut
quod fuit ante Judaicum, vestra fiat observantia
Christianum. Est enim omni tempore aptum et
Testamento utrique conveniens, ut per castigationem
et mentis et corporis misericordia divina quaeratur,
quia nihil est efficacius ad exorandum Deum quam
ut homo ipse se judicet, et numquam desinat a
venia postulanda, qui se scit numquam esse sine
culpa. Habet enim hoc in se generaliter* humana
natura, non a Creatore insitum, sed a praevaricatore
contractum, et in posteros generandi lege trans-
fusum, ut de corruptibili corpore etiam quod animam
corrumpere possit oriatur. Hinc interior homo[3], si
tamen* jam in Christo regeneratus et a vinculis

---

1. Cf. *II Cor.* 1, 3 : « Pater misericordiarum et Deus totius consola-
tionis ».

2. La première édition de ce sermon est à dater de septembre 445.

3. Cf. *Rom.* 7, 22 : « Condelector enim legi Dei secundum interiorem
hominem. »

des miséricordes[1] nous écoute, apaisé qu'il sera par le
sacrifice du jeûne ; par Jésus-Christ notre Seigneur,
qui vit et règne dans les siècles des siècles. Amen.

77

(XC)

CINQUIÈME SERMON SUR LE JEÛNE
DU SEPTIÈME MOIS[2]

SOMMAIRE. — 1. Les luttes intérieures de l'homme. —
2. Notre force est dans le Christ. — 3. Des deux amours
qui coexistent en nous, faire triompher celui de Dieu,
qui est en même temps celui du prochain. — 4. La pratique
des vertus chrétiennes nous prépare une bonne mort ;
annonce des jours de jeûne.

1. Bien-aimés, c'est un jeûne sacré que nous publions
en ce septième mois, désirant qu'on y pratique les exercices
d'une dévotion qui soit générale et vous incitant avec
confiance par nos paternelles exhortations à rendre
chrétien par votre observance ce qui autrefois fut juif.
Il est, en effet, convenable en tout temps et en accord
avec l'un et l'autre Testaments, de rechercher la miséricorde divine par la mortification et de l'esprit et du
corps. Car l'homme n'a rien de plus efficace pour fléchir
Dieu par la prière que de se juger soi-même et de ne
jamais cesser de demander pardon, sachant bien qu'il
n'est jamais sans faute. Car la nature humaine a en soi
d'une manière générale — non que le Créateur l'y ait mis,
mais c'est l'homme prévaricateur qui l'a contracté et
transmis à ses descendants par la loi de la génération —
que d'un corps corruptible naît quelque chose qui peut
aussi corrompre l'âme. De là vient que l'homme intérieur[3],
si toutefois il a été déjà régénéré dans le Christ et délivré

captivitatis est erutus, assiduos habet cum carne
conflictus, et dum cohibet concupiscentem patitur
repugnantem. In qua discordia non facile obtinetur
tam perfecta victoria ut etiam illa quae sunt abrum-
penda non illigent et quae sunt interficienda non
vulnerent. Quantumlibet sapienter et provide judex
animus exterioribus sensibus praesit, inter ipsas
tamen curas atque mensuras regendae carnis et
alendae, nimis ei semper vicina tentatio est. Quis
enim ita se aut a voluptate corporis aut a dolore
sejungit, ut ad ipsam mentem non pertineat, quod
extrinsecus aut blanditur aut cruciat ? Indivisum
est gaudium, indiscreta tristitia : nihil in homine
iracundia non accendit, nihil laetitia non resolvit,
nihil aegritudo non afficit. Et quae illic declinatio
potest esse peccati, ubi una passio est et regentis
et subditi ? Merito Dominus protestatur quod *spiritus
quidem promptus est, caro autem infirma*[1].

2. Et ne usque ad inertem desidiam desperatione
ducamur, quae impossibilia sunt homini ex imbecilli-
tate propria, possibilia spondet ex virtute divina[2] :
Angusta enim et ardua* est via quae ducit ad vitam[3],
et nemo in eam gressum inferret, nemo vestigium
promoveret, nisi difficiles aditus ipse se Christus
viam faciendo reseraret[4] : ut auctor itineris fiat
possibilitas ambulantis, quia idem et introducit ad
laborem et perducit ad requiem. In quo ergo nobis
spes est aeternae vitae, in eodem est et forma patien-

---

1. *Matth.* 26, 41. Ces tableaux psychologiques des luttes intérieures
de l'homme déchu ont déjà été rencontrés chez S. Léon ; cf. par
exemple le *11e sermon sur le carême*, 1 ; *SC* 49 bis, p. 183.

2. *Matth.* 19, 26.

3. *Ibid.*, 7, 14.

des chaînes de l'esclavage, soutient des combats continuels contre la chair et, tout à la fois, réprime les désirs de celle-ci et souffre de ses révoltes. Dans cette division, il n'est pas facile d'obtenir une si parfaite victoire que ne nous retiennent pas les liens qu'il nous faut briser, ni ne nous blesse ce qu'il nous faut exterminer. Si sagement et prudemment que l'âme, juge suprême, commande aux sens extérieurs, la tentation sera toujours très proche, au milieu même des soins à donner et des mesures à prendre pour gouverner et nourrir le corps. Qui, en effet, s'affranchira tellement, tantôt du plaisir physique, et tantôt de la douleur, que la partie spirituelle de son être ne soit pas elle-même touchée par ce qui flatte ou fait souffrir extérieurement ? La joie n'admet pas la division, la tristesse ne connaît pas le partage : il n'est rien dans l'homme que la colère n'enflamme, rien que la joie ne détende, rien que la maladie n'affecte. Et comment pourra-t-on s'éloigner du péché lorsqu'une même passion impressionne à la fois et la partie qui gouverne et la partie qui est soumise ? C'est avec raison que le Seigneur assure que « l'esprit est prompt, mais la chair est faible[1] ».

2. Or, de peur que le désespoir ne nous mène jusqu'à une lâcheté paresseuse, le Seigneur assure que ce qui est impossible à l'homme à cause de sa faiblesse propre, lui devient possible grâce à la force divine[2]. « Étroit, en effet, et rude est le chemin qui mène à la vie[3] » et personne ne s'y engagerait, personne n'y avancerait d'un pas, si le Christ n'en avait ouvert la difficile entrée en se faisant lui-même la route[4] ; l'auteur du chemin devient ainsi la force de celui qui marche, car c'est le même qui introduit au travail et qui conduit au repos. En lui est donc notre espérance de vie éternelle et, en lui aussi, le modèle de notre patience. En effet, si nous souffrons

---

4. Cf. *Jn* 14, 6 : « Ego sum via... »

tiae. Si enim *compatimur, et conregnabimus*[1] : quoniam,
ut Apostolus ait, *qui se dicit in Christo manere,
debet sicut ille ambulavit et ipse ambulare*[2]. Alioqui
falsae professionis imagine[3] utimur, si cujus nomine
gloriamur, ejus instituta non sequimur : quae utique
nobis onerosa non essent[4], et ab omnibus nos periculis
liberarent, si nihil aliud quam quod amandum
jubetur amaremus.

3. Duo namque amores sunt ex quibus omnes
prodeunt voluntates, ita diversae qualitatibus sicut
dividuntur auctoribus. Rationalis enim animus, qui
sine dilectione esse non potest, aut Dei est amator
aut mundi. In dilectione Dei nulla nimia, in dilectione autem mundi cuncta sunt noxia[5]. Et ideo
aeternis bonis inseparabiliter inhaerendum, temporalibus vero transeunter utendum est : ut peregrinan-
tibus nobis et ad patriam redire properantibus,
quidquid de prosperitatibus mundi hujus occurrerit,
viaticum sit itineris, non illecebra mansionis. Ideo
beatus Apostolus praedicat dicens : *Tempus breve
est : reliquum est ut qui habent uxores, tamquam non
habentes sint; et qui flent, tamquam non flentes ; et
qui gaudent, tamquam non gaudentes ; et qui emunt,
tamquam non possidentes ; et qui utuntur hoc mundo,
tamquam non utantur. Praeterit enim figura hujus*

---

1. Cf. *II Tim.* 2, 12 : « Si sustinebimus, et conregnabimus » ;
Rom. 8, 17 : « Si tamen compatimur, ut et conglorificemur. » S. Léon
combine de mémoire ces deux textes, ou suit une version différente
de notre Vulgate.

2. *I Jn* 2, 6.

3. L'image du chrétien.

4. Cf. *Matth.* 11, 30 : « Jugum meum suave est et onus leve. »

5. On retrouve ici l'antithèse chère à S. AUGUSTIN entre les
deux amours, celui de Dieu, celui du monde : « Fecerunt civitates
duas amores duo, terrenam scilicet amor sui usque ad contemtum
Dei, caelestem vero amor Dei usque ad contemtum sui » (*De Civitate*

avec lui, nous régnerons aussi avec lui[1] ; car, ainsi que le dit l'Apôtre, « celui qui prétend demeurer dans le Christ doit lui-même marcher comme celui-là a marché[2] ». Autrement, mensongère est la profession dont nous montrons l'image[3], si nous ne suivons pas les lois de celui dont nous nous faisons gloire de porter le nom, lois qui, à la vérité, ne nous seraient pas à charge[4] et nous délivreraient de tout danger, si nous n'aimions rien d'autre que ce qu'il nous est commandé d'aimer.

3. Car il y a deux amours dont procède tout vouloir, amours différents par leurs qualités comme distincts par leurs auteurs. L'âme raisonnable, en effet, qui ne peut être sans amour, est éprise ou de Dieu ou du monde. Dans l'amour de Dieu, rien n'est excessif, dans l'amour du monde, au contraire, tout est nuisible[5]. Aussi faut-il s'attacher inséparablement aux biens éternels et user comme en passant des biens temporels ; de la sorte, pour nous qui sommes en voyage et nous hâtons de retourner à la patrie, tous les succès qui nous arriveront de ce monde seront un viatique pour la route, non un appât qui nous invite à demeurer. C'est pourquoi le saint Apôtre proclame : « Le temps se fait court. Reste donc que ceux qui ont femme vivent comme s'ils n'en avaient pas ; ceux qui pleurent, comme s'ils ne pleuraient pas ; ceux qui sont dans la joie, comme s'ils n'étaient pas dans la joie ; ceux qui achètent, comme s'ils ne possédaient pas ; ceux qui usent de ce monde, comme s'ils n'en usaient pas.

Dei, XIV, 28, *CSEL* 40², p. 56-57) ; « Duas civitates faciunt duo amores : Jerusalem facit amor Dei, Babyloniam facit amor saeculi » (*Enarr. in ps. 64*, 2, *PL* 36, 773). La suite de notre texte présente en outre une parenté certaine avec la doctrine augustinienne sur l'attitude du chrétien face au Créateur et aux créatures, sur la beauté des choses visibles, chemin qui conduit à l'amour du Dieu invisible ; pour la comparaison entre l'évêque d'Hippone et S. Léon, on pourra se référer au récit de l'extase d'Ostie dans les *Confessions* (IX, 10, 23-26, éd. « Belles Lettres », Paris 1926, p. 217).

mundi[1]. Sed quod de specie, de copia, de varietate
blanditur, non facile declinatur, nisi in illa visibilium
pulchritudine Creator potius quam creatura diligatur, qui cum dicit : *Diliges Dominum Deum tuum
ex toto corde tuo, et ex tota mente tua, et ex tota virtute
tua*[2], in nullo nos vult ab amoris sui vinculis relaxari.
Et cum huic praecepto proximi quoque copulat
caritatem, imitationem nobis suae bonitatis indicit :
ut quod diligit diligamus, et quod operatur operemur. Quamvis enim *Dei agricultura simus, et Dei
aedificatio*[3], et *neque qui plantat sit aliquid, neque
qui rigat, sed qui incrementum dat Deus*[4] ; in omnibus
tamen exigit nostri ministerii servitutem, et nos
dispensatores suorum vult esse donorum, ut qui
fert Dei imaginem, Dei faciat voluntatem. Propter
quod in oratione Dominica sacratissime dicimus :
*Adveniat regnum tuum, fiat voluntas tua sicut in
caelo et in terra*[5]. Quibus verbis quid aliud postu-
lamus, quam ut Deus quem* necdum sibi subdidit
subdat, et sicut in caelo angelos, ita et in terra
homines ministros suae faciat voluntatis ? Hoc autem
petentes amamus Deum, amamus et proximum ;
et non diversa in nobis, sed una dilectio est, quando
et servum servire, et dominum cupimus imperare.

4. Hic igitur affectus, dilectissimi, quo amor
terrenus excluditur, bonorum operum consuetudine
roboratur, quia necesse est ut rectis* actibus conscien-
tia delectetur, et libenter faciat quod fecisse se
gaudeat. Assumitur ergo jejunium, multiplicatur
largitio, justitia custoditur, frequentatur oratio,

1. *I Cor.* 7, 29-31.
2. *Deut.* 6, 5.
3. *I Cor.* 3, 9.
4. *Ibid.* 7.
5. *Matth.* 6, 10.

Car elle passe, la figure de ce monde[1]. » Mais de ce qui
flatte par la beauté, par l'abondance, par la variété, on
ne se sépare pas facilement, à moins que, dans cette beauté
des choses visibles, on n'aime le Créateur plutôt que
la créature, ce Créateur qui, lorsqu'il dit : « Tu aimeras
le Seigneur ton Dieu de tout ton cœur, de toute ton âme
et de tout ton pouvoir[2] », ne veut pas que nous laissions
se relâcher en rien les liens de son amour. Et, en joignant
aussi à ce précepte celui de l'amour du prochain, il nous
commande d'imiter sa bonté : ainsi aimerons-nous ce
qu'il aime et ferons-nous ce qu'il fait. Nous sommes,
il est vrai, « le champ de Dieu, l'édifice de Dieu[3] » et
« ni celui qui plante n'est quelque chose, ni celui qui
arrose, mais celui qui donne la croissance, Dieu[4] » ;
et, cependant, il exige en tout le service de notre ministère
et veut que nous soyons les dispensateurs de ses dons,
en sorte que celui qui porte en soi l'image de Dieu exécute
la volonté de Dieu. C'est pourquoi, dans l'Oraison domini-
nicale, nous disons ces paroles sacrées : « Que ton règne
vienne, que ta volonté soit faite sur la terre comme au
ciel[5]. » Que demandons-nous par ces mots, sinon que
Dieu se soumette celui qu'il ne s'est pas encore soumis
et fasse que, sur la terre, les hommes soient les ministres
de sa volonté, comme les anges le sont au ciel ? En demandant cela, nous aimons Dieu, nous aimons aussi le prochain ; et il n'y a pas alors en nous plusieurs amours,
mais un seul, puisque nous désirons à la fois que le serviteur
serve et que le Maître commande.

4. Cette disposition, bien-aimés, qui exclut donc l'amour
terrestre, se fortifie par l'habitude des bonnes œuvres,
car il est indispensable que la conscience trouve son
plaisir dans l'exercice de la justice et fasse volontiers
ce qu'elle sera heureuse d'avoir fait. C'est pourquoi on
embrasse le jeûne, on multiplie les largesses, on observe
la justice, on est assidu à la prière et on fait en sorte

fitque ut singulorum desiderium sit* omnium votum[1].
Nutrit patientiam labor, mansuetudo exstinguit
iram, benevolentia calcat invidiam, immundae cupiditates sanctis desideriis enecantur, avaritia liberalitate
depellitur, et onera divitiarum fiunt instrumenta
virtutum[2]. Sed quia insidiae diaboli etiam inter
talia studia non quiescunt, rectissime in quibusdam
articulis temporum, vigoris nostri est instituta
reparatio : ut ubi de clementia caeli et ubertate
agri potest mens praesentium bonorum avida gloriari,
et in ampla horrea fructibus congregatis, animae
suae dicere : *Habes multa bona, epulare*[3] : ibi quamdam increpationem divinae vocis accipiat, audiatque
dicentem : *Stulte, hac nocte reposcunt animam tuam a
te : quae autem praeparasti, cujus erunt*[4] ? Haec solli-
tissima meditatio debet esse sapientis, ut quoniam
breves dies istius vitae[5] et incerta sunt spatia,
numquam sit mors improvisa morituro, nec inordi-
natum incidat finem, qui se novit esse mortalem.

1. Expression de l'union des cœurs.
2. Nous avons ici, comme au *Sermon* 75, 4 (*supra*, p. 94 s.) un tableau
en raccourci de la société chrétienne idéale. La 2ᵉ édition de ce
sermon présente une autre finale dont le texte est le suivant : « Sed
quia insidiae diaboli etiam inter talia studia non quiescunt, hoc
quod de prophetica voce cantatum est, in affectum assumatur
orantium, ut non solum labiis, sed et corde dicatur : *Custodi me,
Domine, ut pupillam oculi, sub umbra alarum tuarum protege me.*
Incessabiliter enim divino egemus auxilio, et haec est humanae
devotionis insuperabilis fortitudo, ut illum protectorem semper
habeamus, sine quo fortes esse non possumus. Quod ergo et sanctificationi corporum et reparationi prosit animarum, quarta et sexta
sabbati jejunemus ; sabbato vero etiam vigilias celebremus apud
beatissimum apostolum Petrum, ut piarum ovium deprecationibus
gloriosissimi pastoris patrocinetur oratio. Per Dominum nostrum
regnantem cum Patre et cum Spiritu sancto in saecula saeculorum.
Amen. » — « Mais, comme les ruses du diable ne chôment pas, même
au milieu d'une si sainte ardeur, il faut que ce que nous avons chanté
en l'empruntant aux paroles du prophète, passe dans les sentiments

que le désir de chacun devienne le souhait de tous[1].
Le dur labeur est un aliment pour la patience, la mansuétude éteint la colère, la bienveillance foule aux pieds
l'envie, les convoitises immondes sont exterminées par
les saints désirs, l'avarice est chassée par la libéralité et
le fardeau des richesses devient l'instrument des vertus[2].
Mais comme les ruses du diable ne chôment pas, même
au milieu d'une si sainte ardeur, est-ce très opportunément
qu'à certains moments de l'année a été institué un moyen
de renouveler nos forces : ainsi, lorsque l'esprit, dans
son avidité pour les biens présents, peut se glorifier de
la clémence du ciel et de la fécondité des champs et que,
les récoltes serrées dans de spacieux greniers, il peut dire
à son âme : « Tu as quantité de biens, mange[3] », il reçoit
alors une réprimande prononcée par Dieu et s'entend
dire par celui-ci : « Insensé, cette nuit même, on va te
redemander ton âme ; et ce que tu as amassé, qui l'aura[4] ? »
Telle doit être la méditation spécialement attentive du
sage, afin que, les jours de cette vie étant brefs[5], et incertains ses délais, la mort ne surprenne jamais à l'improviste
celui qui doit mourir, et qu'une fin sans préparation ne
survienne à celui qui sait qu'il est mortel.

de notre prière et nous fasse dire non seulement des lèvres, mais
aussi de cœur : ' Garde-moi, Seigneur, comme la prunelle de l'œil,
sous l'ombre de tes ailes protège-moi. ' C'est sans trêve, en effet,
que nous avons besoin du secours divin, et telle est la force invincible
de la piété de l'homme qu'elle nous fait avoir toujours comme protec-
teur celui sans qui nous ne pouvons être forts. Afin donc d'aider
aussi bien la sanctification de nos corps que la restauration de nos
âmes, nous jeûnerons mercredi et vendredi ; et samedi, nous célébrerons encore les vigiles auprès du saint apôtre Pierre, pour que la
prière d'un si glorieux pasteur appuie les supplications de ses pieuses
brebis. Par notre Seigneur, qui règne avec le Père et l'Esprit-Saint
dans les siècles des siècles. Amen. » — La citation est empruntée
au *Psaume* 16, 8.
    3. Cf. *Lc* 12, 19.
    4. *Ibid.* 20.
    5. Cf. *I Cor.* 7, 29 : « Tempus breve est. »

Quod itaque et sanctificationi corporum, et reparationi prosit animarum, quarta et sexta feria
jejunemus ; sabbato autem apud beatissimum Petrum
apostolum vigilias celebremus, ejus orationibus adjuvandi, ut sanctorum desideriorum consequamur
effectum : per Christum Dominum nostrum, qui cum
Patre et Spiritu sancto vivit et regnat in saecula
saeculorum. Amen.

78
(XCI)

DE JEJUNIO SEPTIMI MENSIS SERMO VI[1]

1. Devotionem fidelium, dilectissimi, nihil est
in quo providentia divina non adjuvet. Siquidem
exercendis ad sanctimoniam mentibus atque corporibus, ipsa quoque mundi elementa famulantur, dum

---

1. Ce sermon est à dater de septembre 453. Il est de peu postérieur
à la conclusion de l'affaire des moines palestiniens. Ceux-ci, on le sait,
sous l'influence de meneurs de la faction de Dioscore, s'opposaient
aux décrets du Concile de Chalcédoine et se livraient à toutes sortes
d'excès et de violences dans leur pays. S. Léon en avait eu connaissance à la fin de 452 et en avait écrit à Julien, évêque de Cos (*Lettre*
CIX, *PL* 54, 1014-1018), lui demandant d'obtenir du pouvoir impérial
que les trublions soient éloignés de force et relégués en des lieux
où ils ne puissent avoir de communication avec les moines fidèles.
Il ignorait cependant encore le vrai motif de leur agitation et s'en
enquiert dans une lettre au même Julien de mars 453 (*Lettre* CXIII,
ibid. 1026-1027). Fixé sur ce point, il multiplie les efforts pour ramener
la paix, écrivant dans ce but à l'empereur Marcien (*Lettre* CXV,
1033-1035), à l'impératrice Pulchérie (*Lettre* CXVI, 1036), et de
nouveau à l'évêque de Cos (*Lettre* CXVII, 1038). Enfin, en juin 453,
après avoir écrit de nouveau à l'impératrice (*Lettre* CXXIII, 1060),

C'est pourquoi, pour aider aussi bien à la sanctification de nos corps qu'à la restauration de nos âmes, nous jeûnerons mercredi et vendredi ; et samedi, nous célébrerons les veilles auprès du saint apôtre Pierre, dont les prières nous aideront à réaliser nos saints désirs ; par le Christ notre Seigneur, qui, avec le Père et l'Esprit-Saint, vit et règne dans les siècles des siècles. Amen.

78

(XCI)

SIXIÈME SERMON SUR LE JEÛNE DU SEPTIÈME MOIS[1]

Sommaire. — 1. Le retour du septième mois nous invite au jeûne solennel ; double sens de l'abstinence. — 2. Réfutation des erreurs touchant l'Incarnation ; rappel de la vraie foi. — 3. Nos jeûnes et nos aumônes ne seront purs que si notre foi l'est aussi.

1. Bien-aimés, il n'est rien en quoi la providence divine ne vienne en aide à la dévotion des fidèles. Car, lorsque les âmes et les corps doivent s'adonner à une vie sainte, voici que les éléments du monde eux-mêmes se mettent

il envoie aux moines eux-mêmes une longue lettre pour leur exposer la vraie foi de Chalcédoine, craignant qu'ils ne l'aient connue que d'une façon erronée et par des « interprètes ignorants ou mal intentionnés », et pour les exhorter au calme et à l'obéissance (Lettre CXXIV, 1062-1068). C'est à quelques mois de là qu'il faut placer notre sermon, dont le second paragraphe particulièrement s'éclaire à la lumière de ces événements. Il semble bien que les efforts de S. Léon n'aient pas tardé à être couronnés de succès, car, en janvier 454, il constate que la paix est revenue en Palestine et que l'évêque Juvénal a pu être rétabli sur son siège de Jérusalem (Lettres CXXVI et CXXVII, 1069-1071).

dierum ac mensium distincte variata revolutio quasdam nobis paginas aperit praeceptorum, ut quod sacra admonent instituta, hoc quodammodo loquantur et tempora. Unde cum septimum mensem nobis anni recursus attulerit, non ignoro observantiam vestram ad celebrandum solemne jejunium spiritaliter incitari : quoniam experiendo* didicistis quantum haec praeparatio et exteriora hominum et interiora purificet, ut cum a licitis abstinetur, facilius illicitis resistatur. Continentiae autem ratio, dilectissimi, non in sola castigatione corporum, nec in diminutione tantum habetur* escarum. Majora enim virtutis istius bona ad illam animae pertinent castitatem, quae non solum carnis concupiscentias conterit, sed etiam mundanae sapientiae vana contemnit, dicente Apostolo : *Videte ne quis vos decipiat per philosophiam et inanem fallaciam secundum traditionem hominum*[1].

2. Continendum ergo est a cibis, sed multo magis ab erroribus jejunandum : ut mens nulli carnali dedita voluptati, nullius sit captiva mendacii : quia sicut in praeteritis, ita etiam in nostris diebus non desunt veritatis inimici qui intra catholicam Ecclesiam movere audeant bella civilia, ut in consensum impiorum dogmatum imperitos[2] quosque ducentes, sibi glorientur accrescere quos a Christi corpore potuerint separare. Quid enim tam adversatur prophetis, tam repugnat Evangeliis, tam denique est apostolicis rebelle doctrinis, quam in Domino

---

1. *Col.* 2, 8. Pour S. Léon, il y a une chasteté du corps et il y a une chasteté de l'âme ou de l'esprit qui refuse de consentir aux sollicitations de l'erreur et se garde intacte pour la volonté divine.

2. S. Léon a employé le même mot *imperitus*, en parlant des moines de Palestine, six fois dans les lettres citées plus haut. A ses yeux, les moines turbulents sont avant tout des ignorants, dont il

aussi à leur service : c'est, en effet, la révolution précise
et distincte des jours et des mois qui nous ouvre certaines
pages du livre des commandements ; ainsi le temps dit
en quelque sorte à haute voix ce à quoi nous exhortent
les dispositions sacrées. Aussi, maintenant que le retour
de l'année a ramené pour nous le septième mois, je n'ignore
pas que votre zèle est intérieurement poussé à célébrer
le jeûne solennel ; car vous avez appris pour l'avoir éprouvé
combien une telle préparation purifie et l'extérieur et
l'intérieur de l'homme, en sorte que, lorsque l'on s'abstient
de ce qui est licite, on refuse plus facilement ce qui est
illicite. Mais la discipline de l'abstinence, bien-aimés,
ne se limite pas à la seule mortification du corps, ni à la
seule restriction dans la nourriture. Il y a, en effet, de
plus grands biens à retirer d'une telle vertu quand il
s'agit de cette chasteté de l'âme qui non seulement foule
aux pieds les désirs de la chair, mais encore méprise les
vanités de la sagesse du monde, selon la parole de l'Apôtre :
« Veillez à ce que nul ne vous trompe au moyen de la
philosophie et d'une vaine séduction, selon une tradition
tout humaine[1]. »

2. Il faut donc s'abstenir d'aliments, mais plus encore
jeûner d'erreurs, afin que l'âme, ne s'adonnant à aucune
volupté charnelle, ne soit non plus prisonnière d'aucun
mensonge. Comme aux jours du passé, en effet, il ne manque
pas, en les nôtres aussi, d'ennemis de la vérité qui osent
provoquer des guerres civiles au sein de l'Église catholique
pour amener des ignorants[2] à acquiescer à des dogmes
impies et pour se glorifier ainsi qu'accroissent leur nombre
ceux qu'ils auront pu séparer du corps du Christ. Qu'est-ce,
en effet, qui s'oppose autant aux prophètes, contredit
autant les évangiles, s'élève enfin autant contre l'enseignement des Apôtres que la doctrine qui prêche une

faut avoir pitié, plutôt que les châtier. Mais leurs meneurs doivent
être réprimés.

Jesu Christo ex Maria Virgine* genito, et sempiterno
Patri intemporaliter coaeterno, unam et singularem
praedicare naturam ? Quae si hominis* intelligenda
est, ubi est quae salvat Deitas ? si tantummodo
Dei, ubi est quae salvatur humanitas ? Fides autem
catholica, quae omnibus resistit erroribus, etiam
istas simul* impietates refutat, damnans Nestorium
divina ab homine dividentem[1], detestans Eutychen
in divinis humana vacuantem[2] : quoniam veri Dei
Filius Deus verus, unitatem et aequalitatem habens
cum Patre, et cum Spiritu sancto, idem verus homo
esse dignatus est, nec conceptu Virginis matris*
sejunctus a carne nec partu : sic humanitatem sibi
uniens, ut Deus incommutabiliter permaneret ; sic
Deitatem homini impertiens, ut eum glorificatione
non consumeret, sed augeret. Qui enim factus est
forma servi, forma Dei esse non destitit[3], nec alter
cum altero, sed unus in utroque est[4] : ut ex quo
Verbum caro factum est[5], nullis dispensationum
varietatibus fides nostra turbetur ; sed sive in
miraculis virtutum, sive in contumeliis passionum,
et Deum qui homo est, et hominem credamus esse
qui Deus est.

1. Nestorius, dont S. Léon a parlé ailleurs encore dans les *Sermons*,
maladroit dans sa tentative de donner à chaque nature dans le Christ
ce qui lui appartient en propre, courait le risque de les séparer l'une
de l'autre et de laisser penser qu'il admettait aussi deux personnes,
« séparant ainsi le divin de l'homme » ; cf. *SC* 22 bis, p. 96 et n. 2 ;
ibid., p. 170.

2. On sait que S. Léon a combattu les erreurs d'Eutychès surtout
dans son célèbre *Tome à Flavien*, dont de longs passages ont été
repris dans son *2e sermon sur Noël* (*SC* 22 bis, p. 74-93) ; il y met en
un particulier relief la distinction des natures dans l'unité de la
Personne, doctrine que confirma le concile de Chalcédoine (451).

3. Cf. *Phil.* 2, 6-7.

4. Sous ces expressions très concises, S. Léon veut dire qu'il ne
faut pas séparer dans le Fils de Dieu fait homme deux entités dis-

seule et unique nature dans le Seigneur Jésus-Christ né
de la Vierge Marie et intemporellement coéternel au
Père éternel ? S'il faut entendre une telle nature comme
étant celle d'un homme, où est la divinité qui nous sauve ?
S'il faut l'entendre comme étant seulement celle de
Dieu, où est l'humanité qui est sauvée ? Mais la foi catholique, qui fait front à toutes les erreurs, repousse toutes
ensemble de telles impiétés en condamnant Nestorius
qui sépare le divin de l'homme[1], en maudissant Eutychès
qui fait disparaître l'humain dans le divin[2]. Vrai Dieu,
en effet, le Fils du vrai Dieu, qui possède unité et égalité
avec le Père et l'Esprit-Saint, lui-même a daigné être vrai
homme, sans que ni sa conception en la Vierge sa mère,
ni son enfantement par celle-ci ne l'aient séparé de la
chair ; ainsi s'est-il uni l'humanité en restant immuable-
ment Dieu ; ainsi a-t-il communiqué la Divinité à l'homme
en ne le consumant pas, mais en l'enrichissant par cette glorification. Celui qui, en effet, a été mis dans la condition
d'esclave, n'a pas cessé d'être dans la condition de Dieu[3] ;
l'une n'est pas juxtaposée à l'autre, mais il est un dans
l'une et l'autre[4] ; ainsi, du fait que le Verbe s'est fait
chair[5], notre foi ne doit aucunement se laisser troubler
par la variété des manifestations, mais, aussi bien en
face des miracles opérés par puissance que devant les
opprobres soufferts, elle doit croire tout autant Dieu
celui qui est homme qu'homme celui qui est Dieu.

tinctes, Dieu et l'homme, comme existant l'une à côté de l'autre
et unies par un lien purement extrinsèque ; telle était, en effet, la
position de Nestorius, pour qui le Verbe de Dieu était venu occuper
une humanité déjà constituée et personnalisée. Au contraire, selon
la doctrine catholique, l'unique Personne du Verbe fait l'unité entre la
divinité et l'humanité assumée ; ainsi les deux composants ne sont
pas *alter cum altero*, mais il en résulte *unus in utroque*.

5. Cf. *Jn* 1, 14. Même tournure et même sens au *9e sermon pour
le carême*, 2 : « Ex quo Verbum caro factum est » (*SC* 49 bis, p. 166)
et au *1er sermon sur la Passion*, 1 : « Universalem ruinam, ex qua... »
(*SC* 74, p. 22).

3. Hanc confessionem, dilectissimi, toto corde promentes, impia haereticorum commenta respuite, ut jejunia vestra et eleemosynae nullius erroris contagio polluantur ; tunc enim et sacrificii munda est oblatio, et misericordiae sancta largitio, quando ii qui ista dependunt, quid operentur* intelligunt[1]. Nam dicente Domino : *Nisi manducaveritis carnem Filii hominis, et biberitis sanguinem ejus**, non habebitis vitam in vobis*[2], sic sacrae mensae communicare debetis, ut nihil prorsus de veritate corporis Christi et sanguinis ambigatis[3]. Hoc enim ore sumitur quod fide creditur : et frustra ab illis AMEN respondetur, a quibus contra id quod accipitur, disputatur[4]. Dicente autem propheta : *Beatus qui intelligit super egenum et pauperem*[5], ille circa inopes* vestimentorum et ciborum laudabilis distributor est, qui se Christum in indigentibus et vestire novit et pascere : quoniam ipse ait : *Quamdiu fecistis uni ex fratribus meis, mihi fecistis*[6]. Verus itaque Deus et verus homo, unus est Christus, dives in suis, pauper

---

1. S. Léon a dit ailleurs qu'une foi correcte, notamment en ce qui touche à l'Incarnation du Verbe de Dieu, est indispensable pour que les œuvres de pénitence et de miséricorde reçoivent leur prix et leur efficacité : « Ab omnibus haereticorum jejunate mendaciis, et ita vobis misericordiae opera credite profutura, ita fructuose habendam continentiae puritatem, si mentes vestrae nulla pravarum opiniorum contaminatione sorduerint » (*8e sermon sur le carême*, 3, SC 49 bis, p. 156). Ici, il complète sa pensée en disant que les bonnes œuvres doivent procéder d'une claire vision intellectuelle dans l'intelligence de la foi : il faut savoir ce que l'on fait, mais la foi christologique transforme totalement l'apparence des choses en les révélant dans leur vraie grandeur, qu'il s'agisse aussi bien de la réception du corps eucharistique que de la charité envers les pauvres : l'une et l'autre s'adressent vraiment au Christ. Sans doute S. Léon a-t-il pensé, sans le dire expressément, au « rationabile obsequium » de *Rom.* 12, 1.

2. *Jn* 6, 53.

3. Ceci est contre Eutychès, niant la vérité de la chair humaine du Christ ; S. Léon s'est plaint ailleurs que ses erreurs se répandaient

3. Que cette profession de foi, bien-aimés, sorte du fond de votre cœur ; rejetez par elle les inventions impies des hérétiques, afin que vos jeûnes et vos aumônes ne soient souillés d'aucune contamination de l'erreur ; en effet, l'offrande que l'on fait d'un sacrifice est pure, et sainte la générosité qu'inspire la miséricorde, lorsque ceux qui s'en acquittent comprennent ce qu'ils font[1]. Car, puisque le Seigneur a dit : « Si vous ne mangez la chair du Fils de l'homme et ne buvez son sang, vous n'aurez pas la vie en vous[2] », vous devez participer à la sainte Table sans douter aucunement de la vérité du corps et du sang du Christ[3]. On reçoit, en effet, par la bouche ce que l'on croit par la foi et c'est inutilement que répondent AMEN ceux qui disputent contre ce qu'ils reçoivent[4]. Par ailleurs, puisque le Prophète dit : « Heureux qui comprend le pauvre et le malheureux[5] », celui-là distribue d'une façon louable vêtements et nourriture aux pauvres, qui sait qu'il habille et nourrit le Christ dans les indigents ; celui-ci a dit lui-même, en effet : « Dans la mesure où vous l'avez fait à l'un de mes frères, c'est à moi que vous l'avez fait[6]. » Aussi, vrai Dieu et vrai homme, tel est l'unique Christ,

jusqu'à Rome ; cf. le *Sermon contre l'hérésie d'Eutychès, SC* 22 bis, p. 203-209.

4. S. Léon est ici un témoin de l'antique rite eucharistique heureusement restauré de nos jours. S. Augustin dit de même : « Audis Corpus Christi et respondes Amen. Esto membrum Christi ut verum sit Amen » (*Sermo* CCLXXII, *PL* 38, 1247). Également S. Ambroise : « Ergo non otiose dicis tu Amen, jam in spiritu confitens quod accipias corpus Christi. Cum enim tu petieris, dicit tibi sacerdos : Corpus Christi, et tu dicis Amen, hoc est Verum. Quod confitetur lingua, teneat adfectus » (*De Sacramentis,* IV, 5, *SC* 25 bis, p. 116). Dans sa *Lettre* 59, 2, au clergé et au peuple de Constantinople, où il prouvera contre Eutychès la vérité du corps du Christ, S. Léon écrira encore : « In ecclesia Dei in omnium ore tam consonum est ut nec ab infantium linguis veritas corporis et sanguinis Christi inter communionis sacramenta taceatur » (*PL* 54, 868).

5. *Ps.* 40, 2.

6. *Matth.* 25, 40.

in nostris[1], dona accipiens et dona diffundens[2],
particeps mortalium et vivificatio mortuorum[3] :
ut in nomine Jesu Christi omne genu flectatur, caeles-
tium, terrestrium et infernorum; et omnis lingua
confiteatur quia Dominus Jesus Christus in gloria
est Dei Patris[4], vivens et regnans cum sancto Spiritu
in saecula saeculorum. Amen.

79

(XCII)

DE JEJUNIO SEPTIMI MENSIS SERMO VII[5]

1. Apostolica institutio, dilectissimi, quae Dominum Jesum Christum ad hoc venisse in hunc mundum
noverat, ut legem non solveret, sed impleret[6], ita
veteris Testamenti decreta distinxit, ut quaedam
ex eis, sicut erant condita, evangelicae eruditioni
profutura decerperet, et quae dudum fuerant consue-
tudinis Judaicae, fierent observantiae Christianae.
Quamvis enim varietates hostiarum, differentiae
baptismatum, et otia sabbatorum cum ipsa carnis

---

1. Cf. *II Cor.* 8, 9 : « Propter vos egenus factus est, cum esset
dives. »
2. Cf. *Éphés.* 4, 8 : « Dedit dona hominibus. »
3. Cf. *Rom.* 4, 17 : « Ante Deum... qui vivificat mortuos. » Le
Christ, vrai homme, est « pauvre en notre condition », *pauper in*
nostris, et, comme tel, reçoit les dons qui lui sont faits en tout homme
indigent, *dona accipiens*, lui qui a voulu « partager le sort des mortels », *particeps mortalium* ; mais, vrai Dieu, il est « riche en sa condition propre », *dives in suis*, et, à ce point de vue, c'est lui qui départit
ces mêmes dons, *dona diffundens*, vivifiant par sa grâce ceux qui
étaient morts spirituellement, *vivificatio mortuorum*.
4. *Phil.* 2, 10-11.

riche en sa condition, pauvre en la nôtre[1], recevant les
dons et répandant les dons[2], partageant le sort des
mortels et vivifiant les morts[3], « pour que, au nom de
Jésus-Christ, tout genou fléchisse au ciel, sur la terre
et dans les enfers et que toute langue proclame que le
Seigneur Jésus-Christ est dans la gloire de Dieu le Père[4] »,
vivant et régnant avec le Saint-Esprit dans les siècles
des siècles. Amen.

79

(XCII)

SEPTIÈME SERMON SUR LE JEÛNE DU SEPTIÈME MOIS[5]

SOMMAIRE. — 1. Les institutions de l'Évangile achèvent
celles de l'ancienne Loi. — 2. Dans quel esprit nouveau
faut-il observer d'antiques prescriptions ? — 3. L'amour
doit servir de norme dans une telle pratique. — 4. Annonce
des jeûnes du septième mois.

1. Bien-aimés, les Apôtres, sachant que le Seigneur
Jésus-Christ était venu en ce monde non pour abolir la
loi, mais pour l'accomplir[6], ont fait dans leurs institutions
une distinction parmi les ordonnances de l'ancien Testament, en choisissant certaines, telles qu'elles avaient été
établies, pour qu'elles servent à l'enseignement de l'Évangile et que, après avoir été jusque-là coutumes juives,
elles deviennent observances chrétiennes. En effet, bien
qu'aient cessé la multiplicité des victimes, la différence
entre les divers baptêmes, le repos du sabbat et jusqu'à la

5. Ce sermon est de septembre 454.
6. Cf. *Matth.* 5, 17.

5

circumcisione cessaverint, manent tamen ex ipsis
voluminibus etiam apud nos plurima praecepta
moralia. Et cum inde dicatur : *Diliges Dominum
Deum tuum ex toto corde tuo*[1], et *diliges proximum
tuum sicut teipsum*[2] : Christo Domino docente*
cognoscimus, quoniam* *in his duobus mandatis
tota lex pendet et prophetae*[3] ; tantaque est sub hujus
geminae caritatis edicto utriusque copula Testamenti,
ut sine istarum connexione virtutum nec lex quemquam inveniatur justificasse, nec gratia. Illae quoque
partes legalium mandatorum* quibus quaedam prae-
cipiuntur ut fiant, quaedam interdicuntur ut non
fiant, antiquae auctoritatis retinent firmitatem. Nec
ideo eis evangelica putanda est adversa perfectio,
quia et virtutum studia ad voluntaria incitantur
augmenta, et ultiones criminum poenitentiae remediis
relaxantur. Dicit enim Dominus : *Nisi abundaverit
justitia vestra plus quam Scribarum et Pharisaeorum,
non intrabitis in regnum caelorum*[4]. Quomodo vero
abundabit justitia, nisi *superexaltet misericordia**[5] ?
Et quid tam aequum quidve* tam dignum[6]* quam
ut creatura ad imaginem et similitudinem Dei[7]
condita suum imitetur auctorem, qui reparationem
sanctificationemque credentium in peccatorum remissione constituit, ut remota severitate vindictae,
omnique cessante supplicio, reus innocentiae redde-
retur, et finis criminum fieret origo virtutum ?

2. Quod igitur, dilectissimi, ex veteris praedi-

---

1. *Deut.* 6, 5, repris en *Matth.* 22, 37.
2. *Lev.* 19, 18, repris en *Matth.* 22, 39.
3. *Matth.* 22, 40.
4. *Ibid.*, 5, 20.
5. Cf. *Jac.* 2, 13, qui porte : « Superexaltat misericordia judicium. »
(Vulg.). Un seul groupe de témoins complète le texte de S. Léon
pour le faire cadrer avec celui de S. Jacques ; les Ballerini ont suivi
cette version erronée.

circoncision de la chair, beaucoup de préceptes moraux
empruntés aux livres mêmes des Juifs demeurent encore
valables pour nous. Ainsi, lorsqu'il est dit en ceux-ci :
« Tu aimeras le Seigneur ton Dieu de tout ton cœur[1] »
et « tu aimeras ton prochain comme toi-même[2] », nous
savons par l'enseignement du Christ Seigneur qu'« à ces
deux commandements se rattachent toute la Loi et les
prophètes[3] » ; et si grand est le lien entre les deux Testaments dans le précepte de cette double charité que, sans
l'union de ces deux vertus, il ne se trouve personne qui
ait été justifié ni par la Loi ni par la grâce. Il est aussi
des parties des ordonnances légales prescrivant de faire
certaines choses et interdisant d'en faire d'autres, qui
gardent la force issue de leur antique autorité. Et ne
pensons pas que la perfection de l'Évangile leur soit
opposée, du fait que l'ardeur pour la vertu pousse à faire
volontairement davantage et que le châtiment dû aux
crimes soit remis par le remède de la pénitence. Le Seigneur
dit, en effet : « Si votre justice n'est pas plus abondante
que celle des scribes et des pharisiens, vous n'entrerez
pas dans le royaume des cieux[4]. » Mais comment la justice
sera-t-elle plus abondante, si « la miséricorde ne prévaut[5] » ?
Et qu'y a-t-il d'aussi juste ou d'aussi digne[6] pour la
créature faite à l'image et ressemblance de Dieu[7], que
d'imiter son auteur ? Car celui-ci a mis le pardon des
péchés au principe de la restauration et de la sanctification
des croyants, en sorte que, une fois écartée la sévérité
du châtiment et aboli tout supplice, le coupable soit
rendu à l'innocence et que la cessation du péché devienne
le début des vertus.

2. Du fait donc, bien-aimés, que nous empruntons

6. Remarquons ici le formulaire liturgique de la Préface : « Vere
dignum et justum est, *aequum* et salutare... »

7. Cf. *Gen.* 1, 26.

catione doctrinae ad purificationem animarum
corporumque nostrorum jejunium septimi mensis
assumimus, non legalibus nos oneribus subjicimus,
sed utilitatem continentiae quae Christi Evangelio
servit, amplectimur. Quia et in hoc potest super
Scribas et Pharisaeos Christiana abundare justitia,
non evacuando legem, sed intelligentiam refutando
carnalem. Nec enim nostra talia debent esse jejunia,
qualia erant illorum quibus Isaias propheta Spiritu
sancto in se loquente dicebat : *Neomenias vestras
et sabbata et diem magnum non sustineo, jejunium
et ferias et dies festos vestros odit anima mea*[1]. Unde et
Dominus jejunandi formam discipulis tradens, *Cum
jejunatis*, inquit, *nolite fieri sicut hypocritae tristes.
Exterminant enim facies suas, ut appareant hominibus
jejunantes. Amen dico vobis, receperunt mercedem
suam*[2]. Quam mercedem, nisi laudis humanae ?
propter cujus cupiditatem, justitiae species plerumque
praetenditur, et ubi nulla est cura conscientiae,
amatur falsitas famae ; ut iniquitas, quae occulta-
tione arguitur, mendacii opinione laetetur.

3. Rationabile itaque sanctumque jejunium nulla
laudis* ostentationisque* jactantia polluatur, nec
bonum suum quisquam fidelium de humanis velit
pendere judiciis. Diligenti Deum sufficit ei placere
quem diligit : quia nulla major expetenda est remu-
neratio, quam ipsa dilectio : sic enim caritas ex
Deo est, ut Deus ipse sit caritas[3], quo utique pius
et castus animus ita gaudet impleri, ut nulla* extra
ipsum cupiat delectari. Verissimum namque est
quod dicit Dominus : *Ubi erit* thesaurus tuus, ibi*

---

1. *Is.* 1, 13-14.
2. *Matth.* 6, 16.
3. Cf. *I Jn* 4, 7-8 : « Diligamus nos invicem, quia caritas ex Deo
est..., quoniam Deus caritas est. »

aux enseignements de l'antique doctrine le jeûne du
septième mois pour la purification de nos âmes et de nos
corps, nous ne nous imposons pas le fardeau de la loi,
mais nous embrassons une utile continence en la mettant
au service de l'Évangile du Christ. Car, en cela aussi,
la justice chrétienne peut être plus abondante que celle
des scribes et des pharisiens, n'abolissant pas la loi, mais
refusant de la comprendre d'une façon charnelle. En
effet, nos jeûnes ne doivent pas ressembler aux jeûnes
de ceux à qui le prophète Isaïe disait, l'Esprit-Saint
parlant par lui : « Vos nouvelle lunes, vos sabbats, votre
jour solennel, je ne les supporte plus ; votre jeûne, vos
fêtes et vos solennités, mon âme les a en horreur[1]. »
Aussi le Seigneur, enseignant à ses disciples la manière
de jeûner, leur dit-il : « Quand vous jeûnez, ne vous donnez
pas un air sombre comme font les hypocrites ; ils prennent
une mine défaite pour qu'on voie bien qu'ils jeûnent.
En vérité, je vous le dis, ils ont reçu leur récompense[2]. »
Quelle récompense, sinon celle de la louange humaine ?
Par désir de cette dernière, on montre habituellement
les dehors de la justice et, alors qu'on ne se soucie nulle-
ment de la conscience, on aime une fausse réputation ;
l'injustice, qui se dénonce elle-même en se cachant, se
réjouit ainsi d'une opinion mensongère.

3. Que ce jeûne raisonnable et saint ne soit donc
aucunement souillé de la jactance qui se traduit en louange
et en ostentation et que nul fidèle ne veuille faire dépendre
son bien de jugements humains. A qui aime Dieu, il suffit
de plaire à celui qu'il aime, car on ne doit pas souhaiter
de récompense plus grande que l'amour lui-même ; en effet,
tel est l'amour qui vient de Dieu que Dieu lui-même
est cet amour[3] ; c'est de lui, en vérité, que l'âme pieuse
et pure se réjouit tellement d'être remplie qu'elle ne
désire trouver sa joie en nulle autre récompense qu'en lui.
Rien de plus vrai, en effet, que ce que dit le Seigneur :

erit et cor tuum[1]. Quis autem est thesaurus hominis, nisi quaedam fructuum ejus congregatio laborumque collectio ? *Quod enim quis seminaverit, hoc et metet*[2], et quale cujusque opus, talis* et quaestus ; et ubi oblectatio fruendi constituitur, ibi cura cordis obstringitur. Sed cum multa sint genera divitiarum, dissimilesque materiae gaudiorum, thesaurus cuique est suae cupiditatis affectus, qui si de appetitu est terrenorum, non beatos facit sui participatione, sed miseros. Hi vero qui ea quae sursum sunt sapiunt, non quae super terram[3], nec perituris intenti sunt, sed aeternis, in illo habent incorruptibiles reconditas facultates, de quo dicit propheta : *In thesauris* salus nostra. Advenit* sapientia et disciplina et pietas a Domino : hi sunt thesauri justitiae*[4] : per quos, auxiliante Dei gratia, etiam terrena bona in caelestia transferuntur, dum multi divitiis, aut juste sibi relictis aut aliter acquisitis, ad instrumentum pietatis utuntur. Cumque ad sustentationem pauperum, quae possunt exuberare distribuunt, congregant sibi inamissibiles facultates : ut quod abdiderunt eleemosynis, nullis possit subjacere dispendiis ; et digne ibi habeant cor, ubi habent thesaurum suum[5] : quia tales divitias* beatissimum est exercere ut crescant, et non timere ne pereant.

4. *Operantes* igitur, dilectissimi, *quod bonum est ad omnes, maxime autem ad domesticos fidei*[6], septi-

1. *Matth.* 6, 21.
2. *Gal.* 6, 7.
3. Cf. *Col.* 3, 2.
4. *Is.* 33, 6, selon les Septante ; la traduction de la Vulgate est la suivante : « Et erit fides in temporibus tuis ; divitiae salutis sapientia et scientia ; timor Domini ipse est thesaurus ejus. » La version que suit S. Léon se retrouve chez S. JÉRÔME, *In Isaiam*, X, 33 (*PL* 24, 363), et chez PROSPER D'AQUITAINE, *De vocatione gentium*, 1, 24 (*PL* 51, 680) ; on sait les liens de cet auteur avec S. Léon.

« Là où sera ton trésor, là aussi sera ton cœur[1]. » Qu'est-ce
que le trésor de l'homme, sinon en quelque façon la somme
de ses profits et l'ensemble de ses travaux ? « Car ce
que l'on sème, on le récolte[2] » et tel le travail de chacun,
tel aussi son gain ; là donc où l'on prend plaisir et jouissance, là aussi s'attachent le cœur et son souci. Mais
nombreux sont les genres de richesses et variées les sources
de joie ; aussi le trésor de chacun est-il le sentiment qui
anime son désir : si celui-ci est appétit de biens terrestres,
il ne rend pas heureux, mais misérables ceux qui l'ont
en partage. Par contre, ceux qui ont du goût pour les biens
d'en-haut et non pour ceux de la terre[3], et qui sont tendus
non pas vers des choses qui doivent périr, mais vers celles
qui sont éternelles, ceux-là ont des richesses incorruptibles
déposées en celui dont le Prophète parle en ces termes :
« Dans tes trésors est notre salut, sagesse et doctrine et
piété viennent du Seigneur : ce sont là trésors de justice[4]. »
Ces richesses font que, la grâce de Dieu aidant, les biens
de la terre eux-mêmes se muent en biens célestes ; beaucoup
d'hommes, en effet, usent des richesses qui leur ont été
légitimement léguées ou qu'ils ont acquises d'une autre
manière pour en faire l'instrument de leur bienfaisance.
En distribuant pour le soulagement des pauvres ce qui
peut leur être superflu, ils amassent pour eux-mêmes
des biens inamissibles ; ce qu'ils ont mis de côté par
leurs aumônes n'est plus exposé à se perdre et ils auront
à juste titre leur cœur là où ils ont leur trésor[5] ; car le
plus grand des bonheurs est de faire valoir de pareilles
richesses, de façon à les faire croître sans craindre qu'elles
viennent à périr.

4. « Pratiquons donc, bien-aimés, le bien à l'égard
de tous et surtout de nos frères dans la foi[6] » et consacrons

---

5. Cf. *Matth.* 6, 21.
6. *Gal.* 6, 10.

mum mensem ab initio mysticum propter septi-
formem Spiritum, et ipso sui ordinis numero
consecratum, continentiae fructibus deputantes, quarta et sexta sabbati solemniter jejunemus ; sabbato
autem apud beatum Petrum vigilias celebremus :
cujus nobis et orationes suffragabuntur et merita,
ut quantum cuique fidelium tribuitur bonum velle,
tantum donetur et posse[1], ipso adjuvante, qui vivit
et regnat cum Patre et Spiritu sancto in saecula
saeculorum. Amen.

80

(XCIII)

DE JEJUNIO SEPTIMI MENSIS SERMO VIII[2]

1. Omnis, dilectissimi, divinorum eruditio praeceptorum hoc maxime agit apud corda credentium, ut
amor pravus recto amore superetur, et delectatione
justitiae peccandi cupiditas destruatur, dicente Scriptura : *Post concupiscentias tuas non eas, et a voluntate
tua avertere*[3]. Cum autem sint in animis hominum
multae bonae concupiscentiae et laudabiles voluntates, quid est quod jubetur ut nostris non consen-
tiamus affectibus, nisi quod ab illa concupiscentia
prohibemur, et ab illa voluntate revocamur, cujus
ortus ex nobis est, et ideo mala pronuntiatur, quia

1. Cf. *Phil.* 2, 13 : « Deus est enim qui operatur in vobis et velle
et perficere pro bona voluntate. »
2. Ce sermon peut être daté, avec probabilité, de septembre 457.
3. *Sir.* 18, 30.

aux fruits de notre abstinence le septième mois qui, dès
le principe, jouit d'une valeur mystique à cause de l'esprit
septiforme et se trouve consacré par le nombre même
qu'il porte. Dans ce but, jeûnons solennellement mercredi
et vendredi ; et samedi, célébrons les veilles auprès de
saint Pierre, dont les prières et les mérites intercéderont
pour nous, afin que, dans la mesure où chaque fidèle a
reçu le bon vouloir, dans la même mesure lui soit donné
le pouvoir[1], moyennant le secours de celui qui vit et
règne avec le Père et l'Esprit-Saint dans les siècles des
siècles. Amen.

80

(XCIII)

HUITIÈME SERMON SUR LE JEÛNE DU SEPTIÈME MOIS[2]

SOMMAIRE. — 1. Bons et mauvais désirs ; les premiers
viennent de Dieu, les seconds de l'homme. — 2. Exemples
des uns et des autres ; le jeûne est le remède au dérègle-
ment provenant du péché. — 3. Trois pratiques de purification spirituelle : la prière, l'aumône et le jeûne.

1. Tout l'enseignement des divins commandements,
bien-aimés, produit principalement ce résultat dans
le cœur des fidèles que l'amour égaré soit vaincu par
le droit amour et le désir du péché détruit par la joie
trouvée dans la justice, selon la parole de l'Écriture :
« Ne suis pas tes désirs et détourne-toi de ton inclination[3]. » Mais il y a dans l'âme humaine beaucoup de bons
désirs et d'inclinations louables ; si donc il nous est ordonné
de ne pas obéir à nos sentiments, qu'est-ce à dire, sinon
que nous est défendu le désir et interdite l'inclination
dont l'origine est en nous-mêmes et qui sont déclarés

nostra esse convincitur ? Ad distinctionem igitur
concupiscentiarum quae sunt ex Deo bene homini
dictum est : *Post concupiscentias tuas non eas*, ut
quas cognoverit proprias sciat esse vitandas. Merito
ergo Dominus, in oratione quam tradidit, noluit
nos ad Deum dicere : Fiat voluntas nostra, sed
fiat voluntas tua[1] : hoc est, non illa quam caro incitat,
sed quam Spiritus sanctus inspirat. Unde autem
hoc desiderium conceptum sit, cui semper debeat
repugnari, non difficulter intelligunt qui se Adae
filios esse noverunt, et peccante humani generis
patre non dubitant in propagine vitiatum esse quod
est in radice corruptum. Quamvis autem per gratiam
Domini nostri Jesu Christi in novam creaturam
transierimus ex veteri[2], et imagine nos terreni
hominis homo caelestis[3] exuerit ; donec tamen corpus
mortale gestamus, necesse est ut contra carnis
desideria[4] dimicemus. Bonum est enim animae Deo
subditae[5] timere ne cadat[6], et habere quod vincat,
quoniam *virtus in infirmitate perficitur*[7] ; et quod
nos exercet continentia*, hoc perducit ad gloriam.

2. Abstinendum est itaque, dilectissimi, ab his
quae nobis noxie blandiuntur, et lex peccati quae
est in membris nostris[8], Dei lege superanda est :
ut licet per omnes sensus corporis multae insidientur
illecebrae, anima tamen, cui summum bonum et
verum gaudium Deus est, inter castas spiritalesque
delicias in sapientiae latitudine et in veritatis luce

1. *Matth.* 6, 10.
2. Cf. *II Cor.* 5, 17 : « Si qua in Christo, nova creatura » ; *Éphés.* 4,
22 : « Deponere vos secundum pristinam conversationem veterem
hominem » ; de même *Col.* 3, 9.
3. Cf. *I Cor.* 15, 49 : « Sicut portavimus imaginem terreni, portemus
et imaginem caelestis. »
4. Cf. *Gal.* 5, 16 : « Desideria carnis non perficietis. »
5. Cf. *Rom.* 3, 19 : « Subditus fiat omnis mundus Deo. »

mauvais parce qu'il est prouvé qu'ils sont nôtres ? Pour
les distinguer des désirs qui viennent de Dieu, il est dit
justement à l'homme : « Ne suis pas tes désirs » ; il saura
ainsi qu'il doit éviter ceux qu'il aura reconnus pour siens.
C'est donc bien à propos que le Seigneur, dans la prière
qu'il nous a transmise, n'a pas voulu que nous disions à
Dieu : « Que notre volonté soit faite », mais : « Que ta
volonté soit faite[1] » ; c'est-à-dire non pas celle que suscite
la chair, mais celle qu'inspire le Saint-Esprit. Or, d'où
est conçu ce désir auquel il faut toujours s'opposer, ceux
qui se savent fils d'Adam le comprennent sans peine ;
après qu'a péché le père du genre humain, ils ne doutent
pas que ne soit vicié dans ses rejetons ce qui a été corrompu
dans sa racine. Sans doute la grâce de notre Seigneur
Jésus-Christ nous a fait passer de l'ancienne créature
à la nouvelle[2] et l'homme céleste nous a dépouillés de
l'image de l'homme terrestre[3] ; cependant, aussi longtemps
que nous portons ce corps mortel, il nous est nécessaire
de combattre contre les désirs de la chair[4]. Il est bon,
en effet, pour l'âme soumise à Dieu[5], de craindre de
tomber[6] et d'avoir quelque chose à vaincre, car « la puissance se déploie dans la faiblesse[7] » et ce qui nous exerce
par la maîtrise de nous-mêmes est ce qui nous conduit à
la gloire.

2. C'est pourquoi, bien-aimés, abstenons-nous de ce
qui nous flatte tout en nous nuisant ; la loi du péché
qui est dans nos membres[8] doit être vaincue par la loi
de Dieu. Ainsi, malgré les innombrables séductions qui
dressent leurs embuscades en usant de tous les sens du
corps, l'âme dont Dieu est le souverain bien et la vraie
joie habitera pourtant au sein de chastes et spirituelles
délices, possédant l'ampleur de la sagesse et la lumière

6. Cf. *I Cor.* 10, 12 : « Qui se existimat stare, videat ne cadat. »
7. *II Cor.* 12, 9.
8. *Rom.* 7, 23.

versetur. Si enim seipsum sibi rationalis homo
comparet, omnesque suorum actuum qualitates vera
inspectione dijudicet, numquid in intimis conscientiae
suae hoc delectationis inveniet de iniquitate commissa,
quod de aequitate servata ? aut tantum ei jucun-
ditatis carnalis voluptas, quantum spiritalis pariet
appetitus ? Nihil prorsus de virtutum bonis attigit,
nihil de pietatis suavitate gustavit, qui magis vult
in his sordescere quae immunda sunt, quam in iis
splendere quae sancta sunt. Non sinit ratio ut
cordibus non usquequaque captivis ita placeat
satiata ira, ut remissa vindicta ; aut tantum generent
gaudii* male quaesita de alieno, quantum bene
expensa de proprio. Felicior semper est parca temperantia quam profusa luxuria ; major quies* humilibus
quam superbis ; et sublimior mens quae inter prohibita atque promissa* certius habet sperare caelestia,
quam amare terrena. Ut autem in hoc provectu
animus religiosus excellat et jus suae dominationis
obtineat, subigendo corpori castigatio est adhibenda
jejunii. Quod licet generali nomine ad omnem continentiam pertinere videatur, proprie tamen ad edendi
diminutionem refertur : ut prosit nunc voluntate
non sumere, quod ab initio contra vetitum nocuit
usurpasse[1] : ut sicut illic concupiscentia* vulneri,
ita hic abstinentia sit saluti.

3. Cui medicinae, dilectissimi, cum* tempus omne
sit congruum, hoc tamen habemus aptissimum, quod
et apostolicis et legalibus institutis videmus electum,

---

1. Allusion à la faute originelle, selon *Gen.* 3.

de la vérité. En effet, si l'homme doué de raison se présente
soi-même à soi et, par un sincère examen, juge ses actes
sous tous leurs aspects, trouvera-t-il, dans l'intime de
sa conscience, autant de plaisir dans l'injustice commise
que dans la rectitude conservée ? La volupté charnelle lui
procurera-t-elle autant de satisfaction que le désir spirituel ? Il n'a absolument rien obtenu des biens propres
aux vertus, il n'a rien goûté de la douceur de la piété,
celui qui préfère se souiller dans les choses immondes
plutôt que de briller avec éclat dans celles qui sont saintes.
La raison ne permet pas à des cœurs qui ne sont pas
totalement prisonniers de trouver le même plaisir à satisfaire leur colère qu'à renoncer à leur vengeance, ou encore
de tirer autant de joie de richesses mal acquises aux
dépens du bien d'autrui que de richesses bien dépensées
puisées dans leur propre bien. Une tempérance économe
est toujours plus heureuse qu'un luxe prodigue ; il y a un
plus grand repos pour les humbles que pour les superbes
et l'esprit s'établit plus haut qui, au milieu des choses
défendues ou offertes, regarde comme plus sûr d'espérer
en celles du ciel que d'aimer celles de la terre. Mais, pour
que l'âme religieuse excelle en ce progrès et obtienne ce
droit de commander qui lui est propre, il faut soumettre le
corps, qui doit être tenu en sujétion, à la mortification
du jeûne. Bien que ce dernier mot semble s'appliquer,
en un sens général, à toute maîtrise de soi, il se rapporte
cependant, au sens propre, à la restriction dans la nourriture ; il est utile, en effet, de ne pas prendre volontairement
maintenant ce qui, à l'origine, a causé le mal pour avoir été
utilisé malgré la défense[1] ; ainsi, de même que la concupiscence fut alors source de blessure, de même l'abstinence
sera à présent source de guérison.

3. Tout temps, bien-aimés, convient, certes, à l'emploi de ce remède ; mais nous en avons un plus apte que
tous, celui d'à présent, dont nous voyons qu'il fut choisi
aussi bien par les Apôtres dans leurs usages, que par la

ut sicut in aliis anni diebus, ita in mense septimo
spiritalibus nos purificationibus emundemus. Conve-
nientibus enim in unum propositum tribus studiis,
oratione scilicet, et eleemosyna, atque jejunio[1],
praestabitur nobis a misericordi Deo et cohibitio
cupiditatum, et exauditio precum, et remissio peccatorum : per Dominum nostrum Jesum Christum,
qui vivit et regnat cum Patre et Spiritu sancto
in saecula saeculorum. Amen.

81

(XCIV)

DE JEJUNIO SEPTIMI MENSIS SERMO IX[2]

1. Scio quidem, dilectissimi, plurimos vestrum
ita in iis quae ad observantiam Christianam pertinent
esse devotos, ut nostris cohortationibus non indigeant
admoneri. Quod enim dudum et traditio[3] decrevit, et
consuetudo firmavit, nec eruditio ignorat, nec pietas
praetermittit. Sed quia sacerdotalis officii est erga
omnes Ecclesiae filios curam habere communem,

---

1. Prière, aumône et jeûne, les trois pratiques de vie chrétienne
mentionnées et expliquées dans le sermon sur la montagne (*Matth.* 6).
S. Léon y revient souvent dans les *Sermons;* elles sont pour lui
corrélatives.

2. La date probable de ce sermon est septembre 458.

3. C'est la tradition des anciens dont S. Léon attribue l'origine
aux Apôtres eux-mêmes ; cf. *Sermon* 65, *supra*, p. 26, n. 1.

Loi dans les siens, à cette fin que, en ce septième mois comme aux autres jours de l'année, nous nous amendions par des purifications spirituelles. Unissant, en effet, en une résolution unique trois pratiques, à savoir la prière, l'aumône et le jeûne[1], nous obtiendrons de Dieu qui est miséricordieux, et la maîtrise de nos convoitises et l'exaucement de nos demandes et la remise de nos péchés ; par notre Seigneur Jésus-Christ qui vit et règne avec le Père et l'Esprit-Saint dans les siècles des siècles. Amen.

81

(XCIV)

NEUVIÈME SERMON SUR LE JEÛNE DU SEPTIÈME MOIS[2]

SOMMAIRE. — 1. Dépendance étroite du corps et de l'âme dans le vice comme dans la vertu ; il y a un jeûne du corps et un jeûne de l'âme et les deux sont liés. — 2. Examiner sa conscience et recourir à l'Auteur des commandements pour obtenir sa grâce ; Dieu vraie nourriture de l'âme. — 3. Nécessité du jeûne ; l'institution des « Quatre-Temps ». — 4. Unir l'aumône au jeûne ; annonce des jours de jeûne.

1. Je sais parfaitement, bien-aimés, que la plupart d'entre vous sont si ardents pour ce qui concerne la pratique de la vie chrétienne qu'ils n'ont pas besoin d'être stimulés par nos exhortations. Ce qui, depuis longtemps, a été aussi bien établi par la tradition[3] que confirmé par la coutume n'échappe pas à la connaissance des personnes instruites ni au zèle des personnes pieuses. Il est cependant du devoir de l'évêque de prendre également soin de tous les fils de l'Église ; c'est pourquoi

in id quod et rudibus prosit et doctis, quos simul
diligimus, pariter incitamus : ut jejunium quod
nobis septimi mensis recursus indicit, fide alacri per
castigationem animi et corporis celebremus. Quamvis
enim diminutio cibi carnem proprie videatur afficere,
nihil tamen corporeis sensibus vel conceditur vel
negatur, quod non sicut ad servientem, ita pertineat
ad jubentem¹. Cum itaque unusquisque homo duplicem in se legem habeat continentiae, nihilque
actionum nostrarum ad solum corpus, multa autem
ad solum referenda sint animum, prudenter debemus
advertere quam indecens quamque injustum sit,
si quod a superiore indicitur ab inferiore negligitur*.
Ut autem mens rationalis saluriter exteriora castiget, debet etiam propria exercere jejunia : quia
non solum carnis desideriis, sed etiam animi cupiditatibus convenit repugnari*, dicente Scriptura :
*Post concupiscentias tuas non eas, et a voluntate
tua avertere*². Jejunans ergo ab iis quae caro expetit*,
jejunet et ab iis quae male interior substantia concupiscit. Pessimus enim animae cibus est, velle quod
non licet ; et noxia cordis delectatio est, quae aut
turpi lucro pascitur, aut superbia extollitur, aut ultione
laetatur³. Quamvis enim his affectibus motus quoque
corporis serviant, ad originem tamen suam cuncta
respiciunt, et ibi censetur qualitas actionis, ubi
invenitur initium voluntatis, quam revocare a pravis
desideriis optimum maximumque jejunium est, quia
tunc est edendi abstinentia fructuosa quando exterior
parcitas a temperantia interiore procedit.

---

1. Celui qui obéit est le corps, celui qui commande est l'esprit ;
ils seront désignés plus bas par « l'inférieur et le supérieur ».

2. *Sir.* 18, 30.

3. Ce sont là des « nourritures » pour l'âme, mais nourritures
nuisibles dont elle doit s'abstenir par un jeûne spirituel.

nous vous engageons tous pareillement à vous adonner
à ce qui est utile aux ignorants comme aux doctes, car
nous les aimons tous ensemble ; ainsi célébrons avec une
foi allègre, par la mortification du corps et de l'âme,
le jeûne auquel nous invite le retour du septième mois.
Bien que réduire la nourriture paraisse n'affecter proprement que la chair, il n'est pourtant rien de ce qui est
concédé ou refusé à nos sens corporels qui ne concerne
aussi bien celui qui commande que celui qui obéit[1]. Chaque
homme a en soi une double loi selon laquelle il doit se
maîtriser lui-même et il n'est pas un élément de nos
actes que l'on puisse référer uniquement au corps, tandis
qu'il en est beaucoup que l'on doive rapporter uniquement
à l'esprit ; aussi devons-nous sagement remarquer combien
il est inconvenant et injustifié que, ce qui est prescrit
par le supérieur, l'inférieur le néglige. Pour que l'âme
raisonnable mortifie efficacement ce qui lui est extérieur, il
faut aussi qu'elle pratique les jeûnes qui lui sont propres,
car il convient de s'opposer non seulement aux désirs de
la chair, mais aussi aux convoitises de l'esprit, selon la
parole de l'Écriture : « Ne suis pas tes désirs et détourne-toi
de ton inclination[2]. » Celui qui jeûne en s'abstenant de
ce que désire la chair, qu'il jeûne aussi en s'abstenant
de ce que convoite perversement l'être intérieur. Le pire
aliment de l'âme, en effet, est de vouloir ce qui n'est
pas permis ; funeste est la jouissance que goûte le cœur
soit en se nourrissant d'un gain honteux, soit en s'élevant
par l'orgueil, soit en trouvant sa joie dans la vengeance[3].
A ces sentiments, certes, les mouvements du corps apportent aussi leur concours, mais toutes choses regardent
vers leur origine et, pour juger de la qualité d'un acte,
il faut remonter là où l'on découvre les premiers mouvements de la volonté ; or détourner celle-ci des désirs
pervers est le meilleur et le plus grand des jeûnes, car
l'abstinence de nourriture est fructueuse quand la modération extérieure procède d'une discipline intérieure.

2. Celebraturi igitur, dilectissimi, verum et spiritale jejunium, quod et corpus et animam* sui puritate sanctificet, cordis nostri secreta rimemur, et quibus rebus aut contristentur aut gaudeant, justo discutiamus examine. Ac si quis amor vanae gloriae, si qua radix avaritiae[1], si quod inest virus invidiae, nihil talium anima sumat escarum, sed virtutum intenta deliciis, caelestes epulas terrenae praeferat voluptati. Agnoscat homo sui generis dignitatem[2], factumque se ad imaginem et similitudinem sui Creatoris[3] intelligat ; nec ita de miseriis quas per peccatum illud maximum et commune incidit expavescat, ut non se ad misericordiam sui Reparatoris attollat. Ipse enim dicit : *Sancti estote, quoniam* sanctus sum*[4] : hoc est, me eligite, et* iis quae mihi displicent abstinete. Facite quod amo, amate quod facio. Et cum videtur esse difficile quod jubeo, ad jubentem recurrite* ; ut unde datur praeceptum, praestetur auxilium ; non negabo opem qui tribui voluntatem. Jejunate ab adversis, abstinete a contrariis. Ego sim* cibus vester et potus : nemo quae mea sunt inefficaciter concupiscit ; qui enim ad me tendit ex mei participatione me quaerit.

3. His, dilectissimi, cohortationibus, quibus vos* ad bona incommutabilia et ad gaudia invitat aeterna, plenae sunt omnes divinarum paginae litterarum ; et hoc nobiscum agit Testamenti utriusque doctrina, ut inhaereamus veris et contineamus a vanis. Non enim apprehendi potest quod promittitur nisi custo-

---

1. Cf. *I Tim.* 6, 10 : « Radix omnium malorum est cupiditas. »

2. S. Léon en appelle volontiers à la fierté surnaturelle du chrétien : dès le *1er sermon pour Noël*, nous l'avons entendu s'écrier : « Agnosce, o christiane, dignitatem tuam » (*SC* 22 bis, p. 72).

3. Cf. *Gen.* 1, 26 : « Faciamus hominem ad imaginem et similitudinem nostram. »

2. Nous allons donc célébrer, bien-aimés, un jeûne authentique et spirituel, qui sanctifie de sa purification et notre corps et notre âme ; explorons les replis secrets de notre cœur et, par un examen équitable, discernons quelles sont les choses qui l'attristent et celles qui le réjouissent. S'il s'y rencontre quelque amour de la vaine gloire, quelque racine d'avarice[1], quelque poison d'envie, que l'âme ne prenne rien de telles nourritures, mais que, appliquée aux délices qu'on trouve dans les vertus, elle préfère les mets du ciel à la volupté de la terre. Que l'homme reconnaisse la dignité de sa race[2] et comprenne qu'il a été fait à l'image et ressemblance de son créateur[3] ; qu'il ne s'épouvante pas des misères dans lesquelles il est tombé par suite de l'énorme et universel péché, au point de ne pas se retourner vers la miséricorde de celui qui le rétablit. Car c'est celui-là même qui dit : « Soyez saints, parce que je suis saint[4] » ; c'est-à-dire : « Choisissez-moi et abstenez-vous de ce qui me déplaît ; faites ce que j'aime, aimez ce que je fais ; et, lorsque ce que j'ordonne semble être difficile, recourez à celui qui ordonne, afin que le secours vienne d'où le commandement est donné ; je ne refuserai pas l'aide, moi qui ai accordé le vouloir. Jeûnez de ce qui vous est ennemi, abstenez-vous de ce qui vous est contraire. Que je sois votre nourriture et votre boisson ; personne ne désire en vain ce qui m'est propre ; car si quelqu'un soupire vers moi, c'est grâce à mon concours qu'il me cherche. »

3. De telles exhortations, bien-aimés, par lesquelles notre Sauveur vous appelle aux biens immuables et aux joies éternelles, se trouvent à toutes les pages des divines Écritures et tout ce à quoi nous pousse l'enseignement des deux Testaments, c'est que nous nous attachions à la vérité et nous abstenions de la vanité. On ne peut, en effet, entrer en possession de ce qui est

4. *Lév.* 19, 2.

ditum fuerit quod jubetur. Quid autem justius quam
ut homo, cujus fert imaginem, faciat voluntatem,
et per abstinentiam cibi jejunet a lege peccati[1] ?
Ideo enim ipsa continentiae observantia quatuor
est assignata temporibus[2], ut in idipsum totius anni
redeunte decursu, cognosceremus nos indesinenter
purificationibus indigere, semperque esse nitendum,
dum in hujus vitae varietate jactamur, ut peccatum,
quod fragilitate carnis et cupiditatum pollutione
contrahitur, jejuniis atque eleemosynis deleatur.

4. Esuriamus paululum, dilectissimi, et aliquantulum quod juvandis possit prodesse pauperibus,
nostrae consuetudini subtrahamus. Delectetur cons-
cientia benignorum fructibus largitatis ; et gaudia*
tribuens, quo es laetificandus, accipies. Dilectio
proximi dilectio Dei est, qui plenitudinem legis
et prophetarum in hac geminae caritatis unitate
constituit[3] : ut nemo ambigeret Deo se offerre
quidquid* homini contulisset, dicente Domino
Salvatore, cum de alendis juvandisque pauperibus
loqueretur : *Quod uni eorum fecistis, mihi fecistis*[4].

Quarta igitur et sexta sabbati* jejunemus ; sabbato
vero apud beatum Petrum apostolum vigilias celebremus, cujus nos meritis et orationibus credimus

---

1. Cf. *Rom.* 7, 25 : « Mente servio legi Dei, carne autem legi
peccati. »

2. L'expression « Quatre-Temps » sera, après S. Léon, appliquée
à trois jours de jeûne revenant quatre fois par an, en carême, à la
Pentecôte, en septembre, en décembre. S. Léon connaît, nous l'avons
vu, les trois derniers groupes, mais le premier n'est pas encore distin-
gué du carême proprement dit qui est seulement pour lui, en regard
des trois autres, « le plus sacré et le plus grand des jeûnes » (*4e sermon
sur le carême*, 1 : *11e sermon id.*, 1 ; *SC* 49 bis, p. 100 et 182) ; S. Léon
n'en saisit pas moins la nécessité de sanctifier par le jeûne et l'aumône
les quatre saisons de l'année et veut que les fidèles, comme il le dira
plus loin, comprennent « que rien n'échappe aux préceptes divins
et que les éléments sont tous au service de la parole de Dieu pour

promis que si l'on a observé ce qui est ordonné. Or quoi de plus juste pour l'homme que de faire la volonté de celui dont il porte l'image et, en se privant de nourriture, de jeûner en s'abstenant de la loi du péché[1] ? En effet, l'observance même de l'abstinence a été assignée aux quatre saisons[2], afin que, le cycle de l'année entière revenant sur lui-même, nous sachions que nous avons sans cesse besoin de purifications : ballottés que nous sommes parmi les vicissitudes de cette vie, nous devons toujours chercher à effacer par les jeûnes et les aumônes le péché causé par la faiblesse de la chair et l'impureté des désirs.

4. Souffrons donc quelque peu de la faim, bien-aimés, et de ce à quoi nous sommes accoutumés, retranchons quelque chose qui puisse être utile aux pauvres en mal de soulagement. Que la conscience des bons trouve ses délices dans les fruits de leur générosité : en donnant de la joie, tu recevras ce qui te rendra heureux. L'amour du prochain est amour de Dieu, lequel a placé dans cette unité d'une double charité la plénitude de la loi et des prophètes[3] ; ainsi personne ne peut douter que ce ne soit à Dieu qu'il offre tout ce qu'il a donné à un homme, puisque notre Seigneur et Sauveur, parlant de l'aide et de la nourriture qu'il faut donner aux pauvres, a dit : « Ce que vous avez fait à l'un d'entre eux, c'est à moi que vous l'avez fait[4]. »

Jeûnons donc mercredi et vendredi ; et samedi, célébrons les veilles auprès du saint apôtre Pierre ; nous croyons, en effet, que nous serons aidés par ses mérites et ses prières,

---

notre instruction » (*8ᵉ sermon sur le jeûne du Xᵉ mois*, 2, *infra*, p. 211). Cf. A. CHAVASSE, « Les Quatre-Temps », dans *L'Église en prière*, Paris 1961, chap. III, p. 739-746.

3. Cf. *Matth.* 22, 40 : « In his duobus mandatis universa lex pendet et prophetae. »

4. Cf. *ibid.*, 25, 40 : « Quamdiu fecistis uni ex his fratribus meis minimis, mihi fecistis. »

adjuvandos, ut misericordi Deo jejunii nostri* devotione[1] placeamus, per Dominum nostrum Jesum
Christum, qui cum Patre et Spiritu sancto vivit
et regnat Deus in saecula saeculorum. Amen.

82

(XII)

DE JEJUNIO DECIMI MENSIS SERMO I[2]

1. Si fideliter, dilectissimi, atque sapienter crea-
tionis nostrae intelligamus exordium, inveniemus
hominem ideo ad imaginem Dei conditum[3], ut
imitator sui esset auctoris ; et hanc esse naturalem
nostri generis dignitatem, si in nobis quasi in quodam
speculo divinae benignitatis forma resplendeat. Ad
quam utique nos quotidie reparat gratia Salvatoris,
dum quod cecidit in Adam primo, erigitur in secundo.
Causa autem reparationis nostrae non est nisi misericordia Dei : quem non diligeremus, nisi nos prior
ipse diligeret[4], et tenebras ignorantiae nostrae, suae
veritatis luce discuteret. Quod per sanctum Isaiam
Dominus praenuntians, ait : *Adducam caecos in*

---

1. Le mot *devotio* désigne ici l'aumône, inséparable du jeûne, selon
ce qui vient d'être dit. Sur ce sens du mot, cf. GUILLAUME, « Jeûne
et charité dans la liturgie du carême », dans *N.R. Th.* 1954, p. 247-248.

2. Ce sermon est à dater du 17 décembre 450 ; il fait partie de la
seconde collection publiée par S. Léon.

3. Cf. *Gen.* 1, 27 : « Et creavit Deus hominem ad imaginem suam. »

4. Cf. *I Jn* 4, 19 : « Nos ergo diligamus Deum, quoniam Deus
prior dilexit nos. »

en sorte que nous puissions plaire par l'offrande de notre jeûne[1] à Dieu, le miséricordieux, par notre Seigneur Jésus-Christ qui, étant Dieu, vit et règne avec le Père et l'Esprit-Saint dans les siècles des siècles. Amen.

82

(XII)

PREMIER SERMON SUR LE JEÛNE DU DIXIÈME MOIS[2]

SOMMAIRE. — 1. Nous avons été créés pour imiter Dieu ; or c'est par l'amour que Dieu nous restaure à son image, afin qu'à notre tour nous l'aimions lui-même ainsi que tout ce qu'il aime. — 2. Aussi l'amour du prochain doit-il être lié inséparablement à l'amour de Dieu ; il s'étend à tous les hommes. — 3. Faire taire nos récriminations à l'égard de la conduite de Dieu, mais au contraire le louer en tout ; pratiquer la charité fraternelle avec foi. — 4. Prière, jeûne et aumône ; annonce des jours de jeûne.

1. Bien-aimés, si nous comprenons à la lumière de la foi et de la sagesse les débuts de notre création, nous découvrirons que l'homme a été fait à l'image de Dieu[3] pour imiter son Auteur et que la dignité naturelle de notre race consiste en ce que la ressemblance de la bonté divine brille en nous comme en un miroir. Cette ressemblance, la grâce du Sauveur la restaure tous les jours en nous, car ce qui est tombé dans le premier Adam est relevé dans le second. Or le motif de notre restauration n'est autre que la miséricorde de Dieu ; nous ne l'aimerions pas s'il ne nous avait aimés le premier[4] et n'avait, par la lumière de sa vérité, dissipé les ténèbres de notre ignorance. C'est ce que le Seigneur avait annoncé par la voix de saint Isaïe en disant : « J'acheminerai les aveugles

*viam quam ignorabant, et semitas quas nesciebant
faciam illos calcare. Faciam illis tenebras in lucem,
et prava in directa. Haec verba faciam illis, et non
derelinquam* eos*[1]. Et iterum, *Inventus sum*, inquit,
non quaerentibus me, et palam apparui iis qui me
non interrogabant*[2]. Quod quomodo impletum sit,
Joannes apostolus docet dicens : *Scimus, quoniam
Filius Dei venit, et dedit nobis sensum, ut cognoscamus
verum, et simus in vero Filio ejus*[3]. Et iterum : *Nos
ergo diligamus* quoniam Deus* prior dilexit nos*[4].
Diligendo itaque nos Deus, ad imaginem suam*
reparat, et ut in nobis formam suae bonitas inveniat,
dat unde ipsi quoque quod operatur operemur,
accendens scilicet mentium nostrarum lucernas, et
igne nos suae caritatis inflammans ; ut non solum
ipsum, sed etiam quidquid diligit diligamus. Nam
si inter homines ea demum firma amicitia est[5], quam
morum similitudo sociarit, cum tamen parilitas
voluntatum saepe in reprobos tendat affectus, quantum nobis optandum atque nitendum est ut in nullo
ab iis quae Deo sunt placita, discrepemus ! De quo
dicit propheta : *Quoniam ira in indignatione ejus,
et vita in voluntate ejus*[6] : quia non aliter in nobis
erit dignitas divinae majestatis, nisi imitatio fuerit
voluntatis.

2. Dicente itaque Domino : *Diliges Dominum
Deum tuum ex toto corde tuo, et ex tota mente tua;*

---

1. *Is.* 42, 16.
2. *Ibid.*, 65, 1 ; *Rom.* 10, 20.
3. *I Jn* 5, 20.
4. *Ibid.*, 4, 19.
5. S. Léon cite, en partie mot pour mot, la célèbre phrase de
SALLUSTE sur l'amitié : « Idem velle atque idem nolle *ea demum firma
amicitia est* » (*De conjuratione Catilinae*, 20,4) qui était sans doute
passée en proverbe ; S. JÉRÔME la cite dans sa *lettre* 130, 12, *à
Démétriade* (éd. « Belles Lettres », 1961, t. VII, p. 182).

par une route qu'ils ignoraient et je les ferai marcher sur des sentiers qu'ils ne connaissaient pas. Je changerai pour eux les ténèbres en lumière et les chemins détournés en routes droites. Voilà ce que je ferai pour eux et je ne les abandonnerai pas[1]. » Et encore : « J'ai été trouvé de ceux qui ne me cherchaient pas et je me suis montré à ceux qui ne me questionnaient pas[2]. » Comment cela s'est-il accompli, l'apôtre Jean nous l'apprend par ces paroles : « Nous savons que le Fils de Dieu est venu et qu'il nous a donné l'intelligence, afin que nous connaissions le Véritable et soyons dans le Véritable, son Fils[3]. » Et encore : « Quant à nous, aimons Dieu, puisque Dieu a aimé le premier[4]. » C'est pourquoi, en nous aimant, Dieu nous restaure à son image et, afin de trouver en nous la ressemblance de sa bonté, il nous donne le moyen de faire nous-mêmes ce qu'il fait ; il allume, en effet, le flambeau de nos intelligences et nous enflamme du feu de son amour, pour que nous l'aimions, et non seulement lui, mais aussi tout ce qu'il aime. Car si une amitié entre hommes est vraiment solide[5] quand elle associe ceux qui ont une conduite semblable, il arrive pourtant souvent que la similitude des volontés se porte vers des désirs répréhensibles ; combien dès lors ne devons-nous pas souhaiter de toutes nos forces n'avoir rien qui nous sépare de ce qui plaît à Dieu. C'est de lui que le Prophète dit : « La colère est dans son indignation et la vie dans sa volonté[6] » ; car nous ne serons dignes de la majesté divine que si l'on trouve en nous l'imitation de sa volonté.

2. Lors donc que le Seigneur dit : « Tu aimeras le Seigneur ton Dieu de tout ton cœur et de toute ton âme

6. *Ps.* 29, 6. S. Léon semble prendre le mot *indignatio* (propre à la version latine) au sens de *indignitas* ; le mot *dignitas* y répond dans la phrase suivante.

et diliges proximum tuum sicut teipsum[1] : suscipiat
fidelis anima auctoris sui atque rectoris immar-
cescibilem caritatem, totamque se* ejus subjiciat
voluntati, in cujus operibus atque judiciis nihil
vacat a veritate justitiae, nihil a miseratione clemen-
tiae. Quoniam etsi magnis quis laboribus et multis
fatigetur incommodis, bona est illi causa tolerandi,
qui se adversis vel corrigi intelligit, vel probari.
Caritatis vero istius pietas perfecta esse non poterit,
nisi diligatur et proximus. Quo nomine non ii tantum
intelligendi sunt qui nobis amicitia aut propinquitate
junguntur, sed omnes prorsus homines, cum quibus
nobis natura communis est, sive illi hostes sint, sive
socii ; sive liberi, sive servi. Unus enim nos Conditor
finxit[2], unus* Creator animavit[3] : eodem cuncti caelo
et aere, iisdem utimur* diebus et noctibus ; cumque
alii sint boni, alii mali ; alii justi, alii injusti[4] ; Deus
tamen omnibus largitor, omnibus est benignus, sicut
Lycaoniis a Paulo et Barnaba apostolis dicitur de
providentia Dei : *Qui in praeteritis generationibus
dimisit omnes gentes ingredi vias suas. Et quidem
non sine testimonio semetipsum reliquit benefaciens
eis, de caelo dans pluviam et tempora fructifera**,
implens cibo et laetitia corda nostra[5]. Dedit autem
nobis majores diligendi proximi causas Christianae
gratiae latitudo, quae se per omnes partes totius
orbis extendens, neminem hominum desperat,
dum docet* neminem negligendum. Et merito etiam

---

1. Cf. *Deut.* 6, 5 ; *Lév.* 19, 18.
2. Allusion à *Gen.* 2, 7 : « Formavit igitur Dominus Deus hominem
de limo terrae. »
3. Cf. *ibid.* : « Et inspiravit in faciem ejus spiraculum vitae. »
4. Cf. *Matth.* 5, 45 : « Ut sitis filii patris vestri qui in caelis est,
qui solem suum oriri facit super bonos et malos, et pluit super justos
et injustos. »

et tu aimeras ton prochain comme toi-même[1] », que
l'âme fidèle embrasse l'amour impérissable de son Créateur
et Maître et se soumette tout entière à sa volonté, car
il n'y a en ses œuvres et en ses jugements rien qui ne soit
rempli d'une parfaite justice, rien qui ne soit rempli d'une
clémence compatissante ; même si quelqu'un est épuisé
par de grandes peines et de multiples incommodités,
il trouvera un bon motif de les supporter en comprenant
que les adversités ou bien le corrigent ou bien l'éprouvent.
Cependant la bonté née de cette charité ne pourra être
parfaite si l'on n'aime pas aussi le prochain. Et, sous ce
nom, il ne faut pas seulement comprendre ceux qui nous
sont unis par l'amitié ou le sang, mais aussi tous les hommes absolument qui ont en commun avec nous la même
nature, qu'ils soient ennemis ou alliés, qu'ils soient libres
ou esclaves. Un seul Auteur, en effet, nous a façonnés[2],
un seul Créateur nous a donné vie[3] ; nous profitons tous
du même ciel et du même air, des mêmes jours et des
mêmes nuits ; et, bien que les uns soient bons, les autres
mauvais, les uns justes, les autres injustes[4], Dieu fait
cependant largesse à tous, est bon pour tous, comme les
apôtres Paul et Barnabé, parlant de la providence de
Dieu, le disaient aux Lycaoniens : « Dans les générations
passées, il a laissé toutes les nations suivre leur voie ;
il n'a pas manqué pour autant de se rendre témoignage
par ses bienfaits, vous dispensant du ciel pluies et saisons
fertiles, rassasiant vos cœurs de nourriture et de félicité[5]. »
Mais l'extension de la grâce chrétienne nous a donné de
plus fortes raisons d'aimer le prochain, elle qui, en se
répandant à travers toutes les parties du monde, ne
désespère d'aucun homme, puisqu'elle enseigne à ne négliger
personne. Et, à juste titre, elle prescrit d'aimer même

5. *Actes* 14, 16-17.

inimicos diligi, et pro persecutoribus sibi praecipit
supplicari[1], qui ex omnibus quotidie gentibus sacris
olivae suae ramis germen inserens oleastri[2], de
inimicis reconciliatos, de alienis adoptivos, de impiis
facit justos ; *ut omne genu flectatur, caelestium,
terrestrium, et infernorum : et omnis lingua confiteatur,
quoniam* Dominus Jesus* in gloria est Dei Patris*[3].

3. Cum ergo Deus bonos nos velit esse*, quia
bonus est[4], nihil nobis debet de ejus judiciis dis-
plicere. Nam non per omnia illi gratias agere, quid
est aliud quam ex quadam eum parte reprehendere ?
Audet enim plerumque humana insipientia adversus
Creatorem suum, non solum de inopia, sed etiam
de copia murmurare ; ut et cum aliquid non suppetit,
querula, et cum quaedam exuberent*, sit ingrata.
Multae messis dominus, horreorum suorum plenitudinem fastidivit, et ad copiam vindemiae affluentis
ingemuit ; nec de magnitudine fructuum gratulatus,
sed de vilitate conquestus est[5]. Si autem parcior
fuit* in susceptis terra seminibus, et castigatiore
proventu vites oleaeque[6] fluxerunt*, accusatur
annus*, arguuntur elementa, et nec aeri parcitur,
nec caelo, cum fideles et pios discipulos veritatis

---

1. Cf. *Matth.* 5, 44 : « Ego autem dico vobis : Diligite inimicos
vestros, benefacite his qui oderunt vos, et orate pro persequentibus
et calumniantibus vos. »

2. Cf. *Rom.* 11, 16-24.

3. *Phil.* 2, 10-11.

4. Cf. *Lc* 6, 36 : « Estote ergo misericordes sicut et Pater vester
misericors est ».

5. Cf. *Lc* 12, 16-21. Dans la parabole évangélique, le propriétaire
comblé se plaint de l'abondance de sa récolte, parce qu'il ne sait où
la loger ; selon S. Léon, il se plaint de son bas prix, conséquence de
l'abondance. Usant du même mot que celui-ci, CICÉRON met en relief
la même conséquence : « Si ubertas in percipiendis fructibus fuit,
consequitur vilitas in vendendis » (*In C. Verr.* II, 3, 227) ; et, plus

les ennemis et de prier pour les persécuteurs[1], car, tous les jours et de toutes les nations, elle ente sur les rameaux de son propre olivier les pousses de l'olivier sauvage[2], changeant ainsi des ennemis en réconciliés, des étrangers en fils adoptifs, des impies en justes, « afin que tout genou fléchisse, au ciel, sur la terre et dans les enfers, et que toute langue proclame que le Seigneur Jésus est dans la gloire de Dieu son Père[3] ».

3. Lors donc que Dieu veut que nous soyons bons parce qu'il est bon[4], rien de ses jugements ne doit nous déplaire. Car ne pas lui rendre grâces en tout, qu'est-ce autre chose que le reprendre à propos de quelque partie de son œuvre ? Bien souvent, en effet, la sottise humaine ose murmurer contre son Créateur, non seulement à cause de la pénurie, mais même à cause de l'abondance ; ainsi la voilà gémissante quand quelque chose manque et ingrate quand certains biens surabondent. Le propriétaire d'une ample moisson se dégoûta de voir ses greniers remplis et gémit devant le flot d'une vendange surabondante ; loin de remercier pour l'ampleur de sa récolte, il se plaignit de sa dépréciation[5]. Par contre, si la terre a été moins généreuse envers les semences à elle confiées, et si le produit des vignes et des oliviers[6] a coulé moins abondamment, on accuse l'année, on s'en prend aux éléments et l'on n'épargne ni l'air ni le ciel, alors que rien ne recommande et ne protège davantage les fidèles

haut, pour marquer le contraste entre les années : « Alter annus in vilitate, alter in summa caritate fuit » (*Ibid.*, 216).

6. A. Chavasse rapproche ce passage de celui du *Liber Pontificalis* relatif aux « jeûnes » des Trois-Temps : « Hic (Calistus) constituit jejunium die sabbati ter in anno fieri, frumenti, vini et olei, secundum prophetiam », et ajoute ceci : « Ces trois récoltes demeurent les récoltes typiques de la campagne romaine. » S. Léon les mentionne ici et dans le *Sermon* 86 (XVI), 1 (cf. *infra*, p. 176) ; ailleurs il mentionne les arbres en général à la place des oliviers (*Sermons* 88, 3 et 90, 2, *infra* p. 206 et 220). Cf. *Le Sacramentaire gélasien*, Tournai 1958, p. 462.

nihil magis commendet et muniat, quam perseverans
in Deum, et indefessa laudatio, dicente Apostolo :
*Semper gaudete, sine intermissione orate; in omnibus
gratias agite. Haec enim voluntas Dei est in Christo
Jesu in omnibus vobis*[1]. Hujus autem devotionis
quemadmodum poterimus esse participes, nisi rerum
varietas constantiam mentis exerceat ? ut amor
directus in Deum nec inter secunda superbiat, nec
inter adversa deficiat. Quod placet Deo, placeat et
nobis. De omni mensura munerum ipsius* gaudeamus.
Qui bene usus est magnis, bene utatur et modicis.
Tam nobis copia quam parcitate consulitur. Nec in
spiritalibus lucris angustia gravabimur fructuum,
si fecunditas non arescat animorum. Oriatur de
cordis agro, quod terra non edidit. Semper illi, quod
largiatur, occurrit, cui bene velle non deficit. Ad
omnia igitur, dilectissimi, opera pietatis, omnium
nobis qualitas prosit annorum, nec benevolentiam
christianam difficultas temporalis impediat. Novit
Dominus vasa hospitalis viduae in opus pietatis suae
vacuata complere[2]; novit aquas in vina convertere[3];
novit de paucissimis panibus millia* esurientium
saturare populorum[4]. Et ille qui in suis* pascitur,
quae potuit augere dando, potest multiplicare
sumendo.

4. Tria vero sunt quae maxime ad religiosas
pertinent actiones, oratio scilicet, jejunium, et eleemosyna, quibus exercendis omne quidem tempus accep-
tum, sed illud est studiosius observandum, quod
apostolicis accepimus traditionibus consecratum ;
sicut etiam decimus hic mensis morem refert veteris

---

1. *I Thess.* 5, 16-18.
2. Cf. *II Rois*, 4, 1-7.
3. Cf. *Jn* 2, 1-11.

et pieux disciples de la vérité que la louange persévérante et infatigable de Dieu, selon la parole de l'Apôtre :
« Restez toujours joyeux, priez sans cesse, en toutes choses
soyez dans l'action de grâces. Car telle est la volonté
de Dieu sur vous tous dans le Christ Jésus[1]. » Mais comment pourrons-nous avoir part à cette dévotion si les
vicissitudes des choses n'exercent la constance de notre
âme, en sorte que notre amour tendu vers Dieu ne s'enor-
gueillisse pas parmi les succès et ne défaille pas parmi les
revers ? Que ce qui plaît à Dieu nous plaise aussi à nous-
mêmes. Réjouissons-nous de ses dons, quelle qu'en soit
la mesure. Qui a bien usé des grands, qu'il use bien des
petits. L'abondance nous est aussi bonne que la rareté.
Et, dans nos gains spirituels, nous n'aurons pas à déplorer
la pénurie des fruits si la fécondité de nos âmes ne se
dessèche pas. Que le champ de notre cœur fasse pousser
ce que la terre n'a pas produit. Qui ne manque pas de
bonne volonté trouvera toujours de quoi donner. Faisons
donc, bien-aimés, que les conditions propres à chaque
année nous servent à toutes les œuvres de miséricorde,
sans que le malheur des temps soit un obstacle à la bienfaisance chrétienne. Le Seigneur a su remplir les vases
qu'une veuve hospitalière avait vidés par charité[2] ;
il a su changer l'eau en vin[3] ; il a su, avec quelques pains,
rassasier des milliers d'hommes affamés[4]. Et lui que l'on
nourrit dans les siens et qui a pu accroître en donnant,
peut multiplier en recevant.

4. Mais il est trois choses qui intéressent au plus haut
point l'exercice de la religion, à savoir la prière, le jeûne
et l'aumône ; tout temps est, certes, bon pour les pratiquer,
mais celui qu'a consacré la tradition apostolique et que
nous avons reçu d'elle comme tel doit faire l'objet d'une
observance plus attentive ; tel est, lui aussi, ce dixième
mois qui fait revivre l'usage de cette antique institution,

4. Cf. *Matth.* 14, 15-21.

instituti, ut tria illa de quibus locutus sum diligentius exsequamur. Oratione enim propitiatio Dei
quaeritur, jejunio concupiscentia carnis exstinguitur,
eleemosynis peccata redimuntur[1] ; simulque per
omnia Dei in nobis imago renovatur, si et in laudem
ejus semper parati, et ad purificationem nostram
sine cessatione solliciti, et ad sustentationem proximi
indesinenter simus intenti. Haec triplex observantia,
dilectissimi, omnium virtutum comprehendit effectus.
Haec ad imaginem et similitudinem Dei[2] pervenit,
et a Spiritu sancto inseparabiles facit. Quia in
orationibus permanet fides recta, in jejunio* innocens
vita, in eleemosynis mens benigna.

Quarta igitur et sexta feria jejunemus ; sabbato
autem apud beatissimum apostolum Petrum vigilias
celebremus ; qui et orationes, et jejunia, et eleemo-
synas nostras precibus suis dignabitur adjuvare.
Per Dominum nostrum Jesum Christum, qui cum
Patre et sancto Spiritu vivit et regnat in saecula
saeculorum. Amen.

83

(XIII)

DE JEJUNIO DECIMI MENSIS SERMO II[3]

Quod temporis ratio et devotionis nostrae admonet
consuetudo, pastorali vobis, dilectissimi, sollicitudine
praedicamus, decimi mensis celebrandum esse jeju-

---

1. Cf. *Sir.* 3, 33, que S. Léon a plusieurs fois utilisé d'après la
version qu'il lisait (LXX : 3, 30) : « Sicut aqua extinguit ignem, ita
eleemosyna extinguit peccatum » ; ainsi *11e sermon sur le carême*, 6
(*SC* 49 bis, p. 193) ; *9e sermon sur le jeûne du 10e mois*, 3 (*infra*, p. 224).

2. Cf. *Gen.* 1, 26.

3. Sermon à dater du 15 décembre 440.

afin que nous y pratiquions avec plus de soin les trois œuvres dont j'ai parlé. Par la prière, en effet, on cherche à se rendre Dieu propice, par le jeûne on éteint la concupiscence de la chair, par les aumônes on rachète les péchés[1] ; en même temps, à travers tout, l'image de Dieu est renouvelée en nous, si nous sommes toujours prêts à le louer, si nous sommes constamment appliqués à nous purifier et si nous sommes sans relâche attentifs à venir en aide au prochain. Cette triple observance, bien-aimés, renferme en elle tous les fruits des vertus. Elle arrive à reproduire l'image et ressemblance de Dieu[2] et nous unit inséparablement à l'Esprit-Saint. Car dans la prière se maintient la droiture de la foi, dans le jeûne l'innocence de la vie, dans les aumônes la bonté de l'âme.

Jeûnons donc mercredi et vendredi et, samedi, célébrons les veilles auprès du très saint apôtre Pierre qui, par ses prières, daignera aider et nos oraisons et nos jeûnes et nos aumônes. Par notre Seigneur Jésus-Christ, qui, avec le Père et le Saint-Esprit, vit et règne dans les siècles des siècles. Amen.

83

(XIII)

SECOND SERMON SUR LE JEÛNE DU DIXIÈME MOIS[3]

SOMMAIRE. — Exhortation au jeûne et à la pratique des œuvres de miséricorde ; annonce des jours de jeûne.

Ce que, dans notre sollicitude pastorale, nous vous annonçons, bien-aimés, c'est ce que nous rappellent et le temps de l'année et la coutume de notre dévotion, à savoir le jeûne du dixième mois par lequel, on recon-

nium, quo pro consummata perceptione omnium
fructuum, dignissime largitori eorum Deo continentiae libamen offertur. Quid enim potest efficacius
esse jejunio, cujus observantia appropinquamus
Deo et resistentes diabolo, vitia blanda superamus ?
Semper enim virtuti cibus jejunium fuit. De abstinentia denique* prodeunt castae cogitationes, rationabiles voluntates, salubriora consilia. Et per volun-
tarias afflictiones caro concupiscentiis moritur,
virtutibus spiritus innovatur. Sed quia non solo
jejunio animarum nostrarum salus acquiritur, jejunium nostrum misericordiis pauperum suppleamus.
Impendamus virtuti, quod subtrahimus voluptati.
Fiat refectio pauperis, abstinentia jejunantis. Studeamus viduarum defensioni, pupillorum utilitati,
lugentium consolationi, dissidentium paci. Susci-
piatur peregrinus[1], adjuvetur oppressus, vestiatur
nudus[2], foveatur aegrotus[3] ; ut quicumque nostrum
de justis laboribus auctori bonorum omnium Deo
sacrificium hujus pietatis obtulerit, ab eodem regni
caelestis praemium recipere* mereatur.

Quarta igitur et sexta feria jejunemus ; sabbato
autem apud beatum Petrum apostolum pariter
vigilemus, cujus suffragantibus meritis, quae posci-
mus, impetrare possimus, per Dominum nostrum
Jesum Christum*.

---

1. Cf. *Matth.* 25, 35 : « Hospes eram et collegistis me. »
2. Cf. *Ibid.*, 36 : « Nudus et cooperuistis me. »

naissance pour les fruits de la terre que l'on a achevé de
récolter, on offre, comme il convient, à Dieu qui les a
donnés le sacrifice de l'abstinence. Qu'y a-t-il, en effet,
de plus efficace que le jeûne, puisque, en le pratiquant,
nous nous rapprochons de Dieu, nous résistons au diable
et nous surmontons ainsi la séduction des vices ? De tout
temps, en effet, le jeûne a été l'aliment de la vertu. C'est,
en définitive, de l'abstinence que naissent les pensées
chastes, les vouloirs raisonnables, les décisions salutaires.
En outre, par les mortifications volontaires, la chair
meurt à ses convoitises et l'esprit se renouvelle par les
vertus. Mais, comme le salut de nos âmes ne s'acquiert
pas par le jeûne seul, complétons notre jeûne par l'exercice
de la miséricorde envers les pauvres. Donnons à la vertu
ce que nous retranchons au plaisir. Que l'abstinence de
celui qui jeûne restaure celui qui est pauvre. Appliquons-
nous à la défense des veuves, au service des orphelins,
à la consolation des affligés, à la paix entre adversaires.
Accueillons le voyageur[1], aidons l'opprimé, habillons
celui qui est nu[2], prenons soin du malade[3], afin que quiconque d'entre nous aura, par un juste labeur, offert à Dieu,
auteur de tout bien, le sacrifice de cet amour, mérite de
recevoir de lui la récompense du royaume céleste.

Nous jeûnerons donc mercredi et vendredi ; et nous
veillerons ensemble samedi auprès du saint apôtre Pierre ;
par l'intercession de ses mérites, puissions-nous obtenir
ce que nous demandons, par notre Seigneur Jésus-Christ.

3. Cf. *Ibid.* : « Infirmus et visitastis me » ; *I Thess.* 5, 14 : « Suscipite
infirmos. »

84

(XIV)

DE JEJUNIO DECIMI MENSIS SERMO III[1]

1. In Dominico agro, dilectissimi, cujus operarii
sumus, oportet nos prudenter atque vigilanter spiritalem exercere culturam, ut perseveranti industria,
quae legitimis temporibus sunt exsequenda, curantes,
de sanctorum operum fruge laetemur. Quae si pigro
otio et inerti desidia negligantur, terra nostra nihil
generosi germinis pariet, et spinis ac tribulis[2] obsita,
non producet quae condenda sint horreis, sed quae
urenda sint flammis. Ager autem iste, dilectissimi,
rorante desuper gratia Dei[3], fide munitur[4], jejuniis
exaratur*, eleemosynis seritur[5], orationibus fecun-
datur, ut inter plantationes rigationesque nostras
nullius amaritudinis radix[6] pullulet, nec se incrementa cujusquam* noxiae stirpis attollant[7], sed
enecato omni* semine vitiorum, convalescat* seges
laeta virtutum. Ad quam diligentiam omni quidem
nos tempore pietas adhortatur, sed in his diebus
qui huic operi sunt specialius praestituti, major

1. 14 décembre 441.
2. Cf. *Gen.* 3, 18 : « Spinas et tribulos germinabit. » Dans la Bible
spinae et *tribuli* vont souvent ensemble : cf. *Jug.* 8, 7 et 16 ; *Matth.*
7, 16 ; *Hébr.* 6, 8.
3. Cf. *Is.* 45, 8 : « Rorate caeli desuper. »
4. Cf. *Éphés.* 6, 16 : « In omnibus sumentes scutum fidei. »
5. Cf. *II Cor.* 9, 6 : « Qui parce seminat parce et metet. »
6. Cf. *Hébr.* 12, 15 : « Ne qua radix amaritudinis sursum germinans
impediat » ; *Deut.* 29, 18 : « Ne sit inter vos radix germinans fel et
amaritudinem. »

84

(XIV)

TROISIÈME SERMON SUR LE JEÛNE DU DIXIÈME MOIS[1]

SOMMAIRE. — 1. L'agriculture spirituelle. — 2. Prendre garde aux ruses du démon ; la pratique de la charité.

1. Dans le champ du Seigneur, bien-aimés, champ dont nous sommes les ouvriers, il nous faut, avec prudence et vigilance, mettre en œuvre une agriculture spirituelle ; ainsi, apportant une persévérante application à tout ce qui doit être fait en temps opportun, nous aurons la joie de cueillir le fruit des saintes œuvres. Si, par une paresseuse oisiveté et une stérile indolence, nous venons à le négliger, notre terre ne donnera aucune bonne semence, mais, couverte d'épines et de ronces[2], produira non pas ce qui doit être serré dans les greniers, mais ce qui doit être jeté au feu. Or ce champ-là, bien-aimés, lorsque la grâce de Dieu y répand du ciel sa rosée[3], est défendu par la foi[4], labouré profondément par les jeûnes, ensemencé par les aumônes[5], fécondé par les prières ; ainsi aucune racine amère[6] ne pourra se multiplier parmi nos plantations bien irriguées, nulle souche nuisible y pousser ses branches[7] ; mais, au contraire, une fois détruite toute semence des vices, grandira la joyeuse moisson des vertus. Certes, en tout temps, la piété nous pousse à un tel zèle ; cependant, en ces jours-ci, plus spécialement assignés à pareil travail,

---

7. Il y a dans cette phrase de S. Léon un écho de *I Cor.* 3, 6-7 : Ego *plantavi*, Apollo *rigavit* ; sed Deus *incrementum* dedit. Itaque neque qui *plantat* est aliquid, neque qui *rigat* ; sed qui *incrementum* dat, Deus. »

animositas et cura est excitanda ferventior, ne quod pium est agere non indictum, impium sit negligere praedicatum.

2. Decimi itaque mensis jejunium, ad quod caritatem vestram religioso proposito novimus praeparatam, ut* unanimiter, auxiliante Christo, celebremus* hortamur, monentes ut unusquisque secundum mensuram possibilitatis quam accepit a Deo, in bonis operibus enitescat. Quia et inimici nostri, qui nostra sanctificatione torquentur[1], in his diebus quos ad majorem observantiam nobis dispositos esse noverunt, vehementius saeviunt, et subtiliore insidiantur astutia ; ut aliis immittendo metum inopiae de largitatis expensis, aliis injiciendo tristitiam de labore jejunii, quamplurimos a consortio hujus devotionis abducant. Contra quas tentationes, dilectissimi, vigilet in nobis pii cordis intentio, et a Christianis mentibus cogitationes diffidentiae repellantur. Modicum est enim quod pauperi satis est. Nec victus illius nec vestitus onerosus est[2]. Vile* est quod esurit ; vile* quod sitit et nuditas quae indiget operiri, non poscit* ornari Et tamen Dominus noster tam pius operum nostrorum arbiter, tam benignus est aestimator, ut etiam pro calice aquae frigidae sit praemium redditurus[3] Quia* justus inspector est animorum[4], non impendium solum operis, sed etiam affectum est remuneraturus operantis*.

1. Il s'agit du démon et des mauvais anges, dont S. Léon a di à plusieurs reprises qu'ils sont mis à la torture par la sanctificatio des hommes ; cf. *supra*, *Sermon* 74, p. 84, n. 1.

2. S. Léon se rencontre ici avec SÉNÈQUE vantant les avantage de la pauvreté qui est riche si elle est satisfaite de son sort : « U famem sitimque depellas, non est necesse superbis adsidere liminibu nec supercilium grave et contumeliosam etiam humanitatem perpet non est necesse maris temptare nec sequi castra. Parabile est quo natura desiderat, et adpositum : ad supervacua sudatur... Ad manu

il nous faut éveiller en nous une ardeur plus grande et
un soin plus fervent, de peur qu'il ne soit impie de négliger
quand on nous l'a prêché ce qu'il est pieux de faire quand
on ne nous l'a pas ordonné.

2. Aussi exhortons-nous à célébrer d'un seul cœur,
avec l'aide du Christ, le jeûne du dixième mois, ce jeûne
auquel nous savons votre charité préparée par une religieuse résolution ; nous invitons chacun à se distinguer
dans les bonnes œuvres selon la mesure des moyens qu'il a
reçus de Dieu. En effet, nos ennemis, que notre sanctification
met au supplice[1], se déchaînent, eux aussi, plus violemment
et tendent leurs pièges avec une plus habile astuce en ces
jours qu'ils savent ordonnés pour nous à une plus haute
observance. Aux uns ils inspirent la crainte d'une pénurie
qui résulterait des dons de leur générosité, aux autres
ils mettent au cœur la tristesse à cause de la peine du
jeûne, et ils détournent ainsi la plupart de participer
à cette œuvre de dévotion. Contre ces tentations, bien-
aimés, que veille en nous l'effort persévérant d'un cœur
pieux et que les pensées de méfiance soient chassées
des âmes chrétiennes. C'est bien peu de chose, en effet,
ce qui suffit au pauvre[2]. Ni sa nourriture ni son vêtement
ne coûtent. De peu de valeur est ce dont il a faim, de peu
de valeur ce dont il a soif et la nudité qui a besoin d'être
couverte ne demande pas à être parée. Et pourtant notre
Seigneur est de nos œuvres un juge si bon, un examinateur
si bienveillant, que, même pour un verre d'eau froide,
il donnera une récompense[3]. Parce qu'il scrute les cœurs
avec justice[4], il récompensera non seulement la dépense
de notre acte, mais encore l'amour de celui qui aura posé
cet acte.

---

et quod sat est. Cui cum paupertate bene convenit dives est »
(*Lettres à Lucilius*, IV, 10-11).

3. Cf. *Matth.* 10, 42.

4. Cf. *Prov.* 24, 12 : « Qui inspector est cordis ipse intelligit » ;
ag. 1, 6 : « Deus cordis illius scrutator est verus. »

85

(XV)

DE JEJUNIO DECIMI MENSIS SERMO IV[1]

1. Confidenter vos, dilectissimi, ad opera pietatis
hortamur, quia experimento* didicimus, libenter
vos suscipere quod monemus. Scitis namque, et
Deo docente cognoscitis[2], ad aeternum vobis gaudium
profuturam divinorum observantiam mandatorum
In quibus exsequendis quia humana fragilitas plerumque lassescit, et in multis per lubricum suae
infirmitatis offendit, misericors et pius Dominus
remedia nobis et adjutoria dedit, per quae veniam
obtinere possimus. Quis enim tot illecebras mundi
tot insidias diaboli, tot denique pericula suae muta-
bilitatis evaderet, nisi clementia aeterni Regis mallet
nos reparare quam perdere ? Nam et qui jam
redempti, jam regenerati, jam* filii lucis[3] effecti
sunt, quamdiu tamen in hoc mundo, qui *totus in*
maligno positus est[4], detinentur ; quamdiu infirmitat
carnis corruptibilia et temporalia blandiuntur, non
possunt istos dies sine tentatione transire. Nec facile

---

1. 13 décembre 442.
2. Cf. *Matth.* 19, 17 : « Si vis ad vitam ingredi, serva mandata »
Prov. 7, 2 : « Fili, serva mandata mea, et vives. »
3. Cf. *I Thess.* 5, 5 : « Omnes enim vos filii lucis estis. »
4. *I Jn* 5, 19.

85

(XV)

QUATRIÈME SERMON SUR LE JEÛNE DU DIXIÈME MOIS[1]

SOMMAIRE. — 1. Fragilité de l'homme ; trois remèdes à
employer pour le guérir : la prière, le jeûne, l'aumône. —
2. Le jeûne, discipline de l'ancienne loi, garde toute sa
valeur sous la nouvelle ; y joindre l'aumône ; annonce
des jours de jeûne.

1. C'est en toute confiance, bien-aimés, que nous vous
exhortons aux bonnes œuvres, car nous avons appris
par expérience que vous acceptez volontiers nos avis.
Vous savez, en effet, et vous le savez parce que Dieu
enseigne, que l'observation des divins commandements
vous procurera le bonheur éternel[2]. L'humaine fragilité,
cependant, se lasse bien souvent de les exécuter et, en
bien des occasions, elle est entraînée à la faute sur la pente
glissante de sa faiblesse ; aussi le Seigneur miséricordieux
et bon nous a donné des remèdes et des secours par lesquels
nous puissions obtenir le pardon. Qui, en effet, pourrait
échapper à tant de séductions de la part du monde, à
tant de ruses de la part du diable, à tant de dangers nés
de notre inconstance, si, dans sa clémence, le Roi éternel
n'avait préféré nous restaurer en notre premier état
plutôt que de nous perdre ? Car même ceux qui, déjà
rachetés, déjà régénérés, sont déjà devenus des « fils de
lumière[3] », ne peuvent néanmoins passer sans tentations
les jours présents, aussi longtemps qu'ils sont retenus en
ce monde qui, « tout entier, gît au pouvoir du Malin[4] »,
et aussi longtemps que les choses corruptibles et transitoires
flattent la faiblesse de la chair. Et il n'est facile pour per-

cuiquam provenit tam incruenta victoria, ut inter
multos hostes frequentesque conflictus, etiamsi sit
liber a morte, sit* immunis a vulnere. Curandis
igitur laesionibus quas saepe incidunt qui cum
invisibili hoste confligunt, trium maxime remedio-
rum est adhibenda medicina : in orationis instantia
in castigatione jejunii, in eleemosynae largitate
quae cum pariter exercentur, Deus propitiatur, culpa
deletur, tentator eliditur. Et iis quidem praesidii
semper fidelis anima debet accingi, sed tunc studiosius praeparari, cum ii adsunt dies qui proprie sun
ad haec pietatis officia praestituti.

2. De quorum ordine* est etiam decimi huju
mensis solemne jejunium, quod non ideo negligendur
est, quia de observantia veteris legis assumptum est
tamquam hoc de illis sit quae inter discretione
ciborum, inter baptismatum differentias et aviur
pecudumque hostias* destiterunt. Illa* enim qua
rerum futurarum¹ figuras gerebant, impletis qua
significavere*, finita sunt. Jejuniorum vero utilitate
novi Testamenti gratia non removit ; et continentiar
corpori atque animae semper profuturam pia obse
vatione suscepit. Quoniam sicut permanet apu
intelligentiam Christianam : *Dominum Deum tuu.*
*adorabis, et illi soli servies*² ; et, *Diliges Dominu.*
*Deum tuum ex toto corde tuo*³ ; et, *Diliges proximu*
*tuum sicut teipsum*⁴, et caetera talium mandatorum
ita quod in eisdem libris de jejuniorum sancti
catione et curatione praeceptum est, nulla inte
pretatione vacuatur. In omni enim tempor
omnibusque vitae istius saeculi diebus, jejunia n

1. Cf. *Hébr.* 10, 1 : « Umbram enim habens lex futurorum bonorun
2. *Deut.* 6, 13, repris en *Matth.* 4, 10.
3. *Ibid.*, 6, 5, repris en *Matth.* 22, 37.
4. *Lév.* 19, 18, repris en *Matth.* 22, 39.

sonne d'obtenir une victoire qui soit si totalement exempte
de l'effusion du sang que, même si l'on échappe à la mort,
on soit préservé des blessures au milieu d'ennemis nombreux et de combats fréquents. Aussi, pour guérir les
plaies que contractent souvent ceux qui se mesurent
avec l'ennemi invisible, il faut surtout recourir à trois
remèdes : l'assiduité dans la prière, la mortification du
jeûne, la générosité dans l'aumône ; lorsqu'on les emploie
également, Dieu est apaisé, le péché est effacé, le tentateur
est écrasé. Et sans doute, l'âme fidèle doit-elle toujours
se ceindre de ces protections, mais il faut qu'elle se prépare
plus soigneusement encore lorsque arrivent les jours
spécialement prévus pour ces devoirs de piété.

2. Dans la disposition de ceux-ci, on doit compter aussi
le jeûne solennel de ce dixième mois ; ce jeûne, il ne
faudrait pas le négliger sous prétexte qu'il a été emprunté
aux observances de la Loi ancienne, comme s'il faisait
partie de ces institutions qui, telles les distinctions entre
aliments, telles les différences entre purifications, tels les
sacrifices d'oiseaux et de bétail, ont cessé d'exister. En
effet, elles, qui contenaient les figures des réalités futures[1],
ont trouvé leur fin avec l'accomplissement de ce dont
elles étaient les signes. La grâce du nouveau Testament,
par contre, n'a pas enlevé aux jeûnes leur utilité, mais
elle a repris en une pieuse observance une abstinence
toujours profitable au corps et à l'âme. Car, de même
que gardent leur valeur pour l'intelligence chrétienne ces
mots : « Tu adoreras le Seigneur ton Dieu et tu le serviras
lui seul[2] », et ceux-ci : « Tu aimeras le Seigneur ton Dieu
de tout ton cœur[3] », et encore : « Tu aimeras ton prochain
comme toi-même[4] » et d'autres commandements semblables, de même ce qui, dans les mêmes livres, est prescrit
de la sanctification et de la guérison procurées par les
jeûnes, nulle interprétation ne l'abroge. En tout temps,
en effet, et tous les jours de notre vie en ce monde, les

contra peccata faciunt fortiores, jejunia concupiscentias vincunt, tentationes repellunt, superbiam
inclinant, iram mitigant, et omnes bonae voluntatis
affectus ad maturitatem totius virtutis enutriunt ;
si tamen in societatem sibi benevolentiam caritatis
assumant, et in operibus misericordiae se prudenter
exerceant. Jejunium enim sine eleemosyna non tam
purgatio animae quam carnis afflictio est ; magisque
ad avaritiam quam ad continentiam referendum
est, quando aliquis sic a cibo abstinet, ut etiam a
pietate jejunet. Nostra ergo jejunia, dilectissimi,
abundent fructibus largitatis, et in pauperes Christi
benignis sint fecunda muneribus. Nec tardentur
in hoc opere mediocres, quia parum sit quod possint
de sua facultate decerpere. Novit Dominus omnium
vires, et scit justus inspector[1] de qua mensura quisque
quid tribuat. Dissimiles quidem substantiae, similes
erogationes habere non possunt : sed aequatur
plerumque merito, quod distat impendio : quia
potest esse par animus, etiam ubi impar est census.

Haec itaque ut adjuvante Deo pia devotione
curentur, quarta et sexta feria jejunemus ; sabbato
vero apud beatum Petrum apostolum vigilias celebremus, cujus* orationibus adjuti, in omnibus misericordiam Dei mereamur.

---

1. Cf. *Prov.* 24, 12 : « Qui inspector est cordis... »

jeûnes nous rendent plus forts contre les péchés, les jeûnes sont vainqueurs de la concupiscence, ils repoussent les tentations, font fléchir l'orgueil, apaisent la colère et nourrissent toutes les inclinations d'une volonté bonne pour les mener jusqu'à la maturité d'une vertu consommée. Mais c'est à la condition qu'ils prennent pour compagne une charité bienveillante et qu'ils s'adonnent avec mesure aux œuvres de la miséricorde. Le jeûne, en effet, sans l'aumône n'est pas tant une purification de l'âme qu'une peine infligée au corps, et c'est affaire d'avarice bien plus que d'abstinence quand on se prive de nourriture en jeûnant aussi de miséricorde. Que nos jeûnes, bien-aimés, soient donc riches en fruits de générosité et féconds en dons charitables faits aux pauvres du Christ. Que les moins fortunés ne soient pas en retard pour pratiquer cette œuvre, sous prétexte que bien maigre est ce qu'ils peuvent prélever sur leurs ressources. Le Seigneur connaît les moyens de tous et ce juste observateur de nos actes[1] sait dans quelle mesure chacun peut donner quelque chose. Certes, des fortunes inégales ne peuvent supporter des dépenses égales, mais le mérite place souvent au même niveau ce qui est inégal quant à la dépense. Car, la fortune fût-elle dissemblable, l'élan du cœur peut être semblable.

Afin de pourvoir à cela, Dieu aidant, avec une pieuse dévotion, nous jeûnerons donc mercredi et vendredi ; et samedi, nous célébrerons les veilles auprès du saint apôtre Pierre, afin que, aidés de ses prières, nous obtenions en tout la miséricorde de Dieu.

86

(XVI)

DE JEJUNIO DECIMI MENSIS SERMO V[1]

1. Sublimitas quidem, dilectissimi, gratiae Dei
hoc quotidie operatur in cordibus Christianis, ut
omne desiderium nostrum a terrenis ad caelestia
transferatur. Sed etiam praesens vita per Creatoris
opem ducitur, et per ipsius providentiam sustinetur
quia idem est largitor temporalium, qui promissor
est aeternorum. Sicut ergo pro* spe futurae felicitatis, ad quam per fidem currimus, gratias Deo
agere debemus quod ad perceptionem tantae praepa-
rationis evehimur, ita pro iis quoque commodis quae
singulorum annorum revolutione consequimur, Deus
a nobis honorandus atque laudandus est, qui si
terrae fecunditatem ab initio dedit, sic pariendorum
fructuum leges in quibusque germinibus et seminibus
ordinavit, ut numquam sua instituta desereret, se*

1. 12 décembre 443.

86

(XVI)

CINQUIÈME SERMON SUR LE JEÛNE DU DIXIÈME MOIS[1]

SOMMAIRE. — 1. La providence de Dieu donne abondamment les fruits de la terre pour que ceux qui les possèdent en fassent profiter les pauvres. — 2. Le jeûne du dixième mois ; comment l'accomplir. — 3. Se garder des ruses de l'ennemi du salut qui se sert des hérétiques pour tromper. — 4. Les manichéens dépassent en infamie tous les autres fauteurs d'erreur ; récit du procès intenté contre eux par S. Léon. — 5. Sévère mise en garde contre eux et obligation imposée à tous de les dénoncer. — 6. Exhortation au zèle dans la recherche des hérétiques ; annonce des jeûnes.

1. La sublimité de la grâce de Dieu, bien-aimés, a tous les jours pour effet dans les cœurs chrétiens de nous faire passer entièrement du désir des biens de cette terre à celui des biens du ciel. Mais la vie présente est, elle aussi, conduite par l'action du Créateur et soutenue par sa providence, car celui qui promet les biens éternels est également celui qui donne les biens temporels. De même donc que, dans l'espérance du bonheur à venir vers lequel nous courons par la foi, nous devons rendre grâces à Dieu d'être élevés à la connaissance de ce qui nous prépare un si grand bonheur, de même devons-nous aussi honorer et louer Dieu pour les secours que nous recevons chaque fois que recommence l'année. Il a, en effet, si bien donné dès le principe la fécondité à la terre, si bien établi dans chacune des plantes et des semences les lois qui règlent la naissance des fruits, qu'il n'abandonne jamais ce qu'il a établi, mais que la bienveillante

in rebus conditis benigna Conditoris administratio permaneret. Quidquid ergo ad usus hominum segetes, vineae, oleaeque pepererunt*, totum hoc divinae bonitatis largitate profluxit : quae, elementorum qualitate variata, dubios agricolarum labores clementer adjuvit, ut utilitatibus nostris venti et imbres, frigora et aestus, dies noctesque servirent. Non enim sibi ad effectus operum suorum humana ratio sufficeret, nisi plantationibus et rigationibus solitis Dominus* incrementa praeberet[1]. Unde plenum pietatis atque justitiae est, ut de his quae nobis caelestis Pater misericorditer contulit, nos quoque alios adjuvemus. Sunt enim plurimi qui nullam in agris, nullam in vineis, nullam habent in oleis portionem, quorum inopiae de ea quam Dominus dedit copia consulendum est, ut et ipsi nobiscum Deo pro terrae fecunditate benedicant, et gaudeant possidentibus fuisse donata, quae etiam pauperibus ac peregrinis fuerint facta communia. Felix est illud horreum, et omnium fructuum multiplicatione dignissimum, de quo egentium et debilium saturatur esuries, de quo relevatur peregrini necessitas, de quo desiderium fovetur infirmi. Quos ideo sub diversis molestiis justitia Dei laborare permisit, ut et miseros pro patientia, et misericordes pro benevolentia coronaret[2].

2. Huic autem operi, dilectissimi, cum omnia opportuna sint tempora, hoc nunc praecipue aptum

---

1. Comme plus haut au *Sermon* 84 (*supra*, p. 165, n. 7), il y a ici un rappel de *I Cor.* 3, 6-7.

2. Cette conception d'une société chrétienne toute fondée sur la charité est chère à S. Léon. Outre le tableau qu'il en a brossé plus haut au *Sermon* 75, 4 (p. 94 s.), il a dit de même au *1ᵉʳ sermon sur les Collectes* : « Idcirco te abundare voluit (Deus) ut per te alius non egeret, et per ministerium operis tui pauperem ab egestatis labore, teque a peccatorum multitudine liberaret. O mira providentia et

administration du Créateur demeure dans les choses
qu'il a créées. Tout ce qu'ont donc produit pour l'usage
des hommes les moissons, les vignes, les olivettes, tout cela
a découlé de la bonté et de la générosité divine ; lorsque
varient les conditions des éléments, cette bonté seconde
avec clémence les travaux incertains des agriculteurs,
afin que vents et pluies, froid et chaleur, jours et nuits
servent à notre utilité. La raison humaine, en effet, ne
suffirait pas pour rendre efficace les travaux des hommes,
si le Seigneur n'accordait la croissance[1] comme suite
aux plantations et irrigations habituelles. Aussi la plénitude de la piété et de la justice consiste-t-elle à aider
à notre tour les autres hommes au moyen des biens que
le Père céleste nous a miséricordieusement prodigués.
Ils sont, en effet, bien nombreux, ceux qui n'ont aucune
part aux champs, aucune aux vignes, aucune aux olivettes,
et à l'indigence de qui il faut remédier grâce à l'abondance
que le Seigneur a donnée ; ainsi ceux-là aussi béniront
Dieu avec nous pour la fécondité de la terre et se réjouiront
qu'aient été accordés à ceux qui la possèdent des biens
qui seront devenus aussi les biens communs des pauvres
et des étrangers. Heureux et infiniment digne que tous les
fruits s'y multiplient, le grenier grâce auquel est rassasiée
la faim des pauvres et des infirmes, est soulagé le besoin de
l'étranger, est comblé le désir du malade. Tous ceux-ci,
la justice de Dieu a permis qu'ils peinent en des afflictions
diverses, afin de couronner et les malheureux pour leur
patience et les miséricordieux pour leur bonté[2].

2. Pour s'acquitter de cette œuvre, bien-aimés, tous
les temps, assurément, sont favorables ; néanmoins,
celui d'à présent y est particulièrement apte et conve-

---

bonitas Creatoris, ut uno facto duobus vellet esse succursum. »
(*SC* 49 bis, p. 28). C'est donc sur la charité seule qu'il compte pour
compenser en ce monde les inégalités sociales inévitables, mais
essentiellement transitoires.

est atque conveniens, in quo sancti patres nostri
divinitus inspirati decimi mensis sanxere jejunium,
ut omnium fructuum collectione conclusa, ratio-
nabilis Deo abstinentia dicaretur, et meminisset
quisque ita uti abundantia, ut et circa se abstinentior,
et circa pauperes esset effusior. Efficacissima enim
pro peccatis deprecatio est in eleemosynis atque
jejuniis, et velociter ad divinas conscendit aures
talibus oratio elevata suffragiis. Quoniam, sicut
scriptum est, *animae suae benefacit vir misericors*[1],
et nihil est uniuscujusque tam proprium quam
quod impendit in proximum. Pars enim corporalium
facultatum, quae indigentibus ministratur, in divitias
transit aeternas, et illae opes de hac largitate pariun-
tur, quae nullo usu minui, nulla poterunt corruptione
violari. *Beati* namque *misericordes, quoniam ipsorum
miserebitur Deus*[2] ; et ipse erit illis summa praemii,
qui est forma praecepti[3].

3. Inter haec autem, dilectissimi, opera pietatis,
quae nos Deo magis magisque commendant, dubium
non est quod* hostis noster, nocendi cupidus et
peritus, acrioribus invidiae stimulis incitetur : ut
quos apertis et cruentis persecutionibus impugnare
non sinitur, sub falsa Christiani nominis professione
corrumpat, habens haereticos huic operi servientes,
quos a catholica fide devios sibique subjectos mili-
tare in castris suis sub diversis erroribus fecit. Et
sicut decipiendis primis hominibus ministerium sibi
serpentis assumpsit, ita horum linguas ad seducendos
rectorum animos, veneno suae falsitatis armavit.
Sed iis insidiis, dilectissimi, pastorali sollicitudine,

---

1. *Prov.* 11, 17.
2. *Matth.* 5, 7.
3. Allusion possible à *Lc* 6, 36 : « Estote ergo misericordes sicut
et Pater vester misericors est. »

nable ; c'est, en effet, en ce temps-ci que nos saints pères, divinement inspirés, ont institué le jeûne du dixième mois, voulant que, une fois terminée la récolte de tous les fruits de la terre, on consacre à Dieu une abstinence justifiée et que chacun se souvienne d'user de l'abondance de telle façon qu'il soit à la fois plus sobre vis-à-vis de lui-même et plus généreux vis-à-vis des pauvres. La supplication pour les péchés reçoit, en effet, son maximum d'efficacité lorsqu'elle s'accompagne d'aumônes et de jeûnes et une prière soutenue par de tels appuis monte rapidement aux oreilles de Dieu. En effet, comme il est écrit, « l'homme miséricordieux fait du bien à son âme[1] » et rien n'appartient autant à quelqu'un que ce qu'il dépense pour son prochain. Car la part de biens corporels qui est mise au service des indigents se change en richesses éternelles et d'une telle libéralité naissent des ressources que nul usage ne pourra amoindrir, nulle corruption endommager. «Bienheureux, en effet, les miséricordieux, car Dieu leur fera miséricorde[2]» et lui qui est l'idéal du précepte[3] sera le tout de leur récompense.

3. Cependant il n'est pas douteux, bien-aimés, qu'au milieu de ces œuvres de miséricorde qui nous recommandent toujours plus à Dieu, notre ennemi, rempli du désir de nous nuire et expert en l'art de le faire, ne se sente davantage aiguillonné par la haine ; aussi, ceux qu'il ne lui est plus permis d'attaquer par des persécutions ouvertes et sanglantes, il les corrompt en usant d'une fausse profession du nom chrétien ; il utilise pour cela le service des hérétiques qui, s'étant écartés de la foi catholique et soumis à son obédience, ont été engagés par lui dans son armée et combattent pour lui sous l'étendard d'erreurs diverses. Et de même que, pour tromper les premiers humains, il a eu recours au ministère du serpent, ainsi a-t-il armé les langues de ceux-là du poison de sa fausseté afin de séduire les cœurs des hommes droits. Mais, bien-aimés, pour autant que le Seigneur nons

in quantum Dominus auxiliatur, occurrimus. Et
ne quid de sancto grege pereat, praecaventes, paternis
vos denuntiationibus admonemus, ut labia iniqua
et linguam dolosam, a quibus animam suam propheta
liberari postulat[1], declinetis : quoniam *sermo eorum*,
sicut ait beatus Apostolus, *serpit ut cancer*[2]. Humiliter
irrepunt, blande capiunt, molliter ligant, latenter
occidunt. *Veniunt enim*, sicut Salvator praedixit,
sub vestitu ovium, intus autem sunt lupi rapaces[3] :
qui* non possent veras et simplices oves fallere,
nisi Christi nomine tegerent rabiem bestialem. In
iis autem omnibus operatur ille qui, cum sit verae
illuminationis inimicus, in lucis se angelum trans-
figurat[4]. Hujus arte Basilides, hujus Marcion callet
ingenio, hoc duce agitur Sabellius, hoc praecipitatur
rectore Photinus, hujus potestati famulatur Arius,
hujus spiritui servit Eunomius[5] ; tota denique

1. Cf. *Ps.* 119, 2 : « Domine, libera animam meam a labiis iniquis
et a lingua dolosa. »
2. *II Tim.* 2, 17.
3. *Matth.* 7, 15.
4. Cf. *II Cor.* 11, 14.
5. Basilide est mentionné ici pour la première et d'ailleurs unique
fois dans les *Sermons*. Auteur gnostique du IIe siècle, il nous est peu
connu ; son disciple Valentin fut plus célèbre. Le système qu'élabora
Basilide ne fut pas sans grandeur et témoigne d'une puissante
imagination, mais nous ne pouvons nous en faire qu'une idée appro-
ximative, car nous ne le connaissons que par les réfutations qu'en
ont faites S. Irénée et Clément d'Alexandrie d'une part, S. Hippolyte
de l'autre, non sans contradictions entre les uns et les autres. Il est
vraisemblable qu'on a attribué à Basilide des doctrines qui n'étaient
le fait que de ses disciples ; il en est en particulier ainsi de l'idée selon
laquelle le Christ ne fut pas réellement crucifié, mais Symon de
Cyrène le fut à sa place, idée que soutenaient aussi les Manichéens ;
de toute façon, aussi bien Basilide que ses disciples doivent être
rangés parmi les docètes pour qui l'humanité de Jésus n'était pas
pleinement réelle ; c'est probablement cette opinion que S. Léon a
en vue en mentionnant ici Basilide en compagnie d'autres hérésiarques
qui ont faussé le dogme de l'Incarnation si cher à sa pensée.

prête son secours, nous allons au-devant de telles embûches
par notre sollicitude pastorale. Veillant à l'avance à
ce que rien du saint troupeau ne périsse, nous vous avertissons, en dénonçant paternellement ce danger, d'éviter
les lèvres fausses et la langue perfide dont le prophète
prie que soit sauvée son âme[1] ; « leur parole », en effet,
comme le dit le saint Apôtre, « s'insinue comme la gan-
grène[2] ». Ils rampent, pleins d'humilité, captent en flattant,
enchaînent avec souplesse, tuent en secret. « Ils viennent »,
en effet, comme le Sauveur l'a annoncé, « déguisés en
brebis, mais au-dedans ce sont des loups rapaces[3] » ;
ils ne pourraient tromper des brebis sincères et sans
calcul, s'ils ne couvraient du nom du Christ leur rage
bestiale. En eux tous opère celui qui, ennemi de la vraie
lumière, se transfigure en ange de lumière[4]. L'art dans
lequel excelle Basilide est son art, sien est le talent dans
lequel Marcion se distingue ; c'est conduit par lui qu'avance
Sabellius, dirigé par lui que Photin se jette en avant ;
c'est son pouvoir que sert Arius, c'est à son esprit
qu'Eunome s'est asservi[5] ; toute la cohorte enfin de

Marcion paraît également ici pour la première fois dans les *Sermons*,
du moins nommément, car sa doctrine a plusieurs fois été combattue
par S. Léon. Cet hérétique du IIe siècle est lui aussi connu surtout
par les réfutations qui ont été faites de ses idées. On sait qu'il opposait
le Dieu bon du nouveau Testament au Dieu juste de l'ancien et
mutilait les évangiles pour en éliminer toute dépendance à l'égard du
judaïsme. Il fut sur ce point suivi par les Manichéens (cf. *4e sermon
pour l'Épiphanie*, 4, SC 22 bis, p. 247-249 ; *4e sermon sur les Collectes*,
4, SC 49 bis, p. 47). Sa christologie était pénétrée de modalisme et
de docétisme, et l'Incarnation était défigurée, le Christ arrivant
soudainement dans le monde à l'âge d'homme.
    Sabellius, auteur du « modalisme », a déjà été rencontré (cf.
4e sermon pour Noël, SC 22 bis, p. 117), de même que Photin, son
disciple, et Arius.
    Quant à Eunome, nommé ici pour la première fois, évêque arien
de Cyzique en Cappadoce au IVe siècle, disciple d'Aétius, il fut le
chef des anoméens, fraction extrême de l'arianisme, qui prêchaient
un Verbe entièrement différent du Père ; dans une telle conception,

bestiarum talium cohors hoc praeside ab Ecclesiae
unitate discessit, hoc magistro a veritate descivit.
4. Sed cum in cunctis perversitatibus multi-
formem teneat principatum, arcem tamen sibi in
Manichaeorum struxit insania, et latissimam in eis
aulam, in qua se exsultantius jactaret, invenit ;
ubi non unius pravitatis speciem, sed omnium simul
errorum impietatumque mixturam generaliter possi-
deret. Quod enim in paganis profanum, quod in
Judaeis carnalibus caecum, quod in secretis magicae
artis illicitum, quod denique in omnibus haeresibus
sacrilegum atque blasphemum est, hoc in istos, quasi
in sentinam quamdam cum omnium sordium concre-
tione confluxit[1]. Unde universas eorum impietates
ac turpitudines enarrare perlongum est ; superat
enim verborum copiam criminum multitudo. Ex
quibus ad indicandum pauca sufficiunt, ut de iis
quae audieritis, etiam illa quae verecunde praeter-
mittimus aestimetis. De sacris tamen eorum, quae

l'Incarnation ne pouvait être que fictive. Les Pères Cappadociens,
surtout S. Basile, qui l'ont combattu, lui ont reproché, comme en
général aux Ariens, d'avoir été uniquement un « artisan de discours »
et de s'être complu dans des querelles de mots, « dissertant selon les
règles de l'art, mais ne faisant pas de théologie » (S. Basile), « faisant
de la théologie une technologie » (Théodoret de Cyr) ; cf. à ce sujet
DE GHELLINCK, « Quelques appréciations de la dialectique et d'Aristote
durant les conflits trinitaires du IVe siècle », dans *R.H.E.* 26 (1930),
p. 5-42, et V. VANDENBUSSCHE, « La part de la dialectique dans la
théologie d'Eunomius le technologue », *ibid.* 40 (1944-45), p. 47-72.
    Sur Basilide et Marcion, cf. S. IRÉNÉE, *Adv. haer.*, I, 24 (sur
Basilide), *PG* 7, 675-679 ; 27 (sur Marcion), 688-689, et *passim* dans
tout l'ouvrage ; CLÉMENT D'ALEXANDRIE, *Stromates*, II, 8, 36-37
(sur Basilide), *SC* 38, p. 62 s. ; 39 (sur Marcion), p. 64 s. ;
Ps.-TERTULLIEN, *De praescriptionibus*, 46 (sur Basilide), *PL* 2, 62 ;
TERTULLIEN, *Adv. Marcionem*, 5 livres, *PL* 2, 243-523 ; EUSÈBE,
Histoire ecclésiastique, IV, 7 (sur Basilide), *SC* 31, p. 167-168 ; sur
Marcion, cf. références dans l'Index, *SC* 73, p. 194-195 ; S. AUGUSTIN,
De haeresibus ad Quodvultdeus, IV (sur Basilide), XXII (sur Marcion),

pareilles bêtes fauves s'est séparée de l'unité de l'Église
en le prenant pour chef, a abandonné la vérité en le prenant
pour maître.

4. Mais, alors qu'il détient une autorité multiforme
dans toutes les perversions, il s'est pourtant construit
une citadelle dans la démence des Manichéens et a trouvé
en eux un immense palais, où se pavaner avec joie ; là
il possède non plus une seule espèce de perversité, mais
une mixture générale de toutes les erreurs et de toutes
les impiétés ensemble. En effet, tout ce qu'il y a d'impie
chez les païens, d'aveugle chez les Juifs charnels, d'illicite
dans les secrets de la magie, de sacrilège et de blasphé-
matoire enfin dans toutes les hérésies, tout a conflué chez
ceux-là, comme dans une sentine, en une synthèse de
toutes les ignominies[1]. Aussi serait-il trop long d'énumérer
toutes leurs impiétés et turpitudes ; la multitude de leurs
crimes dépasse l'abondance des paroles. Pour vous en
dénoncer quelques-uns, peu de mots suffiront, afin que,
à partir de ce que vous entendrez, vous jugiez aussi de
ce que nous omettrons par pudeur. Sur leurs cérémonies

PL 42, 26 et 29 ; ces notices sont très brèves ; HIPPOLYTE, *Philo-
sophumena*, VII, 1 (sur Basilide), 3 (sur Marcion) ; trad. française
de Siouville, Paris 1926, tome II, p. 96-124, 126-138 ; cf. LEISEGANG,
La Gnose, trad. franç. de Gouillard, Paris 1951, VI (sur Basilide),
p. 136-175 ; VII (sur Marcion), p. 185-191 ; S. ÉPIPHANE, *Panarion*,
PG 41, 307-319 (sur Basilide), 695-817 (sur Marcion).

1. Un tel jugement sur l'hérésie manichéenne, à savoir qu'elle a
rassemblé en elle toutes les erreurs antérieures et est devenue de ce
fait pire que toutes, semble avoir été un lieu commun de la littérature
patristique dans la controverse anti-manichéenne. Voici par exemple
ce que dit S. CYRILLE DE JÉRUSALEM : « Le très impie Manès, ce
collecteur de toutes les pestes hérétiques ; c'est lui l'égout final de la
perdition dans lequel se retrouve l'ensemble des ruisseaux de toutes
les hérésies » (*Catéchèses baptismales et mystagogiques*, XVI, 9 ; trad.
Bouvet dans la collection « Écrits des Saints », Namur 1962). Voir
de même S. ÉPIPHANE, *Panarion*, II, II, *Haeres.* 66, 87 (*PG* 42, 170-
171).

apud illos tam obscena sunt quam nefanda, quod
inquisitioni nostrae Dominus manifestare voluit,
non tacemus, ne quisquam putet nos de hac re
dubiae famae et incertis opinionibus credidisse.
Residentibus itaque mecum episcopis ac presbyteris,
ac in eumdem consessum Christianis viris ac nobilibus
congregatis, Electos et Electas[1] eorum jussimus
praesentari. Qui cum de perversitate dogmatis sui,
et de festivitatum suarum consuetudine multa
reserassent, illud quoque scelus, quod eloqui vere-
cundum est, prodiderunt, quod tanta diligentia
vestigatum* est, ut nihil minus credulis, nihil
obtrectatoribus relinqueretur ambiguum. Aderant
enim omnes personae, per quas infandum facinus
fuerat perpetratum, puella scilicet ut multum decen-
nis, et duae mulieres, quae ipsam nutrierant, et huic
sceleri praepararant. Praesto erat etiam adolescen-
tulus vitiator puellae, et episcopus ipsorum detestandi
criminis ordinator. Omnium horum* par fuit et una
confessio, et patefactum est exsecramentum[2] quod
aures nostrae vix ferre potuerunt. De quo ne apertius
loquentes castos offendamus auditus, gestorum docu-
menta sufficiunt, quibus plenissime docetur nullam
in hac secta pudicitiam, nullam honestatem, nullam
penitus reperiri castitatem ; in qua lex est menda-
cium, diabolus religio, sacrificium turpitudo[3].

5. Hos itaque homines, dilectissimi, per omnia
exsecrabiles atque pestiferos, quos aliarum regionum

1. Les Élus manichéens étaient les véritables fidèles, agrégés
à la secte par une consécration totale et pratiquant sa morale dans
toute sa rigueur, particulièrement la continence ; les autres adeptes
n'avaient que le rang d'« auditeurs » ; pendant les années de sa foi
manichéenne, S. Augustin fit partie de ces derniers.

2. S. AUGUSTIN dit de même au sujet de ce qui a été sans doute
un crime rituel des Manichéens : « Hoc non sacramentum, sed
exsecramentum... confessi sunt » (De haeresibus ad Quodvultdeus

religieuses cependant, qui sont chez eux aussi obscènes qu'impies, nous ne tairons pas ce que le Seigneur a voulu rendre manifeste à notre enquête, de peur qu'on ne vienne à penser qu'en cette matière nous avons ajouté foi à une rumeur douteuse et à des opinions incertaines. C'est pourquoi, des évêques et des prêtres siégeant avec moi, et des chrétiens, personnages notables, s'étant joints à la même assemblée, nous avons ordonné que soient introduits leurs Élus et Élues[1]. Ceux-ci, après avoir révélé beaucoup de choses sur leur doctrine perverse et les coutumes de leurs fêtes, dévoilèrent aussi cette horreur dont on a honte de parler et que l'on a suivie avec tant de soin qu'il ne reste rien d'ambigu soit pour les moins crédules soit pour les détracteurs. Car il y avait là présentes toutes les personnes par qui avait été perpétré le crime abominable, à savoir la fille de dix ans au plus et deux femmes qui l'avaient élevée et préparée à ce forfait. Étaient là aussi le tout jeune homme, corrupteur de la fille, et leur évêque qui avait réglé l'exécution de l'épouvantable crime. Tous ceux-ci firent un même et unique aveu et ainsi fut révélée l'exécration[2] que nos oreilles purent à peine supporter. N'offensons pas les oreilles pudiques en en parlant plus ouvertement : les documents qui rapportent les faits suffisent ; ils enseignent surabondamment qu'on ne trouve dans cette secte absolument aucune pudeur, aucune honnêteté, aucune chasteté ; le mensonge y est la loi, le diable la religion, l'infamie le sacrifice[3].

5. Aussi, bien-aimés, banissez complètement de votre amitié ces hommes exécrables et pernicieux en tout,

XLVI, *PL* 42, 36) ; S. Léon lui-même avait employé le même terme en une autre occasion : « Ad illa non sacra, sed *exsecramenta* perveniunt » (*2ᵉ sermon sur la Pentecôte*, 7, *SC* 74, p. 155).

3. Le récit du procès intenté par S. Léon aux Manichéens de Rome rappelle celui que fait S. Augustin du scandale similaire découvert à Carthage (cf. *loc. cit.*). Les deux récits s'éclairent l'un l'autre grâce à la similitude des détails.

perturbatio nobis intulit crebriores, ab amicitia vestra
penitus abdicate ; vosque praecipue, mulieres, a
talium notitia et colloquiis abstinete : ne dum
fabulosis narrationibus incautus delectatur auditus,
in diaboli laqueos incidatis. Qui sciens quod primum
virum mulieris ore seduxerit, perque femineam
credulitatem omnes homines a paradisi felicitate
dejecerit, vestro nunc quoque sexui securiore insi-
diatur astutia, ut eas quas sibi potuerit per ministros
suae falsitatis illicere, et fide spoliet et pudore[1].
Illud quoque vos, dilectissimi, obsecrans moneo, ut
si cui vestrum innotuerit ubi habitent, ubi doceant,
quos frequentent, et in quorum societate requiescant,
nostrae sollicitudini fideliter indicetis : quia parum
prodest unicuique quod, protegente Spiritu Dei*,
ab istis ipse non capitur, si cum alios capi intelligit
non movetur. Contra communes hostes pro salute
communi una omnium debet esse vigilantia, ne de
alicujus membri vulnere etiam alia possint membra
corrumpi, et qui tales non prodendos putant, in
judicio Christi inveniantur rei de silentio, etiam si
non contaminantur assensu[2].

6. Assumite igitur religiosae sollicitudinis pium

---

1. Cette mise en garde adressée spécialement aux femmes à l'égard
des fables manichéennes rappelle un passage de l'AMBROSIASTER
qui témoigne d'une semblable méfiance : « Quamvis omnibus haere-
ticis hoc conveniat, ut subintrantes domos, mulieres subdolis et
versutis verbis capiant, ut per eas viros decipiant more patris sui
diaboli, qui per Evam Adam circumvenit, Manichaeis tamen prae
caeteris congruit... Hi inveniunt mulieres prae vanitate novum
aliquid desiderantes audire, et per ea quae placita sunt, suadent
illis faeda et illicita ; cupidae enim sunt discendi, cum judicium non
habeant probandi : hoc est semper discere et veritatis scientiam non
habere. » (Comment. in Epist. ad Timothaeum II[am], ad cap. III, 6,
PL 17, 493 C - 494 A, inter opera S. Ambrosii) ; cf. dans le même
sens S. JÉRÔME, Contra Vigilantium, 6 (PL 23, 345 AB) ; Comment.
in Isaiam Prophet. XVII, ad cap. 64, 4 (PL 24, 622 C - 623 A).

qu'ont amenés plus nombreux chez nous les troubles
survenus en d'autres pays ; vous surtout, femmes, abstenez-
vous de lier connaissance et conversation avec de tels
hommes, car il est à craindre qu'en prenant imprudemment
plaisir à écouter leurs invraisemblables histoires, vous
ne tombiez dans les filets du diable. Celui-ci sait bien qu'il a
séduit le premier homme par la bouche d'une femme
et que c'est en se servant de la crédulité féminine qu'il a
chassé tous les humains du bonheur du paradis ; aujourd'hui
encore, avec quelle assurance son astuce ne tend-elle pas
ses pièges à votre sexe, afin de dépouiller de la foi en
même temps que de la pudeur celles qu'il aura pu séduire
grâce aux fauteurs de ses mensonges[1] ? Et voici encore,
bien-aimés, une instruction que je vous donne solennellement : si l'un d'entre vous apprend où ils habitent, où
ils enseignent, qui ils fréquentent et dans quelle compagnie
ils se récréent, qu'il le fasse connaître fidèlement à notre
sollicitude. Il est, en effet, de peu d'utilité à quelqu'un
en particulier de ne pas se laisser prendre par eux, grâce
à la protection de l'Esprit de Dieu, s'il n'est pas troublé
quand il comprend que d'autres le sont. Contre les ennemis
de tous, pour le salut de tous, tous doivent faire preuve
de la même vigilance ; car il faut craindre que la blessure
d'un membre n'entraîne la corruption des autres membres
et que ceux qui pensent qu'il ne faut pas livrer de tels
hommes soient trouvés, lors du jugement du Christ,
coupables pour leur silence, même s'ils ne sont pas souillés
par leur consentement[2].

6. Animez-vous donc d'un pieux zèle, fruit d'une

---

2. Nous avions déjà trouvé dans la bouche de S. Léon pareille
injonction faite aux chrétiens d'avoir à dénoncer les Manichéens ;
c'est dans le *4e sermon sur les Collectes* (*SC* 49 bis, p. 47), où il mettait
cette obligation en rapport avec la *pietas* et la *devotio*, la première
s'exerçant plutôt vis-à-vis des hommes, la seconde s'adressant à
Dieu. Ce sermon était à dater de juillet 444, donc quelques mois,
comme nous allons le voir, après celui qui nous occupe.

zelum, et contra saevissimos animarum hostes omnium fidelium cura consurgat. Ideo enim misericors Deus quamdam nobis partem prodidit hominum noxiorum, ut, manifestato periculo, excitaretur diligentia cautionis. Non sufficiat quod actum est, sed eadem inquisitio[1] perseveret : quae hoc, auxiliante Domino*, consequetur, ut non solum qui recti sunt incolumes perseverent, sed etiam multi qui diabolica seductione decepti sunt, ab errore revocentur. Vestrae autem orationes et eleemosynae atque jejunia misericordi Deo per hanc ipsam devotionem sacratius offerentur, cum etiam hoc opus fidei ad omnia officia pietatis accesserit.

Quarta igitur et sexta feria jejunemus ; sabbato autem apud beatissimum Petrum praesentem apostolum* vigilias celebremus ; qui, sicut experimur et credimus, pro commendatis sibi a Domino ovibus indesinenter pastorales praetendit excubias : exoraturus deprecationibus suis ut Ecclesia Dei, quae ipsius est praedicationibus instituta, ab omni errore sit libera. Per Christum Dominum nostrum. Amen[2].

---

1. Noter le terme d'*inquisitio* employé par S. Léon pour signifier la recherche des hérétiques ; il aura une singulière fortune. De son emploi, ici et un peu plus haut, on aurait sans doute tort de conclure, comme l'a fait CACCIARI, qu'il existait déjà, à l'époque de S. Léon, une institution destinée à dépister les hérétiques (*De Manichaeorum haeresi et historia* II, IX, *PL* 55, 937).

2. Ce sermon est un de ceux qu'on peut dater avec certitude, grâce aux deux paragraphes consacrés aux Manichéens. C'est en décembre 443 qu'il faut le placer, soit trois ans après l'élection de S. Léon au suprême pontificat. On sait que, dès son accession au siège de Pierre, il entama la lutte contre ces sectaires. Le procès dont il vient de narrer les circonstances, ainsi que les sanctions prises par lui, marquent le point culminant de cette lutte. C'est surtout par les *Sermons* que les épisodes de celle-ci nous sont connus. Au terme de cette édition, on peut rappeler ceux qui nous fournissent les points de repère de cette histoire.

Dans les *2e* et *7e sermons pour Noël* (*SC* 22 bis, p. 91 et 157),

religieuse sollicitude, et que se dresse contre les pires
ennemis des âmes la vigilance unanime des fidèles. Dans
sa miséricorde, en effet, Dieu nous a livré quelques-uns
de ces hommes néfastes, afin que la révélation du péril
nous mette sur nos gardes avec plus de soin. Que l'on
ne se contente pas de ce qui a été fait, mais que la même
recherche continue[1] ; avec l'aide du Seigneur, elle obtiendra non seulement que les hommes droits demeurent sains
et saufs, mais encore que beaucoup de ceux qui ont été
trompés par les séductions du diable soient ramenés de
l'erreur. Quant à vos prières, aumônes et jeûnes, ils
seront, grâce à ce zèle, offerts plus saintement au Dieu
miséricordieux, puisque cette œuvre de foi sera venue
s'ajouter encore à toutes les pratiques de la piété.

Nous jeûnerons donc mercredi et vendredi ; et samedi,
nous célébrerons les veilles en la présence du saint apôtre
Pierre ; comme nous l'expérimentons et le croyons, il
continue sans trêve à monter sa garde de pasteur pour les
brebis que le Seigneur lui a confiées et il demande par
ses supplications que l'Église de Dieu fondée par ses
prédications soit libre de toute erreur. Par le Christ notre
Seigneur. Amen[2].

S. Léon faisait allusion à certains hommes qui tantôt voyaient dans
la solennité de Noël un hommage rendu non à la nativité du Christ,
mais au lever du « nouveau soleil », tantôt rendaient ostensiblement
un culte au soleil levant en le saluant lorsqu'ils arrivaient à la
basilique Saint-Pierre. Il réprouvait certes cette croyance et cette
pratique, mais se contentait de prévenir les fidèles contre elles ;
il pouvait s'agir là de Manichéens dans lesquels le Pape voyait
plutôt des attardés du paganisme, sans les redouter encore particulièrement ; ces deux sermons seraient donc à dater d'avant 443.

En décembre 443, selon la datation donnée par Prosper d'Aquitaine
dans son *Chronicon*, le scandale des sectaires a eu lieu, et S. Léon a
institué l'enquête et le procès dont le récit remplit le présent sermon ;
il y met à nu l'abjection de leur culte, mais sans insister sur leur
doctrine.

C'est à l'occasion de la fête de Noël 443, soit quelques jours plus

87

(XVII)

DE JEJUNIO DECIMI MENSIS SERMO VI[1]

1. Evangelicis sanctionibus, dilectissimi, multum
utilitatis* praebet doctrina legalis, cum quaedam
de mandato veteri ad novam observantiam transferuntur, et ex ipsa ecclesiastica devotione mons-
tratur*, quod Dominus Jesus* non venit legem

tard, qu'il reviendra sur le sujet pour montrer que la doctrine des
Manichéens résume en les dépassant les erreurs des autres hérésiarques
(cf. *4e sermon pour Noël*, 4-6, SC 22 bis, p. 115-121) ; une foi correcte
sera le rempart à opposer au péril.

Pour la fête de l'Épiphanie suivante (6 janvier 444), il reprendra
en détail les dogmes et les pratiques des sectaires (*4e sermon pour
l'Épiphanie*, 4-5, *ibid.*, p. 245-253), et renouvellera la consigne de fuir
ces gens-là comme la peste.

Prêchant pour le carême de la même année, S. Léon croit bon
de revenir encore sur la question des Manichéens (*4e sermon sur le
carême*, 4-6, SC 49 bis, p. 109-115), mettant en relief leur fausse
ascèse et donnant pour consigne de les faire expulser de la « société
des saints » par l'autorité des prêtres. Il semble que sa sévérité
s'accroisse devant l'impudence des coupables.

A la Pentecôte suivante (444), le Pape insistera de nouveau
(*2e sermon sur la Pentecôte*, 6-9, SC 74, p. 153-156). C'est la prétention
de Mani à se dire l'incarnation du Saint-Esprit qui est mise en évidence
et réfutée ; le jeûne est recommandé aux fidèles pour déjouer les
pièges de l'ennemi du salut.

Enfin en juillet suivant, à l'occasion des Collectes solennelles,
S. Léon reviendra brièvement et pour la dernière fois sur les
Manichéens, mais cette fois pour exhorter les fidèles à dénoncer
aux prêtres leurs retraites et leurs cachettes (*4e sermon sur les
Collectes*, 4, SC 49 bis, p. 47-49). Il n'en parlera plus désormais dans
les Sermons. Cependant il avait agi auprès des évêques et même

87

(XVII)

SIXIÈME SERMON SUR LE JEÛNE
DU DIXIÈME MOIS[1]

SOMMAIRE. — 1. Certaines dispositions de l'ancienne loi demeurent dans l'économie de l'évangile ; ainsi en est-il du devoir du jeûne ; il faut joindre à celui-ci la miséricorde envers les pauvres, qui assure l'efficacité à nos prières. — 2. L'aumône est une bonne affaire et il faut donner pour avoir. — 3. Condamnation de l'usure. — 4. Donner aux pauvres ce qu'on a reçu de Dieu ; annonce des jours de jeûne.

1. L'enseignement de la loi, bien-aimés, confère beaucoup d'utilité aux prescriptions de l'évangile, puisqu'il est des points des anciens commandements qui passent à la nouvelle discipline et que la piété même de l'Église montre que le Seigneur Jésus n'est pas venu abolir la loi,

auprès du pouvoir civil, et, pour être complet, il faudrait mentionner sa lettre aux évêques d'Italie du 30 janvier 444 (*Ep.* VII, *PL* 54, 620-622) et la Constitution Impériale de Valentinien III rendue sur son intervention, le 19 juin 445, et édictant des peines très sévères contre les Manichéens opiniâtres (*ibid.*, 622-624). Enfin, une lettre du 21 juillet 447 à Turribius, évêque d'Astorga en Espagne, nous est précieuse parce qu'elle donne des détails complémentaires sur la composition du tribunal réuni en décembre 443 par S. Léon pour juger les hérétiques (*Ep.* XV, 16, *PL* 54, 689). L'édition critique des *Sermons* montrera que, dans la seconde édition de ceux-ci qu'il fit publier lui-même, S. Léon reprit les sermons de la première, prononcés de 440 à 445, donc aussi ceux dirigés contre les Manichéens, mais qu'il en adoucit les termes : le danger était passé.

1. 17 décembre 444.

solvere, sed implere[1]*. Cessantibus enim significationibus quibus Salvatoris nostri nuntiabatur adventus,
et peractis figuris quas abstulit praesentia* veritatis,
ea quae vel ad regulas morum vel ad simplicem Dei
cultum ratio pietatis instituit, in eadem apud nos
forma in qua sunt condita perseverant ; et quae
utrique Testamento erant congrua, nulla sunt commu-
tatione variata. Ex iis autem est etiam decimi
mensis solemne jejunium, quod a nobis nunc annua
est consuetudine celebrandum : quia plenum justitiae est atque pietatis, gratias divinae agere largitati
pro fructibus quos in usus hominum secundum
summae providentiae temperamentum terra pro-
duxit. Quod ut prompto animo nos facere monstre-
mus, non solum continentiam jejunii, sed etiam
eleemosynarum curam oportet assumi, ut de terra
quoque cordis nostri germen justitiae[2] et fructus
caritatis oriatur, et misericordiam Dei pauperum
ipsius miserendo mereamur[3]. Efficacissima enim est
ad exorandum Deum postulatio, cui pietatis opera
suffragantur, quoniam qui suum ab inope non
avertit animum, cito ad se Domini convertit auditum[4],
dicente Domino : *Estote misericordes, sicut et Pater
vester misericors est; dimittite, et dimittetur vobis*[5].
Quid hac justitia benignius ? Quid hac retributione
clementius, ubi sententia judicaturi in potestate
ponitur judicandi ? *Date*, inquit, *et dabitur vobis*[6].
Quam cito diffidentiae sollicitudo et avaritiae est
amputata cunctatio, ut quod reddituram se promittit
Veritas, secura expendat humanitas.

---

1. Cf. *Matth.* 5, 17.

2. Cf. *Jér.* 33, 15 : « Germinare faciam David germen justitiae. »

3. Cf. *Matth.* 5, 7 : « Beati misericordes, quoniam ipsi misericordiam consequentur. »

4. Cf. *Tob.* 4, 7 : « Noli avertere faciem tuam ab ullo paupere ;
ita enim fiet ut nec a te avertatur facies Domini. »

mais l'accomplir[1]. En effet, les symboles annonciateurs
de la venue de notre Sauveur disparaissant, et étant
accomplies les figures que la vérité, en se rendant présente,
a supprimées, tout ce que la piété a institué tant pour
la règle des mœurs que pour la pureté du culte de Dieu
demeure pour nous dans la même forme où cela fut établi :
tout ce qui convenait aux deux Testaments, aucun changement ne l'a modifié. Ainsi en est-il en particulier du jeûne
solennel du dixième mois qu'il nous faut maintenant
célébrer selon l'usage annuel, car la plénitude de la justice
et de la piété consiste à rendre grâces à la générosité
divine pour les fruits que la terre a produits à l'usage des
hommes selon la juste disposition de la suprême providence.
Pour montrer que nous le faisons avec une volonté empressée, nous devons non seulement nous adonner aux privations du jeûne, mais encore avoir souci de faire l'aumône ;
ainsi le sol de notre cœur fera, lui aussi, germer la justice[2]
et pousser le fruit de la charité et nous mériterons la
pitié de Dieu en ayant pitié de ses pauvres[3]. C'est, en
effet, une prière très efficace pour obtenir le secours de
Dieu que celle qui s'appuie sur les œuvres de miséricorde,
car quiconque ne détourne pas son âme du pauvre fait
que le Seigneur tourne bientôt l'oreille vers lui[4], selon
ce que dit le Seigneur : « Soyez miséricordieux comme
votre Père est miséricordieux ; remettez et il vous sera
remis[5]. » Quoi de plus bienveillant qu'une telle justice ?
Quoi de plus indulgent qu'une telle rétribution, où la
sentence du juge est remise au pouvoir du justiciable ?
« Donnez, dit-il, et l'on vous donnera[6]. » Combien vite
sont supprimés le souci qui naît de la défiance et l'hésitation
qui naît de l'avarice, en sorte que la bonté donne en toute
sûreté ce que la Vérité a promis de rendre !

5. *Lc* 6, 36-37.
6. *Ibid.*, 38.

7

2. Constans esto, Christiane largitor[1] : da quod accipias, sere quod metas, sparge quod colligas. Noli metuere dispendium, noli de dubio suspirare proventu. Substantia tua cum bene erogatur, augetur. Concupisce justum misericordiae lucrum, et aeterni quaestus sectare commercium. Munerator tuus vult te esse munificum, et qui dat ut habeas, mandat ut tribuas, dicens : *Date, et dabitur vobis*[2]. Amplectenda est tibi promissionis istius et* gratulanda conditio. Quamvis enim non habeas nisi quod acceperis[3], non potes tamen non habere quod dederis. Qui ergo pecunias amat, et multiplicare opes suas immodicis optat augmentis, hoc potius sanctum fenus exerceat, et hac usurarum arte ditescat, ut non hominum laborantium captet necessitates, ne per dolosa beneficia laqueos incidat* insolubilium debitorum, sed illius sit creditor, illius fenerator, qui dicit : *Date, et dabitur vobis* ; et *qua mensura mensi fueritis, eadem remetietur vobis*[4]. Infidelis[5] autem et iniquus est etiam sibi, qui quod aestimat diligendum non vult habere perpetuum. Quantalibet adjiciat, quantalibet condat et congerat, inops de hoc mundo et egenus abscedet, dicente David propheta : *Quoniam cum interierit non accipiet omnia,*

---

1. Le mot *largitor,* appliqué à Dieu, est fréquent dans les oraisons du missel. Dom BRUYLANTS a relevé dans le « Sacramentaire de Vérone » 77 cas d'emploi des mots *largior, largitas, largitor, largus* (*Concordance verbale du Sacramentaire léonien,* Louvain) ; ces mots reviennent 33 fois dans le missel romain. On peut supposer que S. Léon n'emploie pas ici sans intention le mot *largitor* : si Dieu est nommé ainsi par rapport aux hommes, par exemple pour ne pas remonter plus haut aux *Sermons* 82, 2 et 83 (*supra,* p. 154 et 162), les hommes doivent à leur tour se montrer, à l'exemple de Dieu, *largitores* des biens qu'il leur prodigue si largement. Les chrétiens, aime à répéter S. Léon, doivent reproduire l'image de leur Auteur et « là où le Seigneur trouve le souci de la miséricorde, il reconnaît l'image de sa propre bonté » (*10ᵉ sermon sur le carême,* 5, *SC* 49 bis,

2. Sois persévérant, chrétien, dans tes largesses[1] ;
donne pour recevoir, sème pour moissonner, répands
pour récolter. Ne crains pas la dépense, ne soupire pas
après un profit incertain. Ton avoir, lorsqu'il est bien
distribué, s'accroît. Convoite le juste gain que l'on tire
de la miséricorde et pratique l'échange qui procure un
bénéfice éternel. Ton bienfaiteur te veut bienfaisant
et lui qui te donne pour que tu aies, t'enjoint de donner
en te disant : « Donnez et l'on vous donnera[2]. » Tu dois
embrasser la condition mise à cette promesse et t'en
féliciter. En effet, bien que tu n'aies que ce que tu as
reçu[3], tu ne peux cependant pas ne pas avoir ce que tu
auras donné. Celui donc qui aime l'argent et souhaite
multiplier ses biens en les accroissant sans mesure, qu'il
pratique de préférence cette sainte usure et s'enrichisse
en exerçant ainsi l'art du prêt à intérêt, afin de ne pas
s'emparer du strict nécessaire de ceux qui sont dans le
besoin ; de la sorte il ne tombera pas, par des bénéfices
frauduleux, dans les filets de dettes dont il ne pourrait
pas s'acquitter, mais il sera créancier et prêteur à gages
de celui qui dit : « Donnez et l'on vous donnera », et :
« De la mesure dont vous mesurez, on mesurera pour
vous en retour[4]. » Au contraire, infidèle[5] et injuste même
envers soi, celui qui ne veut pas avoir pour toujours
ce qu'il estime bon à aimer. Quoi qu'il ajoute, quoi qu'il
amasse et accumule, c'est misérable et pauvre qu'il sortira
de ce monde, comme le dit le prophète David : « Car,
à sa mort, il n'emportera rien, avec lui ne descendra pas

---

p. 179) ; au *Sermon* 82, 1 (*supra*, p. 152), il a dit de même : « Ut in
nobis formam suae bonitatis inveniat, dat unde ipsi quoque quod
operatur operemur. »

2. *Lc* 6, 38.
3. Cf. *I Cor.* 4, 7 : « Quid autem habes quod non accepisti ? »
4. *Lc* 6, 38.
5. C'est-à-dire manquant de foi.

neque descendet cum eo gloria domus * *ejus*[1]. Qui si
benignus esset animae suae[2], illi bona sua crederet,
qui et idoneus fidejussor est pauperum[3], et largissi-
mus redditor usurarum, Sed injusta et impudens
avaritia, quae beneficium se dicit praestare cum
decipit[4], non credit Deo veraciter promittenti, et
credit homini trepide paciscenti ; dumque certiora
aestimat* praesentia qaam futura, merito in hoc
frequenter incurrit, ut ei cupiditas injusti lucri non
injusti causa sit damni.

3. Unde quilibet sequatur eventus, mala semper
est ratio fenerantis, cui pecuniam et minuisse et
auxisse[5] peccatum est : ut aut miser sit amittendo
quod dedit, aut miserior accipiendo quod non dedit[6].
Fugienda prorsus est iniquitas fenoris : et lucrum
quod omni caret humanitate vitandum est. Multiplicatur quidem facultas injustis et tristibus incrementis, sed mentis substantia contabescit : quoniam
fenus pecuniae funus est animae[7]. Quid enim de
hujusmodi hominibus sentiat Deus, sacratissimus
propheta David manifestat : qui cum diceret, *Domine*,

---

1. *Ps.* 48, 18.

2. Cf. *Prov.* 11, 17 : « Benefacit animae suae vir misericors. »

3. Même expression chez S. Pierre Chrysologue : « Praemit-
tamus thesauros nostros in caelum ; sint vectores pauperes, qui
possunt sinu suo quae nostra sunt ad superna portare. Nemo de
fraude dubitet bajulorum : tua est ista transvectio, per quam nostra
ad Deum Deo fidejussore portantur. » (*Sermo VII, PL* 52, 208 A).

4. De même S. Ambroise : « Talis humanitas, ut spolietis etiam
cum subvenitis » (*De Tobia* 3, 11, *PL* 14, 763).

5. L'usurier diminue l'argent chez l'emprunteur en déduisant
l'intérêt de ce qu'il lui remet ; il l'augmente chez lui-même par
l'usure de son prêt ; c'est l'argent lui-même qui augmente ou diminue,
sans l'intervention d'un facteur étranger, comme serait son usage
productif ; c'est là la raison essentielle du caractère moralement
mauvais de cette usure, « ratio fenerantis mala ». S. Augustin avait
pareillement défini l'usure : « Quid est fenerare ? Minus dare et plus
accipere » (*Sermo* 239, 5, *PL* 38, 1128).

la gloire de sa maison[1]. » S'il était bon pour lui-même[2],
il confierait ses biens à celui qui est un répondant qualifié
des pauvres[3] et un restituteur infiniment généreux de
l'argent prêté. Mais injuste et effrontée, l'avarice qui
prétend rendre service alors qu'elle trompe[4] ; elle ne croit
pas à Dieu, dont les promesses sont véridiques, et elle
croit à un homme qui signe un accord en tremblant ;
en estimant plus sûrs les biens présents que les futurs,
elle court souvent et à bon droit le risque de voir le désir
d'un injuste profit devenir pour elle la cause d'une condamnation qui ne sera pas injuste.

3. Aussi, quelle qu'en soit l'issue, la cause de celui
qui prête à intérêt est toujours mauvaise ; il se charge,
en effet, d'un péché en diminuant et augmentant l'argent[5] :
de la sorte, ou bien il est pauvre en perdant ce qu'il a
donné, ou bien il est plus pauvre encore en recevant
ce qu'il n'a pas donné[6]. Il faut fuir absolument cette
iniquité qu'est l'usure et éviter un gain qui manque
de toute humanité. Certes, la fortune se multiplie grâce
à d'injustes et tristes accroissements, mais la substance
même de l'âme est atteinte, car usure d'argent est sépulture
de l'âme[7]. En effet, ce que Dieu pense des hommes de
cette espèce, le très saint prophète David le montre

6. Ou bien le prêteur s'appauvrira en ne retrouvant pas ce qu'il
a prêté, par suite de la défaillance du débiteur, ou il s'appauvrira
davantage encore, mais aux yeux du Seigneur cette fois, en recevant
des intérêts injustes sur son prêt ; de toute façon, sa condition est
mauvaise.

7. Il n'a pas été possible de rendre en français le jeu de mots
fenus-funus, qui se trouvait déjà chez S. AMBROISE : « Nihil interest
inter funus et fenus, nihil inter mortem distat et sortem » (*De Tobia*
10, 36, *PL* 14, 772). Le terme prêtait d'ailleurs à jeu de mots, ainsi
qu'en ont usé le même S. AMBROISE : « Bene fenus appellatur quod
datis, ita vile et feneum est » (*Ibid.* 4, 13 ; 764), et S. AUGUSTIN,
citant à propos du *fenus* le verset d'*Isaïe* 40, 8 : « Fenum ardebit,
verbum autem Domini manet in aeternum » (*Enarr. in Ps.*
CXXVIII, 6, *PL* 37, 1692).

*quis habitabit in tabernaculo tuo, aut quis requiescet
in monte sancto tuo*[1] ? responso divinae vocis instrui-
tur, et eum ad aeternam requiem pertinere cognoscit,
qui inter alias piae conversationis regulas, *pecuniam
suam non dedit ad usuram*[2] ; et a tabernaculo Dei
ostenditur alienus, et a sancto monte ejus extraneus,
qui dolosum quaestum de pecuniae suae captat
usuris ; et dum per aliena cupit damna ditari, aeterna
dignus est egestate puniri[3].

4. Vos itaque, dilectissimi, qui ex toto corde
promissionibus Domini credidistis, fugientes immun-
dissimam avaritiae lepram, donis Dei pie et sapienter
utimini. Et quoniam* de ipsius largitate gaudetis,
date operam ut possitis gaudiorum vestrorum habere
consortes. Multis enim, quae vobis suppetunt, desunt,
et in quorumdam indigentia, materia vobis data
est divinae bonitatis imitandae : ut per vos etiam
in alios beneficia divina transirent, et bene dispen-
santes temporalia, acquireretis aeterna.

Quarta igitur et sexta feria jejunemus ; sabbato
autem ad* beatissimum Petrum apostolum vigilemus,
cujus orationibus nobis per omnia obtineatur divina
protectio, per Christum Dominum nostrum. Amen.

---

1. *Ps.* 14, 1.
2. *Ibid.* 5.
3. S. Léon avait, dans une lettre du début de son pontificat
(octobre 443), interdit l'usure aux laïcs et aux clercs, ceux-ci ne
pouvant l'exercer ni en leur nom ni en celui d'autrui et il concluait
ainsi : « Fenus autem hoc solum aspicere et exercere debemus, ut
quod hic misericorditer tribuimus, ab eo Domino qui multipliciter
et in perpetuum mansura retribuet, recipere valeamus » (*Epist.* IV, 3-4,
PL 54, 613). Dans sa réprobation du prêt à intérêt, il suivait la tradition unanime de l'Église ancienne, tant grecque que latine, tradition
qui durera après lui pratiquement jusqu'au xixe siècle. Il faut se

clairement ; après avoir dit : « Seigneur, qui habitera
sous ta tente, qui se reposera sur ta montagne sainte[1] ? »
il est instruit par la voix divine qui lui répond ; il apprend
alors que celui-là se dirige vers l'éternel repos, qui, entre
autres pratiques d'une pieuse manière de vivre, « n'a
pas prêté son argent à intérêt[2] » ; au contraire on montre
étranger à la tente de Dieu et tenu à l'écart de sa sainte
montagne, celui qui tire un profit frauduleux de son argent prêté avec usure : en désirant s'enrichir aux dépens
d'autrui, ce dernier mérite d'être puni par une éternelle
pauvreté[3].

4. C'est pourquoi, bien-aimés, vous qui avez cru de
tout votre cœur aux promesses du Seigneur fuyez la
lèpre immonde de l'avarice et utilisez les dons de Dieu
avec piété et sagesse. Et puisque vous vous réjouissez
de sa générosité, travaillez à pouvoir trouver des compa-
gnons de votre joie. Ce dont vous êtes comblés manque,
en effet, à beaucoup et l'indigence de certains vous donne
matière à imiter la divine bonté : ainsi, par vous, les
bienfaits divins passeront aux autres également et, en
dispensant bien les dons temporels, vous acquerrez les
éternels.

Nous jeûnerons donc mercredi et vendredi ; et samedi,
nous veillerons auprès du saint apôtre Pierre, afin que,
grâce à ses prières, nous obtenions en tout la protection
divine, par le Christ notre Seigneur. Amen.

---

souvenir, que, de son temps, il ne s'agissait que de prêts de consom-
mation et que le taux minimum en était de un pour cent par mois
(le *centesimum*), soit douze pour cent par an. Parmi les Pères latins
qui ont condamné l'usure, il faut surtout citer S. AMBROISE qui lui
a consacré tout son traité *De Tobia* (*PL* 14, 759-794), où il s'en prend
d'ailleurs aussi bien au prêteur à intérêts qu'à l'emprunteur ; c'est
l'institution qu'il condamne et nul n'est excusé d'y avoir recours.

88

(XVIII)

DE JEJUNIO DECIMI MENSIS SERMO VII[1]

1. Praesidia, dilectissimi, sanctificandis mentibus nostris atque corporibus divinitus instituta[2], ideo cum dierum temporumque curriculis sine cessatione reparantur, ut infirmitatum nostrarum ipsa nos medicina commoneat. Natura quippe mutabilis, et de peccati labe mortalis, licet jam redempta, et sacro baptismate jam renata, in quantum est passibilis, in tantum est ad deteriora proclivis. Corrumperetur carnali desiderio, nisi spiritali muniretur auxilio : quia sicut illi numquam deest unde corruat, ita semper praesto est unde subsistat, dicente Apostolo : *Fidelis* Deus, qui vos non patietur tentari super* id quod potestis, sed faciet proventum, ut possitis sustinere*[3]. Quamvis ergo Dominus protegat bellatores, et milites suos ille, qui potens est in praelio[4], cohortetur, et dicat : *Nolite timere, quia ego vici mundum*[5] : sciendum tamen est, dilectissimi, hoc incitamento formidinem sublatam esse, non pugnam ; et retunso* aculeo timoris, causam manere

1. 16 décembre 451 (2e collection des Sermons).
2. Ces mots de S. Léon rappellent la collecte de la messe du samedi après les Cendres : « Jejunium quod animabus corporibusque curandis salubriter institutum est. »
3. *I Cor.* 10, 13.
4. Cf. *Ps.* 23, 8 : « Dominus potens in praelio. »
5. *Jn* 16, 33.

88

(XVIII)

SEPTIÈME SERMON SUR LE JEÛNE DU DIXIÈME MOIS¹

SOMMAIRE. — 1. Le combat spirituel ; c'est le démon qui le mène contre nous, ayant fait succéder la tentation cachée à la persécution sanglante. — 2. Les chrétiens doivent s'unir dans ce combat ; le jeûne du dixième mois, pratique de toute l'Église. — 3. Joindre l'aumône au jeûne ; pratiquer l'agriculture mystique ; annonce des jours de jeûne.

1. Les secours divinement institués, bien-aimés, pour la sanctification de nos âmes et de nos corps² se renouvellent sans cesse avec la succession des jours et des saisons, en sorte que le remède lui-même nous rende attentifs à nos maladies. Notre nature, en effet, changeante et rendue mortelle par la souillure du péché, même si elle est déjà rachetée et déjà régénérée par le saint baptême, est encline au mal dans la mesure où elle est passible. Le désir charnel la corromprait si le secours spirituel ne la défendait ; car s'il ne lui manque jamais d'occasion de chute, elle a aussi toujours à sa portée de quoi tenir debout, comme le dit l'Apôtre : « Dieu est fidèle ; il ne permettra pas que vous soyez tentés au-delà de vos forces, mais il en fera sortir un profit, en sorte que vous puissiez tenir bon³. » Sans doute le Seigneur protège-t-il les combattants, et lui qui est fort dans la bataille⁴ exhorte-t-il ses soldats par ces paroles : « Ne craignez pas, car j'ai vaincu le monde⁵. » Il faut pourtant savoir, bien-aimés, que cet encouragement supprime la crainte, non la lutte ; l'aiguillon de la peur s'en trouve émoussé, mais la cause

certaminis, quod ab hoste versuto, terribiliter quidem
furore persecutionis movetur, sed nocentius specie
pacis infertur. Ubi enim in aperto sunt pugnae,
in manifesto sunt et coronae. Et hoc ipsum alit
atque accendit patientiae fortitudinem, quod sicut
proxima est tribulatio, ita est et vicina promissio.
Cessantibus vero publicis impugnationibus impiorum,
et a caedibus se ac suppliciis fidelium diabolo
continente, ne pertinacia crudelitatum, multiplicatio
nostrorum fieret triumphorum, fremens adversarius
cruentas inimicitias ad quietas convertit insidias :
ut quos vincere fame et gelu, flammis ferroque non
poterat, otio tabefaceret*, cupiditatibus irretiret,
ambitione inflaret, voluptate corrumperet[1].

2. Sed his atque aliis omnibus destruendis habet
acies Christiana potentes munitiones et arma victri-
cia[2], dum instruente milites suos Spiritu veritatis[3],
mansuetudo iram, largitas avaritiam, benignitas
exstinguit invidiam. Commutante enim dextera
Excelsi[4] corda multorum, rediit in novitatem vetus-
tas[5], de* famulis iniquitatis ministri prodiere justitiae[6]. Subegit luxuriam continentia, humilitas
arrogantiam propulsavit, et qui impudicitia sordue-

---

1. C'est une idée familière à S. Léon que le diable tente plus
insidieusement les fidèles maintenant que la persécution ouverte
a cessé et que la paix a été donnée à l'Église. On la trouve développée
longuement, entre autre, dans le *6e sermon pour l'Épiphanie*, 3
(*SC* 22 bis, p. 271-272) ; le *Sermon* 86, 3, y faisait plus haut une brève
allusion à propos des fausses doctrines des hérétiques, inspirées par
le démon.

2. Un des thèmes des *Sermons sur les jeûnes* est qu'en ces jours
(nos « Quatre-Temps »), le peuple chrétien se rassemble en armes
(spirituelles) et, en quelque sorte, accomplit une mobilisation pour
lutter contre le diable d'une manière plus intense par le jeûne, la
prière et l'aumône.

3. Cf. *Jn* 14, 17, etc.

4. Cf. *Ps.* 76, 11 : « Haec mutatio dexterae Excelsi. »

du combat demeure, combat qu'un ennemi rusé mène d'une
façon terrible, certes, lorsqu'il déchaîne la persécution,
mais qu'il engage d'une manière plus nocive encore
lorsqu'il use des apparences de la paix. Là, en effet, où
les batailles sont choses évidentes, manifestes sont aussi
les couronnes. Et cela même nourrit et enflamme le
courage dans la patience, que, la tribulation étant toute
proche, la récompense promise ne soit pas loin non plus.
Mais les attaques publiques des impies ont cessé et le
diable s'abstient de massacrer les fidèles et de les livrer
aux supplices, de peur que son entêtement dans la cruauté
ne tourne à une multiplication de nos triomphes ; aussi
cet ennemi, frémissant de rage, a-t-il converti son opposition sanglante en embûches silencieuses ; ceux qu'il n'a
pu vaincre par la faim et le froid, par les flammes et le fer,
il tentera de les ruiner par l'oisiveté, de les prendre au
filet par les convoitises, de les enfler par l'ambition, de
les corrompre par la volupté[1].

2. Mais, pour venir à bout de cela et de toute autre
chose, l'armée chrétienne possède de puissants retran-
chements et des armes victorieuses[2], car, ainsi que l'Esprit
de vérité[3] l'enseigne à ses soldats, la douceur éteint la
colère, la générosité l'avarice, la bonté l'envie. La droite
du Très-Haut, en effet, changeant le cœur de beaucoup[4],
le vieil âge est revenu à la nouveauté des origines[5], de
serviteurs de l'iniquité sont nés des ministres de la justice[6].
La continence a triomphé de la luxure, l'humilité a fait
reculer l'arrogance et ceux qui s'étaient souillés d'impu-

---

5. Expressions pauliniennes difficilement traduisibles qui dési-
gnent d'une manière imagée le « vieil homme » et l'« homme nouveau »
Jésus-Christ et tous ceux qui font partie de son « corps », l'état ancien
de servitude à la loi, au péché et à la mort, et l'état nouveau de
libération dans le Christ mort et ressuscité ; cf. *Rom.* 6, 4 ; 7, 6 ;
12, 2.

6. Cf. *Rom.* 6, 18 : « Liberati a peccato, servi facti estis justitiae. »

rant, castitate nituerunt. His autem conversionibus, dilectissimi, per providentiam gratiae Dei addita sunt sancta jejunia, quae in quibusdam diebus ab universa Ecclesia devotionem observantiae generalis exigerent. Quamvis enim pulchrum sit atque laudabile ut singula quaeque membra corporis Christi propriis ornentur officiis, excellentioris tamen est actionis sacratiorisque virtutis, cum in unum propositum piae plebis corda concurrunt : ut ille cui sanctificatio nostra supplicium est[1], non solum a parte, sed etiam a soliditate superetur[2]. Cui nunc operi, dilectissimi, decimus mensis offertur, admonens quodammodo pro qualitate temporis sui ne quisquam frigore infidelitatis obtorpeat, sed potius caritatis spiritu convalescat. Quoniam et per ipsa elementa mundi, tamquam per publicas paginas, significationem divinae voluntatis accipimus ; nec umquam cessat superna eruditio, quando etiam de iis quae nobis famulantur imbuimur.

3. Praeter illam namque apostolicam sententiam qua homines fructu pietatis carentes vacuis arboribus comparantur[3], etiam illa ficus nobis cavenda est de suae infecunditatis exemplo, quam Dominus Jesus, sicut Evangelium refert[4], nihil habentem quod esuriens sumeret, perpetua sterilitate damnavit : ut intelligeremus quoniam qui esurientem non refovet,

1. C'est le diable ; S. Léon a plusieurs fois fait remarquer que la sanctification des chrétiens, fruit de la victoire du Christ sur Satan, achève la défaite du démon et contribue à son châtiment ; cf. *Sermon* 84, 1 (*supra*, p. 166).

2. *Pars* et *soliditas* sont des termes du droit qui s'opposent ici comme dans cette décision de l'empereur Gordien qu'a retenue le Code de Justinien (IV, 52, 2) : « Multum interest utrum coheredes tui possessionem communem distraxerunt, an vero fiscus, cum *partis* dominus esset, *soliditatem* juxta proprium privilegium vendidit... Si vero coheredes *soliditatem* vendiderunt, licet emptor ab his delegatus

dicité ont brillé de chasteté. Mais à ces conversions, bien-
aimés, sont venus s'ajouter, par une disposition de la
grâce de Dieu, les saints jeûnes qui exigent de l'Église
universelle qu'à certains jours tous s'y appliquent avec
dévotion. Si, en effet, il est beau et louable que chaque
membre en particulier du corps du Christ soit comme
orné de l'accomplissement de ses obligations personnelles,
il relève d'une action plus excellente et d'une vertu plus
sainte que les cœurs du peuple dévoué à Dieu s'unissent
en un commun propos : ainsi celui pour qui notre sanctification est un supplice[1] sera vaincu non seulement par
quelques-uns, mais aussi par le ferme ensemble de tous[2].
Pour cette entreprise, bien-aimés, le dixième mois nous
est proposé maintenant ; d'une certaine manière, il nous
rappelle, en raison même du temps qui le caractérise,
que personne ne doit se laisser engourdir par le froid de
l'infidélité, mais doit plutôt prendre des forces par l'esprit
de charité. Car c'est aussi par les éléments mêmes du
monde, comme par des livres accessibles à tous, que la
volonté divine nous est signifiée, et l'instruction que nous
recevons d'en-haut ne cesse jamais, si nous nous laissons
instruire aussi par les choses qui sont là pour nous servir.

3. En effet, outre la phrase dans laquelle l'Apôtre
compare aux arbres stériles les hommes qui ne portent
aucun fruit de piété[3], il y a également ce figuier dont
l'infécondité nous est proposée comme un exemple à
éviter et que le Seigneur Jésus, selon le récit de l'évangile[4],
condamna à une éternelle stérilité pour n'avoir rien eu à
offrir à sa faim ; il voulait nous faire comprendre par là
que quiconque ne réconforte pas l'affamé refuse la nourri-

---

partem pretii fisco solverit alteramque in cautionem deduxit, tamen
portioni tuae ea venditio non potest obsistere. »

3. Cf. *Jude* 12 : « Arbores automnales, infructuosae, bis mortuae,
eradicatae. »

4. *Matth.* 21, 18-20.

illi denegat cibum qui quod pauperi est datum, sibi
dixit impensum. Et hujus maledictionis arbores
erunt, quibus a judicante dicetur : *Discedite a me,
maledicti, in ignem aeternum, quem praeparavit Pater
meus diabolo et angelis ejus. Esurivi enim, et non
dedistis mihi manducare; sitivi, et non dedistis mihi
bibere*[1], etc. Quae ideo singula recoluntur, ut adver-
tamus non futurum extra misericordiam, qui vel
partem horum operum fuerit exsecutus. Anima
autem neminem juvans erit arbor non habens poma,
cum totius pietatis invenietur aliena.

Decimi ergo mensis jejunium, quod hiemalis est
temporis, ad agriculturam nos mysticam vocat,
qua segetum et palmitum atque arborum vires,
quibus humana sustentatur infirmitas, spiritalibus
studiis excolantur : ut Dominicus ager suis ditetur
impendiis, et quem numquam expedit esse sine
fructu, de propria fiat ubertate fecundior. Quod
utique intelligit sanctitas vestra, ad totius Ecclesiae
profectus esse referendum, quorum in fide germen
est, in spe incrementum, in caritate maturitas :
quia castigatio corporis et instantia orationis tunc
veram obtinent puritatem, cum eleemosynarum
sanctificatione nituntur, dicente Domino : *Date
eleemosynam, et ecce omnia munda sunt vobis*[2].

Quarta igitur et sexta sabbati* jejunemus ; sabbato
autem apud beatissimum Petrum apostolum vigilias
celebremus, ipso praestante et adjuvante qui cum
Patre et sancto Spiritu vivit et regnat per omnia
saecula saeculorum. Amen.

---

1. *Ibid.* 25, 41-42 ; au lieu de la version que suit S. Léon : « In
ignem aeternum quem praeparavit Pater meus... », la Vulgate, en
accord avec le texte grec, porte : « In ignem aeternum, qui paratus
est diabolo et angelis ejus... »

ture à celui qui a dit que ce que l'on donnait au pauvre, c'est à lui qu'on l'accordait. Et ils seront des arbres frappés par cette malédiction, ceux à qui le Juge dira : « Allez loin de moi, maudits, dans le feu éternel que mon Père a préparé pour le diable et ses anges ; car j'ai eu faim et vous ne m'avez pas donné à manger ; j'ai eu soif et vous ne m'avez pas donné à boire[1] », et la suite. Ces choses sont rappelées en détail pour que nous remarquions que celui qui aura accompli au moins une partie de ces œuvres ne sera pas exclu de la miséricorde. Mais l'âme qui n'aura secouru personne sera l'arbre sans fruit, car on l'aura trouvée étrangère à toute bonté.

Le jeûne du dixième mois, temps de l'hiver, nous invite donc à pratiquer l'agriculture mystique, laquelle cultive avec un zèle spirituel les ressources des moissons, des vignes et des arbres, soutien de la faiblesse humaine ; ainsi le champ du Seigneur s'enrichit-il de ce qui est dépensé pour lui et devient-il plus fécond par sa propre abondance, lui auquel il ne convient jamais d'être sans fruit. Votre sainteté comprend certainement qu'il faut appliquer cela aux progrès de toute l'Église, progrès dont le germe se trouve dans la foi, la croissance dans l'espérance, la maturité dans la charité ; car la mortification du corps et l'assiduité à la prière obtiennent la vraie pureté lorsqu'elles s'appuient sur la sanctification que procurent les aumônes, selon la parole du Seigneur : « Faites l'aumône et tout, pour vous, sera pur[2]. »

Jeûnons donc mercredi et vendredi ; et samedi, célébrons les veilles auprès du saint apôtre Pierre, avec l'assistance et le secours de celui qui vit et règne avec le Père et le Saint-Esprit dans tous les siècles des siècles. Amen.

2. *Lc* 11, 41.

89

(XIX)

DE JEJUNIO DECIMI MENSIS SERMO VIII[1]

1. Cum de adventu regni Dei, et de fine temporum mundi discipulos suos Salvator instrueret, totamque Ecclesiam suam in apostolis erudiret : *Cavete*, inquit, *ne forte graventur corda vestra in crapula, et ebrietate, et cogitationibus saecularibus*[2]. Quod utique praeceptum, dilectissimi, ad nos specialius pertinere cognoscimus, quibus denuntiatus dies, etiam si est occultus, non dubitatur esse vicinus. Ad cujus adventum omnem hominem convenit praeparari : ne quemquam* aut ventri deditum[3] aut curis saecularibus inveniat implicatum. Quotidiano enim, dilectissimi, experimento probatur satietate carnis aciem mentis obtundi, et ciborum nimietate vigorem cordis hebetari, ita ut delectatio edendi etiam corporis* contraria sit saluti, nisi ratio temperantiae obsistat illecebrae,

---

1. 14 décembre 452 (2ᵉ collection des Sermons).
2. *Lc* 21, 34.
3. Cf. *Rom.* 16, 18 : « Hujuscemodi Christo Domino nostro non serviunt, sed suo ventri. »

89

(XIX)

HUITIÈME SERMON SUR LE JEÛNE DU DIXIÈME MOIS[1]

Sommaire. — 1. La venue promise du Seigneur doit toujours nous trouver prêts ; le rassasiement de la chair émousse la vigueur de l'âme ; celle-ci doit imposer un frein aux désirs des sens pour être plus libre de vaquer aux biens incorruptibles. — 2. Pouvoir des jeûnes pour assurer à l'âme la maîtrise de notre monde intérieur. — 3. Amour de Dieu et du prochain, le premier consistant à vouloir ce que Dieu veut ; le jeûne spirituel supprime les obstacles à ce double amour ; le compléter par l'aumône ; annonce des jours de jeûne.

1. Instruisant ses disciples de ce qui concerne l'avènement du royaume de Dieu et la fin du monde et, en ses apôtres, enseignant toute son Église, le Sauveur dit : « Tenez-vous sur vos gardes, de peur que vos cœurs ne s'appesantissent dans la débauche, l'ivrognerie et les soucis du siècle[2]. » Voilà, en vérité, bien-aimés, un précepte dont nous savons qu'il nous concerne très spécialement, nous qui ne doutons pas que le jour ainsi annoncé, même s'il nous est caché, ne soit très rapproché. Il convient que tout homme se prépare à sa venue, de peur qu'il ne se trouve quelqu'un qui soit ou esclave de son ventre[3], ou impliqué dans les soucis du siècle. L'expérience de tous les jours prouve, en effet, bien-aimés, qu'en rassasiant la chair, on émousse la pointe de l'esprit et que l'excès d'aliments affaiblit la force du cœur ; ainsi mettre ses délices dans la nourriture est contraire même au salut du corps, à moins qu'une mesure imposée par la tempérance ne s'oppose aux attraits charnels et ne refuse à

et quod futurum est oneri, subtrahat voluptati.
Quamvis enim sine anima nihil caro desideret, et
inde accipiat sensus unde sumit et motus ; ejusdem
tamen est animae, quaedam subditae sibi negare
substantiae, et interiori judicio, ab inconvenientibus
exteriora frenare, ut a corporeis cupiditatibus saepius
libera, in aula mentis possit divinae vacare sapientiae,
ubi omni strepitu terrenarum silente curarum, in
meditationibus sanctis, et in deliciis laetetur aeternis.
Quod etsi in hac vita difficile est continuari, potest
tamen frequenter assumi, ut saepius ac diutius
spiritalibus* quam carnalibus occupemur : et cum
melioribus curis majores impendimus moras, in*
incorruptibiles divitias, etiam temporales transeunt*
actiones¹.

2. Hujus observantiae utilitas, dilectissimi, in
ecclesiasticis praecipue est constituta jejuniis, quae
ex doctrina sancti Spiritus ita per totius anni circulum
distributa sunt, ut lex abstinentiae omnibus sit
ascripta temporibus. Siquidem jejunium vernum
in Quadragesima, aestivum in Pentecoste, autumnale
in mense septimo, hiemale autem in hoc qui est
decimus celebramus², intelligentes divinis nihil vacu-
um esse praeceptis, et verbo Dei ad eruditionem
nostram omnia elementa servire ; dum per ipsius
mundi cardines³, quasi per quatuor Evangelia,

1. Cette formule de S. Léon rappelle la secrète de la messe de
l'ancien 2ᵉ dimanche après la Pentecôte : « Oblatio nos, Domino, tuo
nomini dicanda purificet ; et de die in diem ad caelestis vitae trans-
ferat actionem. »
2. Voici clairement mentionnés et distingués les quatre jeûnes
de l'année, qui deviendront nos « Quatre-Temps » ; le carême tout
entier constitue l'un d'eux et il est, à cet égard « sacratissimum
maximumque jejunium » (4ᵉ sermon sur le carême, 1 ; 11ᵉ sermon,
id. ; SC 49 bis, p. 100 et 182) ; nos « Quatre-Temps de carême »
seront plus tard isolés dans la période des Quarante jours.

la volupté ce qui deviendrait un fardeau. En effet, s'il
est vrai que la chair ne désire rien sans le concours de
l'âme et qu'elle reçoive ses sensations du même principe
qui lui donne aussi le mouvement, il est cependant au
pouvoir de cette âme de refuser certaines choses à la
matière qui lui est soumise et, par un jugement intérieur,
d'imposer un frein, pour n'en pas souffrir, à ce qui lui
est extérieur ; ainsi, plus souvent libre des désirs charnels,
elle pourra vaquer à la divine sagesse dans l'intime de
son esprit où, tout fracas des soucis terrestres faisant
silence, elle trouvera sa joie dans les méditations saintes
et dans les délices éternelles. Sans doute est-il difficile
en cette vie de réaliser cela d'une façon continue ; mais
on peut cependant s'y adonner souvent, en sorte que nous
nous occupions plus fréquemment et plus longuement
de ce qui est spirituel que de ce qui est charnel ; ainsi,
lorsque nous consacrons plus de temps à des préoccupations meilleures, nos actions temporelles elles-mêmes se
changent en incorruptibles richesses[1].

2. Cette utile observance, bien-aimés, est l'objet prin-
cipal des jeûnes de l'Église, qui, selon l'enseignement
du Saint-Esprit, ont été répartis de telle sorte, tout au
long de l'année, que la loi de l'abstinence soit marquée
en toute saison. Car nous célébrons un jeûne de printemps
durant le carême, un jeûne d'été à la Pentecôte, un jeûne
d'automne au septième mois et un jeûne d'hiver en ce
mois qui est le dixième[2], comprenant que rien n'échappe
aux préceptes divins et que les éléments sont tous au
service de la parole de Dieu pour notre instruction ; les
moments essentiels dans la marche du monde lui-même[3],
à l'instar des quatre évangiles, nous apprennent, comme

3. Il s'agit des saisons, moments principaux de l'année, comme en
ce texte de PLINE : « Cardines temporum quadripertita anni distinc-
tione constant per incrementa lucis » (*Hist. nat.* XVIII, 25, 220).

incessabili tuba* discimus quod et praedicemus et
agamus. Dicente enim propheta : *Caeli enarrant
gloria Dei, et opera manuum ejus annuntiat firma-
mentum : dies diei eructat verbum, et nox nocti indicat
scientiam*[1] ; quid est per quod nobis veritas non
loquatur* ? Ipsius voces in die, ipsius audiuntur
in nocte, et pulchritudo rerum unius Dei opificio
conditarum, non desinit cordis auribus magistram
insinuare rationem, ut invisibilia Dei per ea quae
facta sunt intellecta conspiciantur[2], et non creaturis,
sed Creatori omnium serviatur[3]. Cum ergo universa
vitia per continentiam destruantur, et quidquid
avaritia sitit, quidquid superbia ambit, quidquid
luxuria concupiscit, hujus virtutis soliditate superetur ; quis non intelligat quantum nobis praesidii
per jejunia conferatur ? in quibus indicitur, ut non
solum a cibis, sed etiam ab omnibus carnalibus
desideriis temperetur. Alioqui superfluum est suscipere esuriem, et iniquam non deponere voluntatem ;
reciso affligi cibo, et a concepto non resilire peccato.
Carnale est, non spiritale jejunium, ubi soli corpori
non parcitur, et in iis quae omnibus deliciis nocen-
tiora sunt, permanetur. Quid prodest animae foris
agere dominam*, et intus servire captivam, membris*
imperare, et jus propriae libertatis amittere ? Et
merito plerumque patitur famulam rebellantem[4]
quae non reddit Domino debitam servitutem. Jejunans* ergo corpore ab escis, mens jejunet a vitiis
et curas cupiditatesque terrenas regis sui lege dijudicet.

   3. Meminerit primam dilectionem Deo, secundam

1. *Ps.* 18, 2-3.
2. Cf. *Rom.* 1, 20.
3. Cf. *ibid.*, 1, 25.
4. La chair qui lui est associée, mais doit lui rester soumise.

par l'appel incessant de la trompette, ce qu'il nous faut prêcher et faire. Car le Prophète a dit : « Les cieux racontent la gloire de Dieu et l'œuvre de ses mains, le firmament l'annonce ; le jour au jour en publie le récit et la nuit à la nuit transmet la connaissance[1] » ; qu'y a-t-il, par conséquent, dont la Vérité ne se serve pour nous parler ? Ses paroles s'entendent le jour, elles s'entendent la nuit, et la beauté des choses créées par le travail d'un seul Dieu ne cesse de communiquer aux oreilles de notre cœur les leçons de la raison ; ainsi les perfections invisibles de Dieu se laissent voir à l'intelligence à travers ses œuvres[2], et ce que l'on sert, ce ne sont pas les créatures, mais le Créateur de toutes choses[3]. Si donc tous les vices sont détruits par la sobriété et si la fermeté de cette vertu triomphe de tout ce que convoite l'avarice, de tout ce qu'ambitionne l'orgueil, de tout ce que désire la luxure, qui ne comprendra quel grand secours nous apportent les jeûnes ? Car ce qui nous est demandé pour les pratiquer, c'est de nous priver non seulement d'aliments, mais encore de tout désir charnel. Il est d'ailleurs inutile de souffrir volontairement de la faim et de ne pas renoncer en même temps à un vouloir mauvais, de s'infliger une privation de nourriture et de ne pas se dégager d'un péché déjà conçu dans l'âme. Charnel et non spirituel est le jeûne, quand on ne s'en prend qu'au corps et que l'on persiste à demeurer en ce qui est plus nuisible que toutes les délices. Que sert à l'âme d'agir extérieurement en maîtresse et d'être intérieurement esclave et prisonnière, de commander à ses membres et d'abandonner tout droit à sa propre liberté ? Et c'est à juste titre qu'elle souffre souvent la rébellion de la servante[4], elle qui ne sert par le Seigneur comme elle le devrait. Jeûnant donc d'aliments grâce au corps, que l'esprit jeûne de vices et apprécie les soucis et les convoitises terrestres selon la loi de son roi.

3. Que cet esprit se souvienne qu'il doit le premier

debere se* proximo, omnesque affectus suos hac
regula dirigendos, ut nec a cultu recedat Domini,
nec ab utilitate conservi. Quomodo autem Deus
colitur, nisi ut quod ipsi placet, placeat et nobis ;
nec ab ejus imperio noster umquam resultet affectus ?
Quoniam si hoc quod ille vult volumus, ab illo
sumet infirmitas nostra virtutem, a quo ipsam
accepimus voluntatem : *Deus est enim*, sicut ait
Apostolus, *qui operatur in nobis et velle et perficere
pro bona voluntate*[1]. Nec superbia itaque homo
inflabitur, nec desperatione frangetur, si bonis divinitus datis in gloriam dantis utatur, et ab iis desideria
sua revocet quae sibi nocitura cognovit*. Abstinens
enim ab invidiae malignitate, a luxuriae dissolutione,
a perturbatione iracundiae, a cupiditate vindictae,
purificabitur veri sanctificatione jejunii, et incorrup-
tibilium deliciarum voluptate pascetur, ut per usum
spiritalem etiam terrenas copias in caelestem noverit
transferre substantiam, non sibi condendo quae
acceperit, sed magis magisque multiplicando quod
dederit.

Unde paternae caritatis affectu dilectionem vestram
monemus, ut jejunium decimi mensis fructuosum
vobis eleemosynarum largitate faciatis, gaudentes
quod per vos Dominus pauperes suos pascit e
vestit ; quibus utique posset eas quas vobis contuli
tribuere facultates, nisi pro ineffabili misericordia
sua et illos justificaret* de patientia laboris, et vo
de opere caritatis.

Quarta igitur et sexta sabbati* jejunemus ; sabbate
autem apud beatissimum apostolum Petrum vigilia
celebremus, qui et orationes, et jejunia, et eleemo

1. *Phil.* 2, 13.

amour à Dieu, le second au prochain, et que la règle de
tous ses sentiments est de ne négliger ni le culte du Seigneur
ni l'utilité de quiconque le sert avec nous. Mais comment
rend-on un culte à Dieu, sinon lorsque ce qui lui plaît
nous plaît à nous aussi et que notre cœur ne s'écarte
jamais de son commandement ? En effet, si nous voulons
ce qu'il veut, notre faiblesse trouvera sa force en celui de
qui nous recevons jusqu'à notre vouloir, « car c'est Dieu,
dit l'Apôtre, qui opère en nous et le vouloir et l'opération
au profit de ses bienveillants desseins[1] ». C'est pourquoi
l'homme ne s'enflera pas d'orgueil ni ne sera abattu par
le désespoir, si c'est pour la gloire de celui qui les donne
qu'il utilise les biens qui lui sont divinement donnés
et s'il éloigne ses désirs de ce qu'il a appris devoir lui
nuire. S'il se garde, en effet, de l'envie méchante, de la
luxure dissolvante, du trouble qu'engendre la colère,
du désir de se venger, il se purifiera alors en se sanctifiant
par un jeûne authentique et se rassasiera de la volupté
de délices incorruptibles ; il saura, par l'usage spirituel
qu'il en fera, transformer les biens terrestres eux-mêmes
en richesses célestes, ne gardant pas pour lui ce qu'il a
reçu, mais multipliant toujours davantage ce qu'il aura
donné.

C'est pourquoi, dans un sentiment d'amour paternel,
nous exhortons votre charité à vous rendre profitable,
par l'abondance des aumônes, le jeûne du dixième mois ;
vous vous réjouirez alors de ce que, par votre ministère,
le Seigneur nourrisse et habille ses pauvres ; il aurait,
certes, pu donner à ceux-ci les ressources qu'il vous a
accordées, si, dans son ineffable miséricorde, il ne les
justifiait, eux, par la patience dans l'épreuve comme
vous par l'exercice de la charité.

Nous jeûnerons donc mercredi et vendredi ; et samedi,
nous célébrerons les veilles auprès du saint apôtre Pierre
qui daignera aider, par ses prières, nos oraisons, nos

synas nostras precibus suis dignabitur adjuvare,
praestante Domino nostro Jesu Christo, qui cum
Patre et sancto Spiritu vivit et regnat in saecula
saeculorum. Amen.

90

(XX)

DE DECIMI MENSIS JEJUNIO SERMO IX[1]

1. Dispensationes misericordiae Dei, quas Salvator
noster pro humani generis reparatione suscepit, ita
sunt, dilectissimi, divinitus ordinatae, ut Evangelium
gratiae velamen legis tolleret[2], non instituta des-
trueret. Unde custodienda nobis est Dominica illa
sententia, qua dixit non se* venire legem solvere,
sed implere[3], ut nos quoque huic regulae, quantum
donante Deo possumus, serviamus : scientes nihil
esse de veteris Testamenti constitutionibus negligendum, si vigilanter studeamus agnoscere quid ibi
transitura obumbratione velatum, quid permansura
actione sit conditum. Nam discretio ciborum et

1. Ce sermon peut être daté de 445 ou plus tard (hors collection).
2. Cf. *II Cor.* 3, 15-16 : c'est le voile qui est posé sur le cœur de
juifs et qui les empêche de découvrir le Christ dans la lecture d
l'ancien Testament.
3. Cf. *Matth.* 5, 17 : « Nolite putare quoniam veni solvere legem
aut prophetas ; non veni solvere, sed adimplere. »

jeûnes et nos aumônes, avec l'assistance de notre Seigneur
Jésus-Christ qui, avec le Père et le Saint-Esprit, vit et
règne dans les siècles des siècles. Amen.

90

(XX)

NEUVIÈME SERMON SUR LE JEÛNE
DU DIXIÈME MOIS[1]

SOMMAIRE. — 1. Certaines prescriptions de la loi ancienne
sont tombées en désuétude, tandis que d'autres sont à
conserver ; ce sont les commandements et préceptes
moraux ; ainsi en est-il de l'abstinence. — 2. Par le
sacrifice de l'aumône et du jeûne, nous devons remercier
Dieu du produit des récoltes à l'occasion du dixième mois ;
faisons profiter les pauvres de notre abondance. —
3. Développement sur l'amour de Dieu et l'amour du
prochain.

1. L'économie de la miséricorde de Dieu, que notre
Sauveur a mise en œuvre pour la restauration du genre
humain, a été, bien-aimés, divinement ordonnée de telle
façon que l'évangile de la grâce, en enlevant le voile de la
loi[2], n'en a pas supprimé les institutions. Aussi devons-
nous mettre en pratique cette parole du Seigneur selon
laquelle il n'est pas venu abolir la loi, mais l'accomplir[3],
d'une manière telle que nous obéissions, nous aussi, à
cette règle, autant du moins que nous le pouvons avec
l'aide de Dieu ; car nous savons qu'il ne faut rien négliger
des institutions de l'ancien Testament, à condition que,
en agissant ainsi, nous nous appliquions avec soin à
reconnaître, d'une part, ce qui y est caché sous un voile
destiné à disparaître et, d'autre part, ce qui y est établi
par une action appelée à durer. En effet, le choix des

hostiarum, circumcisio carnis, differentia baptismatum, et observatio baptismorum[1], non adhuc sub
figuratis significationibus sunt agenda, quae etiam
sunt rebus ipsis quae significabantur impleta ; mandata vero et praecepta moralia sicut sunt edita
perseverant, quia non aliud insinuant quam loquun-
tur, et apud Christianam devotionem augmento
crescunt, non cessatione deficiunt. Diligere itaque
Deum et proximum, honorare patrem et matrem,
non adorare deos alienos, et caetera, quae aut terribiliter sunt prohibita, aut salubriter imperata, non
aliter ex legalibus institutis quam ex evangelici
veneramur edictis, ut quamvis multa accesserint
ex novitate gratiae, nihil tamen imminutum sit de
antiquitate justitiae. Unde merito disposuerunt apostolicae sanctiones ut veterum jejuniorum utilitas
permaneret, et licet Ecclesiae consuetudo prolixio-
ribus se castigationibus exercere didicisset, amplec-
teretur tamen continentiae sanctificationem ex lege
venientem : quibus enim donatum erat posse quod
majus est, indecens fuit non celebrare quod minus
est.

2. Hac ergo ratione, dilectissimi, evidenter instructi
ecclesiasticis regulis jejunium decimi mensis adjun-
gimus, idque devotioni vestrae, sicut est moris,
indicimus : quoniam plenum pietatis plenumque
justitiae[2] est ut terrenorum fructuum perceptione
conclusa agantur gratiae Deo*, et sacrificium
misericordiae Deo offeramus, non ob pecuniam solam,
sed qui scient abundantiam quo mali pro verbum avec

---

1. Il semble qu'il n'y ait pas lieu d'attribuer ici un sens différent
aux mots *baptisma* et *baptismus* (ou *baptismum*). Le *Thesaurus
linguae latinae*, citant le texte de S. Léon qui nous occupe, les confond
sous l'acception de *ritus ablutionis*.

2. L'expression « plenum justitiae atque pietatis » revient
plusieurs fois dans les *Sermons sur les jeûnes* : au *Sermon* 86, 1,
consistait à aider les autres hommes au moyen des biens que

liments et des victimes, la circoncision de la chair, la
distinction des ablutions et l'observance des purifications[1],
tout cela n'a plus à être pratiqué sous la forme de figures
t de signes, ceux-ci ayant désormais reçu leur accomplis-
ement dans les choses mêmes qu'ils signifiaient ; par
ontre, les commandements et préceptes moraux demeurent
els qu'ils ont été promulgués, car ils n'enseignent rien
'autre que ce qu'ils expriment, et la dévotion chrétienne
eur donne même plus d'importance, loin de les faire
esser et disparaître. Aussi, aimer Dieu et le prochain,
onorer son père et sa mère, ne pas adorer de dieux étran-
ers et toutes autres choses qui ont été soit interdites
ous de terribles sanctions, soit salutairement comman-
ées, tout cela, nous le vénérons en vertu aussi bien des
stitutions de la Loi que des préceptes de l'Évangile.
ans doute la nouvelle loi de grâce a ajouté bien des
hoses, mais rien n'a été amoindri de ce qui venait de la
stice ancienne. Les décisions apostoliques ont donc
isposé avec raison que les anciens jeûnes garderaient leur
tilité et la coutume de l'Église, tout en ayant appris à
exercer en des pratiques d'ascèse plus abondantes,
nbrasse cependant la sainte abstinence qui lui vient de
Loi : de la part de ceux, en effet, à qui il était donné
pouvoir faire plus, il eût été inconvenant de ne pas
atiquer le moins.

2. C'est donc clairement instruits par cette règle,
en-aimés, que nous adjoignons aux lois de l'Église le
ûne du dixième mois et le prescrivons à votre dévotion,
mme le veut la coutume. C'est, en effet, donner sa
énitude à la piété et sa plénitude à la justice[2] que de
ndre grâces à Dieu, une fois achevée la récolte des
uits de la terre, et de s'acquitter envers lui du sacrifice

re céleste nous donne ; au *Sermon* 87, 1, il s'agissait de la reconnais-
nce envers Dieu pour ces biens ; ici, les deux choses sont unies,
tion de grâces et charité (cf. *supra*, p. 176 et 192).

misericordiae cum jejunii immolatione solvatur[1].
Gaudeat quisque de copia sua, et multa se horreis
suis intulisse laetetur, sed ita ut de abundantia ejus
etiam a pauperibus gaudeatur. Fecunditatem segetum, fluenta vitium, partus arborum, ubertas imitetur
animorum : quod dedit terra, dent corda ; ut possimus
dicere cum propheta : *Terra nostra dedit fructum
suum*[2]. Deus namque verus et summus agricola[3] non
solum corporalium, sed etiam spiritualium auctor
est fructuum, et utraque semina, utraque plantaria
duplici novit exercere cultura : dans agris profectus
germinum, dans animis incrementa virtutum, quae
sicut ab una providentia sumpsere principium, ita
ad unius operis vocant effectum. Homo enim, ad
imaginem et similitudinem Dei factus[4], nihil habet
in naturae suae honore tam proprium quam ut
bonitatem sui imitetur auctoris, qui donorum suorum, sicut misericors largitor est, ita est et justus
exactor, volens nos operum suorum esse consortes :
ut quamvis nullam nos valeamus creare naturam,
possimus tamen acceptam per Dei gratiam exercere
materiam : quia non ita usui nostro bona terren
collata sunt, ut carnalium tantum sensuum volupta
satietatique servirent ; alioquin nihil a pecudibus

---

1. Sacrifice de miséricorde — l'aumône — et immolation d
jeûne constituent de la part des chrétiens un sacrifice d'action
grâces pour les bienfaits d'ordre temporel reçus de Dieu en ce dixièm
mois : ainsi sont-ils la réplique des sacrifices de l'ancienne Loi auxque
le début du sermon a fait allusion.

2. *Ps.* 66, 7.

3. Cf. *Jn* 15, 1 : « Ego sum vitis vera et Pater meus agricola est
S. Augustin commente ainsi ce texte, d'une manière qui a
inspirer S. Léon : « Si agricola dicitur (Deus), agrum colit. Que
agrum ? Colit nos. Et agricola terrae hujus visibilis arare potes
fodere potest, plantare potest ; rigare, si quam invenerit, potes
numquid potest incrementum dare, germen educere in terra
radicem figere, in auras promovere, robur addere ramis, fructibu

le la miséricorde en y joignant l'immolation du jeûne[1]. Que chacun se réjouisse de ce qu'il possède et se félicite l'avoir serré beaucoup de biens dans ses greniers, mais à la condition que les pauvres se réjouissent aussi de son abondance. Que la générosité des âmes prenne exemple sur la fécondité des moissons, sur le ruissellement des vignes, sur la production des arbres ; que les cœurs donnent ce qu'a donné la terre, afin que nous puissions dire avec le Prophète : « Notre terre a donné son fruit[2]. » Car Dieu, véritable et souverain agriculteur[3], est l'auteur des fruits non seulement corporels, mais encore spirituels, et il fait, par une double culture, faire prospérer l'une et l'autre semence, l'un et l'autre plant ; il donne aux champs le rendement des semis, il donne aux âmes l'accroissement des vertus ; les uns et les autres ont reçu leur commencement d'une Providence unique et invitent à procurer la fin d'une œuvre unique. En effet, il n'est rien de plus propre à l'homme, créé à l'image et ressemblance de Dieu[4], et à ce qui fait l'honneur de sa nature, que d'imiter la bonté de son Auteur ; celui-ci non seulement est le dispensateur miséricordieux de ses dons, mais il en est aussi le juste créancier, dans sa volonté que nous participions à ses œuvres ; de la sorte, sans pouvoir en aucune façon créer la nature, nous pouvons cependant faire valoir la matière reçue de la grâce de Dieu ; les biens de la terre, en effet, n'ont pas été confiés à notre usage pour servir à la volupté et au rassasiement de nos sens charnels ; sinon nous ne différerions en rien des animaux, en rien des

erare, foliis honestare ? Numquid agricola potest ? Agricola tamen ster Deus Pater omnia ista potest in nobis. Quare ? Quia credimus Deum Patrem omnipotentem » (*Sermo* CCXIII, 9, *PL* 38, 1065).
a *Sermon* 68, 3, S. Léon avait déjà parlé de Dieu comme du suprême agriculteur qui jette dans les âmes les semences des vertus (cf. *supra*, p. 44).

4. Cf. *Gen.* 1, 26 : « Faciamus hominem ad imaginem et similitudinem nostram. »

nihil distaremus a bestiis, quae alienis necessitatibus
consulere nesciunt, et solam sui ac suorum fetuum
curam habere noverunt.

3. Animalia igitur, carentia intellectu, nullo sunt
erudita mandato, nec acceperunt legem, quae non
accepere rationem ; ubi autem est illuminatio rationis
ibi est et disciplina pietatis, quae dilectionem et
Deo debet et proximo. Non enim aliter probatur
homo amator esse sui, nisi appareat eum et supra
se naturae suae auctorem, et secundum se naturae
suae amare consortem. Merito in his duobus mandati
tota lex pendet et prophetae[1], merito disputationum
omnium latitudo sub paucorum brevitate verborum
plenissimo est explicata compendio. Diligatur Deus
diligatur et proximus, ita ut formam diligendi
proximi ab ea qua nos Deus diligit dilectione suma-
mus, qui etiam malis bonus est, et benignitatis suae
donis non solum cultores suos confovet, sed etiam
negatores[2]. Amentur propinqui, amentur extranei
et quod debetur amicis, supererogetur inimicis
Quamvis enim quorumdam malignitas nulla humanitate mitescat, non sunt tamen infructuosa oper
pietatis, nec umquam perdit benevolentia quo
praestat ingrato. Nemo se, dilectissimi, ab oper
bono faciat alienum, nemo de sua tenuitate causetu
tamquam qui sibi vix sufficit, et alium juvare no
possit. Magnum est quod proferat ex parvo, et i
divinae lance justitiae non quantitate munerun
sed pondere pensatur animorum. Evangelica vidu
duos nummos in gazophylacium misit, et omniu

---

1. Cf. *Matth.* 22, 40.
2. Cf. *ibid.*, 5, 45 : « Ut sitis filii patris vestri qui in caelis es
qui solem suum oriri facit super bonos et malos, et pluit super just
et injustos. »

bêtes, qui ne savent pas se préoccuper des besoins des
autres, et ne savent que prendre soin d'elles-mêmes et de
leurs petits.

3. Les animaux donc, privés d'intelligence, n'ont pas
été instruits à obéir à des commandements, ils n'ont pas
reçu de loi, eux qui n'ont pas reçu la raison ; mais, là où
se trouve la lumière de la raison, là aussi se trouve l'obligation de la bonté, qui consiste dans le devoir de l'amour
envers Dieu comme envers le prochain. L'homme, en effet,
n'a d'autre moyen de prouver qu'il s'aime lui-même qu'en
manifestant qu'il aime plus que lui-même l'Auteur de
la nature et comme lui-même celui qui partage sa nature.
C'est à juste titre que toute la loi et les prophètes reposent
sur ces deux commandements[1], à juste titre que l'immen-
sité de toutes les discussions se résoud en cet abrégé
absolument complet dans la brièveté de ses quelques mots.
Que Dieu soit aimé, que le prochain soit aimé lui aussi,
de telle manière que nous prenions le modèle de l'amour
pour le prochain dans l'amour dont Dieu nous aime,
car il est bon même envers les méchants et réconforte
des dons de sa bonté non seulement ceux qui l'honorent,
mais encore ceux qui le nient[2]. Aimons nos proches,
aimons ceux qui nous sont étrangers ; ce que nous devons
à nos amis, donnons-le de surcroît à nos ennemis. Si la
méchanceté de certains, en effet, ne se laisse adoucir
par aucune marque d'humanité, nos œuvres de miséricorde
n'en sont pas pour autant sans fruit et la bonté ne perd
jamais ce qu'elle donne à un ingrat. Que personne, bien-
aimés, ne soit étranger à l'exercice des bonnes œuvres,
que personne n'allègue son indigence, comme si celui qui se
suffit à peine ne pouvait en aider un autre. Grand est ce
qu'il tirera du peu qu'il a, car, dans la balance de la
justice divine, on le pèse non à la quantité des dons, mais
au poids des cœurs. La veuve de l'Évangile mit dans le
trésor du Temple deux piécettes et surpassa les dons

divitum dona transcendit[1]. Nulla apud Deum vilis
est pietas, nulla infructuosa miseratio. Diversos
quidem hominibus dedit census, sed non diverso.
quaerit affectus. Aestiment omnes substantias suas
et qui plus accepere, plus tribuant. Fiat abstinentia
fidelium, cibus pauperum, et quod quisque subtrahi
sibi, proficiat indigenti : quia licet multum et animis
et corporibus conferant remedia parcitatis, parum
tamen utilia sunt ipsa jejunia, nisi misericordia
sanctificentur effectu. In eleemosynis enim virtu
quaedam est instituta baptismatis, quia *sicut aqua
exstinguit ignem, sic eleemosyna peccatum*[2] ; e
per eumdem Spiritum* dicitur, *Lavamini, munc
estote*[3], per quem dicitur, *Date eleemosynam et omni
munda sunt vobis*[4] ; ut nemo ambigat, nemo diffida
regenerationis sibi nitorem etiam post multa peccat
restitui, qui eleemosynarum studuerit purification
mundari[5].

1. Cf. *Mc* 12, 41-44.

2. *Sir.* 3, 30 selon LXX ; la Vulgate (3, 33) porte : « Igne
ardentem extinguit aqua, et eleemosyna resistit peccatis. »

3. *Is.* 1, 16, que S. Léon met dans la bouche du Christ, inspirate
des prophètes en tant que Verbe du Père.

de tous les riches[1]. Aucun geste de bonté n'est vil auprès
de Dieu, aucune miséricorde n'est sans fruit. Différents
sont, sans doute, les revenus qu'il a donnés aux hommes,
mais non différents les sentiments qu'il cherche. Que tous
fassent l'estimation de leurs ressources et que ceux qui
ont reçu davantage donnent davantage. Que les privations
des fidèles deviennent la nourriture des pauvres et que
profite à l'indigent ce que chacun se retranche à lui-même.
S'il est vrai, en effet, que la sobriété est un remède qui
apporte beaucoup et à l'âme et au corps, les jeûnes eux-
mêmes sont pourtant de peu d'utilité s'ils ne sont sanctifiés
par une miséricorde effective. Dans les aumônes, en
effet, se trouve insérée comme une vertu baptismale,
car, de même que l'eau éteint le feu, l'aumône fait pareillement pour le péché[2] ; et c'est par le même Esprit qu'il
est dit : « Lavez-vous, soyez purs[3] » et : « Faites l'aumône,
et tout, pour vous, sera pur[4] » ; il dit cela afin que personne
n'hésite, que personne ne doute de retrouver, même après
de nombreux péchés, la blancheur de sa régénération,
s'il s'applique à se purifier par les aumônes[5].

4. *Lc* 11, 41.
5. La conclusion habituelle sur l'indiction des jours de jeûne
de la semaine manque à ce sermon.

91
(XCV)

HOMILIA DE GRADIBUS ASCENSIONIS AD BEATITUDINEM[1]

De eo quod scriptum est : Videns Jesus turbas, ascendit in montem ; et cum sedisset, accesserunt ad eum discipuli ejus, etc. (*Matth.* 5, 1 s.)

1. Praedicante, dilectissimi, Domino nostro Jesu Christo Evangelium regni, et diversos per totam Galilaeam curante languores, in omnem se Syriam virtutum ejus fama diffuderat[2] ; et multae ex universa Judaea turbae ad caelestem medicum confluebant. Quia enim tarda est humanae ignorantiae fides ad credenda quae non videt, et speranda quae nescit, oportebat divina eruditione firmandos corporeis beneficiis et visibilibus miraculis incitari : ut cujus tam benignam experiebantur potentiam, non ambigerent salutarem esse doctrinam. Ut ergo exteriores medelas Dominus ad remedia interiora transferret, et post sanitates corporum curationes operaretur animarum, segregatus a circumstantibus turbis,

---

1. Ce sermon a pu être prononcé à l'occasion d'une fête des Apôtres disparue aujourd'hui du calendrier, comme l'indique le titre d'un manuscrit, mais non à celle de la fête de tous les Saints, où se lit aujourd'hui l'évangile des béatitudes, car elle n'existait pas encore au temps de S. Léon.

2. Cf. *Matth.* 4, 23-24 : « Et circuibat Jesus totam Galilaeam, ... praedicans evangelium regni et sanans omnem languorem... Et abiit opinio ejus in totam Syriam. »

91

(XCV)

HOMÉLIE SUR LES DEGRÉS DE LA BÉATITUDE[1]

Sur ces mots de l'Écriture : « Jésus, voyant les foules, gravit la montagne ; il s'assit et ses disciples vinrent auprès de lui », etc. (*Matth.* 5, 1 s.)

SOMMAIRE. — 1. Miracles et enseignement de notre Seigneur ; il a donné la loi de grâce au sommet d'une montagne, comme il avait donné la loi ancienne à Moïse sur le mont Sinaï. — 2. La béatitude de la pauvreté. — 3. Elle a été pratiquée en premier lieu par les Apôtres. — 4. La béatitude des affligés. — 5. La béatitude des doux. — 6. La béatitude des affamés de justice. — 7. La béatitude des miséricordieux. — 8. La béatitude des cœurs purs. — 9. La béatitude des pacifiques. Conclusion.

1. Notre Seigneur Jésus-Christ, bien-aimés, allait prêchant l'évangile du Royaume et guérissant toutes sortes de maladies à travers toute la Galilée ; la renommée des actions accomplies par sa puissance se répandait dans toute la Syrie[u] et des foules nombreuses affluaient de la Judée entière vers le céleste médecin. L'ignorance humaine, en effet, étant lente à croire à ce qu'elle ne voit pas et à espérer ce qu'elle ne connaît pas, il fallait que des bienfaits corporels et des miracles visibles éveillent l'attention de ceux qui avaient besoin d'être fortifiés par l'enseignement divin ; ainsi, expérimentant un pouvoir si bienfaisant, ne douteraient-ils pas que sa doctrine ne fût une doctrine de salut. Voulant donc transformer des guérisons extérieures en remèdes intérieurs et, une fois la santé rendue aux corps, opérer la guérison des âmes, le Seigneur s'écarta des foules qui l'entouraient et gagna la retraite d'une

secessum vicini montis ascendit, advocatis apostolis,
quos sublimioribus institutis ab edito mysticae
sedis imbueret, ex ipsa loci atque operis qualitate
significans se esse qui Mosen quondam suo fuisset
dignatus alloquio : illic quidem terribiliore justitia,
hic autem sacratiore clementia, ut impleretur quod
fuerat, propheta Jeremia dicente, promissum :
*Ecce dies veniunt, dicit Dominus, et disponam domui**
*Israel. Post dies illos, dicit Dominus, dabo leges meas
in sensu ipsorum, et in corde ipsorum scribam eas*[1].
Qui ergo locutus fuerat Mosi locutus est et apostolis,
et in cordibus discipulorum velox scribentis[2] Verbi
manus novi Testamenti decreta condebat ; nulla
ut quondam circumfusa nubium crassitudine, neque
per terribiles sonos atque fulgores populo ab accessu
montis absterrito, sed patente ad aures circumstan-
tium tranquillitate colloquii : ut per gratiae lenitatem
removeretur legis asperitas, et spiritus adoptionis
auferret formidinem servitutis[3].

2. Qualis igitur doctrina sit Christi sacrae ipsius
sententiae protestantur : ut qui ad aeternam beatitudinem pervenire desiderant, gradus felicissimae
ascensionis agnoscant. *Beati*, inquit, *pauperes spiritu,*

---

1. *Jér.* 31, 31.33.

2. Cf. *Ps.* 44, 2 : « Lingua mea calamus scribae velociter scribentis. »

3. Dans cette homélie, S. Léon dépend souvent, et parfois même
littéralement, du *3e traité sur l'évangile de S. Matthieu* de S. Chromace
évêque d'Aquilée de 388 à 408. Nous signalerons au passage les
rapprochements à faire. En particulier, dans ce premier paragraphe
certains thèmes sont les mêmes : Jésus qui donne la loi nouvelle
aux Apôtres sur la montagne (que S. Chromace identifie avec le
Mont des Oliviers) est le même qui a donné l'ancienne à Moïse sur le
Sinaï, alors dans un appareil inspirant la crainte, maintenant dans
une atmosphère de bienveillance et de bénédiction.

Le *3e traité* de S. Chromace *sur S. Matthieu* est édité dans Migne,
PL 20, 331-337 et dans *CC* IX, p. 391-442. Jusqu'à ces dernières
années, il subsistait peu de chose de l'œuvre littéraire de cet auteur.

montagne voisine, y appelant ses Apôtres afin de les
instruire de plus sublimes leçons du haut de ce siège
mystique ; par le caractère même du lieu et de l'action,
il signifiait qu'il était celui-là qui, autrefois, avait daigné
favoriser Moïse de ses entretiens ; alors, il est vrai, c'était
dans l'appareil d'une terrible justice, à présent c'était
sous l'apparence d'une mansuétude plus sacrée, afin que
s'accomplît ce qui avait été promis par la bouche du
prophète Jérémie : « Voici venir des jours, dit le Seigneur,
où je statuerai pour la maison d'Israël... Après ces jours-là,
dit le Seigneur, je mettrai mes lois dans leur pensée et
je les écrirai dans leur cœur[1]. » Celui donc qui avait parlé
à Moïse parla aussi aux Apôtres et, dans le cœur des disciples, le Verbe écrivait d'une main rapide[2] les commandements de la nouvelle Alliance ; non plus comme autrefois
au milieu d'épaisses nuées ni dans la frayeur du tonnerre
et des éclairs qui écartaient de tout accès à la montagne
un peuple terrifié, mais dans une conversation paisible
et publique qu'entendaient tous ceux qui l'entouraient ;
ainsi la douceur de la grâce supprimait la dureté de la loi
et l'esprit d'adoption abolissait la crainte propre à l'esclave[3].

2. Qu'est-ce donc que la doctrine du Christ ? Ses paroles
sacrées le proclament et ceux qui désirent arriver à l'éternelle béatitude connaîtront par elles les degrés de cette
bienheureuse montée. « Heureux, dit-il, les pauvres en

Dom Lemarié a récemment retrouvé une trentaine d'homélies ainsi
que des fragments et les a publiés dans *SC* 154 et 164 (1969 et 1971).
Les contemporains de S. Chromace, notamment S. Jérôme, ont
loué sa sainteté et sa science. Cf. l'introduction de Dom Lemarié au
tome 154 de *SC*.

S. Léon n'a rien emprunté au *Sermon* du même auteur *sur les
béatitudes* (*SC* 154, 166-173 ; *CC* IX, 383-388) ni aux commentaires
de S. Augustin sur le même texte (*De Sermone Domini in monte*,
PL 34, 1231-1237, et *Sermo I de timore Dei*, *PL* 39, 1525-1526) ;
par contre il a connu les commentaires de S. Hilaire et de S. Jérôme
sur S. Matthieu, comme on le notera à l'occasion.

quoniam ipsorum est regnum caelorum[1]. De quibus
pauperibus Veritas loqueretur forte esset ambiguum,
si dicens, *Beati pauperes*, nihil adderet de intelligenda pauperum qualitate ; et sufficere videretur
ad promerendum regnum caelorum ea sola inopia
quam multi sub gravi et dura necessitate patiuntur.
Sed cum dicit, *Beati pauperes spiritu*, ostendit eis
regnum caelorum tribuendum quos humilitas commendat animorum magis quam indigentia facultatum[2]. Dubitari autem non potest quod humilitatis
istius bonum facilius pauperes quam divites asse-
quantur : dum et illis in tenuitate amica est
mansuetudo, et istis in divitiis familiaris elatio.
Verumtamen et in plerisque divitibus invenitur hic
animus qui abundantia sua non ad tumorem superbiae, sed ad opera benignitatis utatur, idque pro
lucris maximis numeret quod ad relevandam miseriam
alieni laboris impenderit. Omni generi atque ordini
hominum datur in hac virtute consortium, quia
possunt esse proposito pares, et impares censu ;
nec interest quantum sint in facultate terrena
dissimiles, qui in spiritalibus bonis inveniuntur
aequales. Beata igitur illa paupertas, quae rerum
temporalium amore non capitur, nec mundi opibus
augeri appetit, sed caelestibus bonis ditescere concupiscit.

3. Hujus nobis magnanimae paupertatis exemplum
primi post Dominum apostoli praebuerunt, qui omnia
sua sine differentia relinquentes, ad vocem caelestis
magistri, a captura piscium[3] in piscatores hominum

---

1. *Matth.* 5, 3.
2. S. JÉRÔME a dit de même : « Ne quis putaret paupertatem quae
nonnunquam necessitate portatur, a Domino praedicari, adjunxit
' spiritu ', ut humilitatem intelligeres, non penuriam » (*In Matthaeum* ;
PL 26, 34).

esprit, car le Royaume des cieux est à eux[1]. » On aurait pu
se demander de quels pauvres la Vérité avait voulu parler,
si, en disant : « Heureux les pauvres », elle n'avait rien
ajouté sur le genre de pauvres qu'il fallait entendre ;
il aurait alors semblé que, pour mériter le Royaume des
cieux, il suffisait du seul dénuement dont beaucoup
pâtissent par l'effet d'une pénible et dure nécessité.
Mais, en disant : « Heureux les pauvres en esprit », le
Seigneur montre que le Royaume des cieux doit être
donné à ceux que recommande l'humilité de l'âme plutôt
que la pénurie des ressources[2]. On ne peut douter cependant
que les pauvres acquièrent plus facilement que les riches
le bien qu'est cette humilité, car à ceux-là la douceur
est une amie dans leur indigence, tandis qu'à ceux-ci
l'orgueil est le compagnon de leur opulence. Pourtant,
chez beaucoup de riches également, on trouve cette
disposition d'âme qui les porte à user de l'abondance
non pour s'enfler d'orgueil, mais pour exercer la bonté
et qui compte au nombre des plus grands profits ce qui est
dépensé pour soulager la misère et la peine d'autrui. A
toutes les espèces et classes d'hommes il est donné d'avoir
part à cette vertu, car ils peuvent être à la fois égaux en
intention et inégaux en fortune ; peu importe de combien
diffèrent en ressources terrestres des hommes que l'on
trouve égaux en biens spirituels. Heureuse donc cette
pauvreté que n'enchaîne pas l'amour des richesses temporelles ; elle ne désire pas agrandir sa fortune en ce monde,
mais convoite de devenir riche des biens célestes.

3. De cette pauvreté magnanime, les Apôtres, les
premiers après le Seigneur, nous ont donné l'exemple ;
car, à l'appel du Maître céleste, ils ont abandonné tous
leurs biens indistinctement et, de pêcheurs de poissons[3]
qu'ils étaient, sont devenus, par une prompte conversion,

3. Cf. *Lc* 5, 9 : « In captura piscium, quam ceperant. »

alacri conversione mutati sunt[1], et multos sui similes
fidei suae imitatione fecerunt, quando illis primitivis
Ecclesiae* unum cor omnium et anima erat una
credentium[2] ; qui universis suis rebus possessionibusque distractis, per devotissimam paupertatem
bonis ditabantur aeternis, et ex apostolica praedicatione gaudebant nihil habere de mundo, et omnia
possidere cum Christo[3]. Hinc beatus Petrus apostolus,
cum ascendens in templum a claudo eleemosynam*
posceretur, *Argentum*, inquit, *et aurum non est mihi,
quod autem habeo, hoc tibi do : In nomine Jesu Christi
Nazareni surge et ambula*[4]. Quid hac humilitate
sublimius ? quid hac paupertate locupletius ? Non
habet praesidia pecuniae, sed habet dona naturae.
Quem debilem edidit mater ex utero, sanum fecit
Petrus ex verbo ; et qui imaginem Caesaris in nummo
non dedit[5], imaginem Christi in homine reformavit.
Hujus autem thesauri opibus non solum ille adjutus
est cui gressus est redditus, sed etiam quinque
millia virorum, quae* tunc ad exhortationem Apostoli
ob ejusdem curationis miraculum crediderunt[6]. Et
ille pauper qui non habebat quod petenti daret,

---

1. Cf. *Matth.* 4, 19 : « Faciam vos fieri piscatores hominum. »

2. Cf. *Actes* 4, 32 : « Multitudinis autem credentium erat cor
unum et anima una. »

3. Cf. *II Cor.* 6, 10 : « Tamquam nihil habentes et omnia possidentes. »

4. *Actes* 3, 6.

5. Cf. *Matth.* 17, 27 ; 22, 21 ; S. Léon se souvient de ces deux
textes, à la suite de S. Chromace.

6. Cf. *Actes* 4, 4. Tout ce passage s'inspire étroitement du
3e traité de S. CHROMACE *sur S. Matthieu*. Voici, pour en juger, le
texte de ce dernier où on a souligné les passages que S. Léon a repris
presque à la lettre : « *Cujus beatae paupertatis exemplum nobis primi
in se Apostoli praebuerunt*, qui contempta omni facultate, statim
secuti Domini vocem, ipsius esse discipuli meruerunt. Hos tales
pauperes etiam Apostolorum temporibus invenimus, qui primi

pêcheurs d'hommes[1] ; ils ont suscité de nombreux imi-
tateurs qui suivirent l'exemple de leur foi : ce fut lorsque
ces premiers-nés de l'Église n'avaient qu'un cœur et qu'une
âme communs à tous les croyants[2] ; partageant tous leurs
biens et toutes leurs possessions, ils s'enrichissaient des
biens éternels par leur généreuse pauvreté et, selon l'enseignement des Apôtres, ne rien avoir de ce monde et tout
posséder avec le Christ[3] les emplissait de joie. De là
vint que l'apôtre saint Pierre, montant au Temple et
sollicité par un boiteux de lui faire l'aumône, lui dit :
« Je n'ai ni argent ni or, mais ce que j'ai, je te le donne :
au nom de Jésus-Christ de Nazareth, lève-toi et marche[4]. »
Quoi de plus sublime que cette humilité ? Quoi de plus
riche que cette pauvreté ? Elle n'a pas à sa disposition
les secours de l'argent, mais elle a les dons de la nature.
De celui que sa mère avait mis infirme au monde, Pierre,
d'un mot, fit un homme plein de santé ; et lui qui ne donna
pas une pièce de monnaie à l'image de César[5] restaura
dans un homme l'image du Christ. Or cet homme à qui
le pouvoir de marcher fut rendu, ne fut pas le seul à profiter
des richesses d'un tel trésor, mais il y eut encore cinq
mille hommes qui crurent alors aux paroles de l'Apôtre
à cause de cette guérison miraculeuse[6]. Et ce pauvre,
qui n'avait pas de quoi donner à qui lui demandait

credentes, *universis rebus suis possessionibusque distractis, sub hac
devota paupertate* Domini divitias quaesierunt. Unde et Apostolus
in tali paupertate divitias inesse caelestes ostendit, dicens : Tamquam
nihil habentes, et omnia possidentes. *Inde denique Petrus, cum
ascendens in templum a claudo eleemosynam peteretur, ait : Argentum
et aurum non est mihi ; quod autem habeo, hoc tibi do : in nomine
Domini nostri Jesu Christi surge et ambula.* O vere beata paupertas,
quae cum nihil de mundi facultate habeat, tantum de caelo largitur !
Non dat quidem argentum vel aurum, sed quod plus est divitiis
omnibus, reddit corporis sanitatem. *Imaginem Caesaris in nummo,
quam daret, non habuit ; sed Christi imaginem in homine reformavit.* »
(PL 20, 333 ; CC IX, 396).

tantam dedit divinae gratiae largitatem, ut quemadmodum unum hominem redintegrarat in pedibus,
sic tot millia credentium sanaret in cordibus, face-
retque eos in Christo alacres, quos in Judaica perfidia[1]
invenerat claudicantes.

4. Post praedicationem hujus felicissimae paupertatis, addidit Dominus, dicens : *Beati qui lugent,
quoniam ipsi consolabuntur*[2]. Luctus hic, dilectissimi,
cui consolatio aeterna promittitur, non est cum
mundi hujus affectione* communis ; nec beatum
quemquam faciunt ista lamenta quae totius humani
generis deploratione funduntur. Alia ratio est sanctorum gemituum, alia beatarum causa lacrymarum.
Religiosa tristitia aut alienum peccatum luget aut
proprium ; nec de hoc dolet quod divina justitia
agitur, sed de eo moeret quod humana iniquitate
committitur ; ubi magis plangendus est faciens
maligna quam patiens, quia injustum malitia sua
demergit ad poenam, justum autem tolerantia ducit
ad gloriam.

5. Deinde ait Dominus : *Beati mites, quoniam
ipsi haereditate possidebunt terram*[3]. Mitibus atque
mansuetis, humilibus ac modestis, et ad omnium
injuriarum tolerantiam praeparatis possidenda terra
promittitur[4]. Nec parva aestimanda est haec aut
vilis haereditas, tamquam a caelesti habitatione

1. *Perfidia judaica*; c'est le refus de croire, et non la « perfidie »
des Juifs qui est notée ici. Dans le même sens, S. Léon a parlé de la
perfidia Photini (cf. *Sermon sur l'hérésie d'Eutychès*, 2, *SC* 22 bis,
p. 204) ; cf. E. PETERSON, « Perfidia judaica » dans *Ephem. liturg.*
1936, 304-305. On trouve une image analogue, et à propos du même
miracle, sur la claudication des infidèles, dans S. CHROMACE, Homélie
De Actibus Apostolorum, ubi claudum Apostoli curaverunt, 4 (*SC* 154,
p. 129).

2. *Matth.* 5, 5 ; S. Léon, comme S. Chromace, mais contrairement
à S. Hilaire, S. Jérôme, S. Augustin, qui suivent tous l'ordre de

l'aumône, donna la grâce divine en si grande profusion que, après avoir rendu l'usage de ses jambes à un seul homme, il rendit à des milliers de croyants la santé du cœur et transforma en hommes agiles dans le Christ ceux qu'il avait trouvés boitant dans l'infidélité des Juifs[1].

4. Après avoir prêché cette bienheureuse pauvreté, le Seigneur ajouta : « Heureux ceux qui pleurent, car ils seront consolés[2]. » Les pleurs dont il s'agit, bien-aimés, et auxquels est promise une éternelle consolation, n'ont rien de commun avec l'amour de ce monde et personne ne sera rendu heureux par les lamentations que répand la plainte de tout le genre humain. Les saints gémissements ont un autre motif, les saintes larmes une autre cause. La tristesse religieuse pleure soit le péché des autres, soit le sien propre ; elle ne s'attriste pas de ce qu'opère la justice divine, mais elle s'afflige de ce que commet l'injustice humaine : en ce domaine, celui qui fait le mal est plus à plaindre que celui qui le souffre, car sa propre malice précipite l'homme injuste dans le châtiment, tandis que la patience conduit le juste à la gloire.

5. Le Seigneur dit ensuite : « Heureux les doux, car ils recevront la terre en héritage[3]. » C'est aux doux et aux bienveillants, aux humbles et aux modestes, à ceux qui sont disposés à souffrir toutes les injustices[4] que la possession de la terre est promise. Et il ne faut pas regarder pareil héritage comme chose négligeable ou vile, comme s'il était distinct du séjour céleste, alors

notre Vulgate, fait passer la béatitude des affligés avant celle des doux. Dans ce paragraphe, S. Léon suit encore Chromace, mais de plus loin et en l'abrégeant.

3. *Matth.* 5, 4.

4. De même S. CHROMACE : « Mites sunt homines mansueti, humiles et modesti, ... et ad omnem injuriam patientes » (*Tract. III in Matth.*, 4).

discreta sit, cum regnum caelorum non alii intelligantur intrare. Terra ergo promissa mitibus, et in possessionem danda mansuetis, caro sanctorum est, quae ob humilitatis meritum felici resurrectione mutabitur et immortalitatis gloria vestietur[1], in nullo jam spiritui futura contraria[2], et cum voluntate animi perfectae unitatis habitura consensum. Tunc enim exterior homo interioris hominis[3] erit quieta et intemerata possessio ; tunc mens videndo Deo intenta nullis corporeae infirmitatis impedietur obstaculis, nec jam dici necesse erit : *Corpus quod corrumpitur aggravat animam, et terrena inhabitatio deprimit sensum multa cogitantem*[4] : quoniam habitatori suo non reluctabitur terra, nec immoderatum aliquid contra imperium sui rectoris audebit. Possidebunt enim illam mites pace perpetua, et nihil umquam de eorum jure minuetur, *cum corruptibile hoc induerit incorruptionem, et mortale hoc induerit immortalitatem*[5] : ut periculum vertatur in praemium, et quod fuit oneri sit honori.

6. Post haec addit Dominus et dicit : *Beati qui esuriunt et sitiunt justitiam, quoniam ipsi saturabuntur*[6]. Nihil haec esuritio corporeum, nihil expetit

---

1. Cf. *I Cor.* 15, 52-53 : « Et nos immutabimur. Oportet... mortale hoc induere immortalitatem. » S. Léon citera ce dernier texte explicitement plus loin.

2. Cf. *Gal.* 5, 17 : « Caro enim concupiscit adversus spiritum, spiritus autem adversus carnem. »

3. Cf. *Rom.* 7, 22 : « Secundum interiorem hominem » et *Éphés.* 3, 16.

4. *Sag.* 9, 15.

5. *I Cor.* 15, 53. Pour S. Chromace (*op. cit.*, 4), la terre promise aux doux est aussi la terre de notre corps ; il écrit, plus brièvement que S. Léon : « Maxime tamen de terra nostri corporis loquitur, in qua sancti transfigurati in gloriam, secundum Apostolum, aeterna felicitate regnabunt. » Pour S. Hilaire, c'est le corps du Christ, « corpus quod ipse Dominus assumpsit habitaculum » (*Comm. in*

qu'il faut comprendre que nul autre que ceux-là n'entrera dans le Royaume des cieux. La terre promise aux doux et qui sera donnée en héritage aux bienveillants, c'est donc le corps des saints qui, pour le mérite de leur humilité, sera transformé par une heureuse résurrection et revêtu de la gloire de l'immortalité[1] : désormais il ne s'opposera plus en rien à l'esprit[2] et s'accordera en une parfaite unité avec la volonté de l'âme. Alors, en effet, l'homme extérieur appartiendra à l'homme intérieur[3] dans une tranquille et inviolable possession ; alors l'esprit tendu vers la vision de Dieu ne sera arrêté par aucun obstacle venant de la faiblesse du corps et l'on n'aura plus à dire que « le corps corruptible appesantit l'âme », ni que « l'habitation terrestre alourdit l'esprit aux mille pensées[4] ». La terre, en effet, ne se révoltera plus contre son habitant ni n'osera rien faire de désordonné contre le commandement de celui qui doit la gouverner. C'est que les doux la posséderont dans une paix perpétuelle et rien ne viendra jamais amoindrir leurs droits, lorsque « cet être corruptible revêtira l'incorruptibilité » et que « cet être mortel revêtira l'immortalité[5] ». Ce qui mettait l'âme en péril se changera en récompense et ce qui lui était onéreux deviendra source d'honneur.

6. Après quoi le Seigneur ajoute : « Heureux ceux qui ont faim et soif de la justice, car ils seront rassasiés[6]. » Cette faim ne désire rien de corporel, ni cette soif rien

---

Matth., IV, 3 ; *PL* 9, 932). Pour S. Jérôme, c'est « terra quam psalmista desiderat, dicens : Credo videre bona Domini in terra viventium » (*Comm. in Ev. Matth.*, I, 5, 4, *PL* 26, 34). S. Augustin enfin dit de son côté : « Illam terram credo de qua in Psalmo dicitur : Spes mea es tu, portio mea in terra viventium... (Terra) significat quamdam soliditatem et stabilitatem haereditatis perpetuae, ubi anima per bonum affectum, tamquam loco suo requiescit, sicut corpus in terra ; ipsa est requies et vita sanctorum » (*De serm. Dom. in monte*, I, 2, *PL* 34, 1232).

6. *Matth.* 5, 6.

sitis ista terrenum ; sed justitiae bono desiderat
saturari, et in omnium occultorum introducta secretum, ipso Domino optat impleri. Felix mens quae
hunc concupiscit cibum, et ad talem aestuat potum ;
quem utique non expeteret, si nihil de ejus suavitate
gustasset. Audiens autem dicentem sibi propheticum
spiritum : *Gustate et videte, quoniam suavis est
Dominus*[1], accepit quamdam supernae dulcedinis
portionem, et in amorem castissimae voluptatis
exarsit, ut spretis omnibus temporalibus, ad edendam
bibendamque justitiam toto accenderetur affectu,
et illius primi mandati apprehenderet veritatem
dicentis : *Diliges Dominum Deum tuum ex toto corde
tuo, et ex tota mente tua, et ex tota virtute tua*[2] : quoniam
nihil aliud est diligere Deum quam amare justitiam.

Denique sicut illic* dilectioni Dei, proximi cura
subjungitur, ita et hic* desiderio justitiae virtus
misericordiae copulatur, et dicitur :

7. *Beati misericordes, quoniam ipsorum miserebitur
Deus*[3]. Agnosce, Christiane, tuae sapientiae dignitatem[4], et qualium disciplinarum artibus ad quae
praemia voceris intellige. Misericordem te misericordia[5], justum vult* esse justitia[6], ut in creatura
sua Creator appareat, et in speculo cordis humani
per lineas imitationis expressa Dei imago resplendeat. Secura esto*, operantium fides[7], aderunt tibi
desideria tua, et iis quae amas sine fine potieris.

1. *Ps.* 33, 9.

2. *Deut.* 6, 5.

3. *Matth.* 5, 7.

4. Apostrophe qui rappelle celle du *1er sermon pour Noël*, 3 :
« Agnosce, o Christiane, dignitatem tuam » (*SC* 22 bis, p. 72).

5. Cf. *Ps.* 58, 18 : « Deus meus misericordia mea. »

6. Cf. *I Cor.* 1, 30 : « In Christo Jesu, qui factus est nobis sapientia
a Deo, et justitia. »

de terrestre, mais elles aspirent l'une et l'autre à être
rassasiées du bien qu'est la justice et souhaitent être
comblées du Seigneur lui-même en étant introduites
dans le secret de tous les mystères. Heureuse l'âme qui
convoite cette nourriture et brûle du désir d'un tel breuvage ; certes, elle n'y aspirerait pas si elle n'avait déjà
goûté quelque chose de sa douceur. Mais, en entendant
l'esprit prophétique lui dire : « Goûtez et voyez comme
le Seigneur est doux[1] », elle a reçu comme une parcelle
de la divine suavité et s'est enflammée d'amour pour
cette très chaste volupté ; aussi, méprisant tous les biens
temporels, son cœur a brûlé de toute son ardeur du désir
de manger et de boire la justice et il a saisi la vérité du
premier commandement : « Tu aimeras le Seigneur ton
Dieu de tout ton cœur, de toute ton âme et de toute ta
force[2]. » Aimer Dieu, en effet, n'est pas autre chose
qu'aimer la justice.

Enfin, de même que, tout à l'heure, à l'amour de Dieu
s'ajoutait le souci du prochain, de même à présent au
désir de la justice est unie la vertu de miséricorde ; le
Seigneur continue donc ainsi :

7. « Heureux les miséricordieux, car ils recevront de
Dieu miséricorde[3]. » Reconnais, chrétien, la valeur de
ta sagesse[4] ; comprends à quelles récompenses tu es
appelé et à quel prix tu les obtiendras. La Miséricorde[5]
te veut miséricordieux, la Justice[6] te veut juste, afin
que le Créateur apparaisse dans sa créature et que, dans
le miroir du cœur humain, resplendisse l'image de Dieu
reproduite en des traits ressemblants. Sois assurée, foi
de ceux qui accomplissent les œuvres[7] : ce que tu désires
te sera présent et tu jouiras sans fin de ce que tu aimes.

---

7. Cf. *Gal.* 5, 6 : « Fides quae per caritatem operatur » ; *Jac.* 2, 20 :
« Fides sine operibus mortua est. »

Et quoniam tibi per eleemosynam omnia munda
sunt[1], ad eam quoque beatitudinem, quae conse-
quenter est promissa, pervenies, dicente Domino :
8. *Beati mundo corde, quoniam ipsi Deum videbunt*[2].
Magna felicitas, dilectissimi, cui tantum praemium
praeparatur. Quid ergo est habere cor mundum, nisi
eis quae supra dictae sunt studere virtutibus ?
Videre autem Deum quantae sit beatitudinis, quae
mens concipere, quae lingua valeat explicare ? Et
tamen hoc consequetur, cum transformabitur humana
natura, ut non jam per speculum, neque in aenigmate,
sed facie ad faciem[3], ipsam quam nullus hominum
videre potuit[5], sicuti est[4], videat Deitatem : et
*quod oculus non vidit, nec auris audivit, nec in cor
hominis ascendit*[6], per ineffabile gaudium aeternae
contemplationis obtineat. Merito haec beatitudo
cordis promittitur puritati. Splendorem enim veri
luminis sordens acies videre non poterit ; et quod
erit jucunditas mentibus nitidis, hoc erit poena
maculosis. Declinentur igitur terrenarum caligines
vanitatum, et ab omni squalore iniquitatis oculi
tergantur interiores, ut serenus intuitus tanta Dei
visione pascatur. Ad hoc enim promerendum illud
intelligimus pertinere quod sequitur :
9. *Beati pacifici, quoniam filii Dei vocabuntur*[7].
Beatitudo ista, dilectissimi, non cujuslibet consen-
sionis, nec qualiscumque concordiae est, sed illius
de qua dicit Apostolus : *Pacem habete ad Deum*[8] :
et de qua dicit propheta David : *Pax multa diligen-*

---

1. Cf. *Lc* 11, 41 : « Date eleemosynam, et ecce omnia munda
sunt vobis. »

2. *Matth.* 5, 8.

3. Cf. *I Cor.* 13, 12 : « Videmus nunc per speculum in aenigmate ;
tunc autem facie ad faciem. »

4. Cf. *I Jn* 3, 2.

5. Cf. *Jn* 1, 18 : « Deum nemo vidit unquam. »

Et, parce que tout est pur pour toi grâce à l'aumône[1],
tu parviendras aussi à la béatitude promise ensuite par
le Seigneur lorsqu'il dit :

8. « Heureux les cœurs purs, car ils verront Dieu[2]. »
Quelle grande félicité, bien-aimés, que celle pour laquelle
on prépare une telle récompense ! Qu'est-ce donc qu'avoir
le cœur pur, sinon s'appliquer aux vertus dont il a été
question plus haut ? Mais voir Dieu, quel esprit pourra
concevoir, quelle langue exprimer ce qu'est un tel bonheur ?
C'est pourtant ce qui lui arrivera lorsque la nature sera
transformée : ce ne sera plus dans un miroir ni d'une
manière confuse, mais ce sera face à face[3], qu'elle verra,
« telle qu'elle est[4] », la Divinité elle-même qu'aucun être
humain n'a jamais pu voir[5] ; alors, dans la joie ineffable
d'une éternelle contemplation, elle possédera « ce que
l'œil n'a pas vu, ce que l'oreille n'a pas entendu, ce qui
n'est pas monté au cœur de l'homme[6] ». C'est à bon droit
que cette béatitude est promise à la pureté du cœur.
Un regard souillé ne pourra, en effet, voir la splendeur
de la vraie lumière et ce qui sera la joie des âmes sans
tache sera le châtiment des âmes impures. Fuyons donc
les ténèbres des vanités terrestres et purifions les yeux
de notre cœur de toute souillure du péché, afin que notre
regard limpide se rassasie d'une si grande vision de Dieu.
C'est à le mériter que se rapporte, à notre sens, ce qui
suit :

9. « Heureux les artisans de paix, car ils seront appelés
enfants de Dieu[7]. » Cette béatitude, bien-aimés, n'est
pas celle qu'on trouve dans un accord quelconque ni
dans n'importe quelle entente, mais celle dont l'Apôtre
parle en ces termes : « Soyez en paix avec Dieu[8] », et
dont le prophète David dit : « Grande est la paix de ceux

6. *I Cor.* 2, 9.
7. *Matth.* 5, 9.
8. *Rom.* 5, 1.

tibus nomen* tuum, et non est illis scandalum[1]. Hanc
pacem etiam arctissima amicitiarum vincula, et
indiscretae similitudines animorum non veraciter
sibi vindicant, si non cum Dei voluntate concordant.
Extra dignitatem* pacis sunt improbarum parilitates
cupiditatum, foedera scelerum et pacta vitiorum.
Amor mundi cum Dei amore non congruit, nec ad
societatem filiorum Dei pervenit, qui se a carnali
generatione[2] non dividit. Qui autem semper cum
Deo mente sunt *solliciti servare unitatem spiritus
in vinculo pacis*[3], numquam ab aeterna lege dissen-
tiunt, fideli oratione dicentes : *Fiat voluntas tua sicut
in caelo et in terra*[4]. Hi sunt pacifici, hi bene unanimes,
sancteque concordes, vocandi aeterno nomine *filii
Dei, cohaeredes autem Christi*[5] : quia hoc merebitur
dilectio Dei et dilectio proximi, ut nullas jam adver-
sitates sentiat, nulla scandala pertimescat ; sed
finito omnium tentationum certamine[6], in tranquil-
lissima Dei pace requiescat, per Dominum nostrum,
qui cum Patre et Spiritu sancto vivit et regnat in
saecula saeculorum. Amen.

---

1. *Ps.* 118, 165.
2. Son ascendance adamique corrompue par le premier péché.
3. *Éphés.*, 4, 3.
4. *Matth.* 6, 10.
5. *Rom.* 8, 16-17. S. HILAIRE dit de même : « Pacificorum
beatitudo adoptionis est merces, ut filii Dei maneant ; parens enim
omnium Deus unus est » (*Comm. in Matth.*, IV, 8, *PL* 9, 933).
6. Cf. *Lc* 4, 13 : « Et consummata omni tentatione. » Nous avons

qui aiment ton nom ; pour eux, pas de scandale[1]. » Même
des amis unis par les liens les plus étroits, même des esprits si semblables qu'on ne peut les distinguer ne peuvent
prétendre en vérité à une telle paix, s'ils ne sont pas
en accord avec la volonté de Dieu. Indignes de la paix
sont les unions de désirs malhonnêtes, les accords visant
au crime et les pactes au profit du vice. L'amour du monde
ne peut s'accorder avec l'amour de Dieu et celui qui ne
brise pas avec son ascendance charnelle[2] ne parviendra
pas à partager la société des enfants de Dieu. Par contre,
ceux qui, toujours unis d'esprit avec Dieu, « s'appliquent
à conserver l'unité de l'esprit par ce lien qu'est la paix[3] »,
ceux-là ne s'écartent jamais de la loi éternelle, disant
dans une prière pleine de foi : « Que ta volonté soit faite
sur la terre comme au ciel[4]. » Voilà les pacifiques, voilà
ceux qui n'ont qu'une âme selon le bien et sont saintement
unis de cœur, dignes d'être éternellement appelés « fils de
Dieu », « cohéritiers du Christ[5] ». L'amour de Dieu,
joint à l'amour du prochain, leur obtiendra, en effet,
de ne plus ressentir aucune attaque adverse, de ne plus
craindre aucun scandale, mais, une fois terminé le combat
de toutes les tentations[6], de se reposer dans la plus
sereine des paix, la paix de Dieu, par notre Seigneur
qui, avec le Père et l'Esprit-Saint, vit et règne dans les
siècles des siècles. Amen.

constaté, à la lecture de cette homélie, sa dépendance assez étroite
à l'égard de modèles antérieurs ; ce manque d'originalité inclinerait
à dater ce discours des débuts de la carrière oratoire de S. Léon ;
la critique textuelle ne fournit pas d'indication à ce sujet.

92

(I)

DE NATALI IPSIUS S. LEONIS SERMO I HABITUS IN DIE ORDINATIONIS SUAE[1]

Laudem Domini loquatur os meum[2] et nomen
sanctum ejus anima mea ac spiritus, caro[3] et lingua
benedicat. Quia non verecundae, sed ingratae mentis
indicium est, beneficia tacere divina ; et satis dignum
est[4] a sacrificiis Dominicae laudis[5] obsequium consecrati pontificis inchoare. Quia in *humilitate nostra
memor fuit nostri*[6] Dominus, et benedixit nobis :
quia *fecit* mihi *mirabilia magna solus*[7], ut praesentem

---

1. Le 29 septembre 440. Le mot *ordinatio* était habituellement
employé, du temps de S. Léon, pour désigner la consécration de
l'évêque. Quant au mot *natalis*, ou *natalitia*, il désignait non l'anniversaire de la naissance, mais celui de la même consécration. S. Léon
l'emploiera encore un peu plus loin, au *Sermon 95, 4* (*infra*, p. 274).
Les témoins de cet usage sont nombreux. Ainsi S. Augustin :
« Natalitia Thamugadensis Optati » (*Ep.* CVIII, 5, *PL* 33, 407) ;
« (Optatus) cujus natalitia tanta celebratione frequentabatis »
(*Contra litteras Petiliani*, II, 23, 53, *PL* 43, 277). On peut encore
citer le pape Sixte III, prédécesseur de S. Léon : « Sanctae namque
et venerabili synodo, quam natalis mihi dies favente Deo congre-
garat » (*Ep. V ad Cyrillum Alex.*, 3, *PL* 50, 603) ; « Audivit universa
fraternitas, quae ad natalis mei convenerat diem » (*Ep. VI ad
Joannem Antioch.*, 3, *ibid.* 608) ; S. Paulin de Nole : « Postea quoque
interposito tempore etiam ad natalem suum, quod consacerdotibus
suis tantum deferre solet, invitare dignatus est » (*Ep. XX ad
Delphinum*, 2, *PL* 61, 248) ; le pape S. Hilaire, successeur de S. Léon :
« Lectis ergo in conventu fratrum, quos natalis mei festivitas congre-
garat, litteris vestris » (*Ep. II ad Ascanium*, 2, *PL* 58, 18) ; notons
enfin que le *Sacramentaire de Vérone* intitule la messe du jour anni-

92

(I)

PREMIER SERMON DE S. LÉON
SUR SA CONSÉCRATION ÉPISCOPALE
PRONONCÉ LE JOUR MÊME[1]

SOMMAIRE. — Action de grâces à Dieu, remerciements ;
confiance.

« Que ma bouche dise la louange du Seigneur[2] » et
que mon âme et mon esprit, ma chair[3] et ma langue
bénissent son saint Nom ! Taire les bienfaits divins,
en effet, n'est pas la marque d'une âme discrète,
mais celle d'une âme ingrate, et il est bien digne[4] d'inau-
gurer par le sacrifice de la louange[5] du Seigneur l'obéissance
d'un pontife nouvellement consacré. Car « le Seigneur
s'est souvenu de nous dans notre abaissement[6] » et il nous
a béni ; lui seul a fait pour moi de grandes merveilles[7],

versaire de la consécration des évêques : « In natale episcoporum »
(Form. 23, éd. Möhlberg nᵒˢ 955 à 1102).

2. *Ps.* 144, 21, dont seule la première partie est citée textuellement,
la seconde étant paraphrasée dans la suite : « Et benedicat omnis
caro nomini sancto ejus. »

3. Cf. *I Thess.* 5, 23 : « Ut integer spiritus vester et anima et
corpus. »

4. « Satis dignum est » ; c'est la formule liturgique de la Préface
de la messe ; le nouveau pontife veut commencer par elle le sacrifice
de louange qu'il place au début de son pontificat, celui-ci étant
lui-même sacrifice et obéissance *(obsequium)* à Dieu.

5. Cf. *Ps.* 49, 14 et 23 ; 106, 22 ; 115, 17.

6. *Ps.* 135, 23, combiné avec *Ps.* 113, 12 : « Dominus memor fuit
nostri et benedixit nobis. »

7. Cf. *Ps.* 135, 4 : « Qui facit mirabilia magna solus. »

me crederet vestrae sanctitatis affectio, quem fecerat
necessitas longae peregrinationis absentem[1]. Ago
igitur Deo nostro gratias, et semper acturus sum
pro omnibus quae retribuit mihi[2]. Vestri quoque
favoris arbitrium debita gratiarum actione conce-
lebro, evidenter intelligens, quantum mihi possint
reverentiae, amoris et fidei studia vestrae dilectionis
impendere, animarum vestrarum salutem pastorali
sollicitudine cupienti, qui tam sanctum de me,
nullis admodum praecedentibus meritis, judicium
protulistis. Obsecro igitur per misericordias Domini[3],
juvate votis quem desideriis expetistis, ut et Spiritus
gratiae maneat in me, et judicia vestra non fluctuent.
Praestet in commune nobis omnibus pacis bonum,
qui vobis unanimitatis studia infudit : ut omnibus
diebus vitae meae, in omnipotentis Dei servitium,
et ad vestra paratus obsequia, cum fiducia possim
Dominum deprecari : *Pater sancte, conserva eos
in nomine tuo, quos dedisti mihi*[4] : semperque profi-
cientibus vobis ad salutem, magnificet anima mea
Dominum[5], et in futuri retributione judicii ita mihi
apud justum Judicem[6] sacerdotii mei ratio subsistat,
ut vos mihi per bona opera vestra sitis gaudium,

---

1. On sait que l'archidiacre Léon fut choisi par le clergé et le
peuple romain pour succéder au pape Sixte III, alors qu'il s'acquittait
en Gaule d'une mission diplomatique (19 août 440) ; le peuple attendit
son retour pendant quarante jours « dans la paix et la patience »,
nous dit Prosper d'Aquitaine, sans se laisser aller aux luttes d'influence qui marquaient ordinairement les changements de pontife :
« Defuncto Xysto episcopo, XL amplius diebus Romana ecclesia sine
antistite fuit, mirabili pace atque patientia praesentiam diaconi
Leonis expectans » (*Prosperi Chronicon ad annum 440, Monum.
Germ. Hist. auct. antiquis.* IX, 478).

2. Cf. *Ps.* 115, 12 : « Quid retribuam Domino pro omnibus quae
retribuit mihi ? »

à savoir que votre sainteté, dans son affection, m'ait
regardé comme présent alors que les obligations d'un
voyage me tenaient absent[1]. Je rends donc des actions de
grâces à notre Dieu et j'en rendrai toujours pour tout
ce qu'il m'a accordé[2]. En même temps je célèbre avec la
gratitude qui lui est due le choix que vous avez fait en ma
faveur et je comprends à l'évidence tout ce que peut
m'assurer de respect, d'amour et de confiance ce zèle de
votre dilection ; dans ma sollicitude de pasteur, je ne
désire que le salut de vos âmes, à vous qui avez porté sur
moi un jugement si saint, en dépit de la totale absence de
mérites antérieurs. Je vous en prie donc, par la miséricorde du Seigneur[3], aidez de vos prières celui que vous
avez appelé de vos vœux, afin que l'Esprit de grâce
demeure en moi et que votre jugement n'ait pas à changer.
Daigne celui qui vous a inspiré un zèle unanime nous
accorder à tous ensemble le bien de la paix, afin que,
tous les jours de ma vie, je sois prêt à obéir au Dieu tout-
puissant et à vous servir et que je puisse prier ainsi le
Seigneur avec confiance : « Père saint, garde en ton nom
ceux que tu m'as donnés[4] » ; ainsi, tandis que vous
avancerez toujours plus dans la voie du salut, que mon âme
magnifie le Seigneur[5] et que, à l'heure de la rétribution
et du jugement futur, le compte que j'aurai à rendre
de mon sacerdoce auprès du juste Juge[6] soit tel que,
par vos bonnes œuvres, vous soyez alors ma joie, vous

---

3. Cf. *Rom.* 12, 1 : « Obsecro itaque vos, fratres, per misericordiam
Dei. »
4. *Jn* 17, 11.
5. Cf. *Lc* 1, 46 : « Magnificat anima mea Dominum. »
6. Cf. *II Tim.* 4, 8 : « Quam reddet mihi Dominus in illa die
justus judex. »

vos corona[1], qui bona voluntate sincerum praesentis vitae testimonium praestitistis. Per Christum Dominum nostrum.

93

(II)

DE NATALI EJUSDEM SERMO II
HABITUS IN ANNIVERSARIO ORDINATIONIS SUAE[2]

1. Honorabilem mihi, dilectissimi, hodiernum diem fecit divina dignatio[3] : quae dum humilitatem meam in summum gradum provehit*, quod neminem suorum sperneret, demonstravit. Unde etsi necessarium est trepidare de merito, religiosum est tamen gaudere de dono : quoniam qui mihi honoris* est auctor, ipse est administrationis adjutor ; et ne sub magnitudine gratiae succumbat infirmus, dabit virtutem, qui contulit dignitatem. Recurrente igitur per suum ordinem die quo me Dominus episcopalis officii voluit habere principium, vera mihi in gloriam Dei causa est laetandi : qui mihi, ut multum a me diligeretur, multa dimisit[4] ; et ut mirabilem faceret gratiam suam, in eum munera sua contulit, in quo meritorum suffragia non invenit. Quo opere suo

1. Cf. *Phil.* 4, 1 : « Gaudium meum et corona mea » ; *I Thess.* 2, 19 : « Quae est enim nostra spes aut gaudium aut corona gloriae ? Nonne vos ante Dominum nostrum Jesum Christum estis in adventu ejus ? »

2. 29 septembre 441.

3. Cf. *Ps.* 117, 24 : « Haec est dies quam fecit Dominus. »

soyez ma couronne[1], vous dont la bonne volonté m'aura
donné, au cours de la vie d'ici-bas, un témoignage sincère.
Par le Christ notre Seigneur.

93

(II)

SECOND SERMON
SUR SA CONSÉCRATION ÉPISCOPALE
PRONONCÉ AU JOUR ANNIVERSAIRE DE CELLE-CI[2]

SOMMAIRE. — 1. Reconnaissance et aveu d'impuissance. —
2. Hommage aux évêques présents ; recommandation à
l'apôtre Pierre et prière.

1. La condescendance divine, bien-aimés, a rendu
pour moi ce jour[3] digne d'honneur, elle qui, élevant
ma bassesse jusqu'au rang le plus élevé, a montré qu'elle
ne méprisait aucun des siens. Aussi, même s'il est inévitable
de trembler quand on considère son mérite, il est bon et
religieux de se réjouir quand on considère le don reçu ;
celui, en effet, de qui me vient cet honneur est aussi
celui qui m'aide à faire face à ses obligations ; pour que
le faible ne succombe pas sous la grandeur de la grâce,
il donnera la force, lui qui a conféré la dignité. Aussi
l'anniversaire du jour où le Seigneur a voulu que je commence à remplir la fonction épiscopale est pour moi,
lorsqu'il revient, une vraie raison de me réjouir pour la
gloire de Dieu, car celui-ci m'a beaucoup pardonné pour
que je puisse beaucoup l'aimer[4] ; et, pour rendre sa grâce
admirable, il a accordé ses dons à quelqu'un en qui il
n'a pas trouvé de mérites qui les justifient. Par cette

4. Cf. *Lc* 7, 47 : « Remittuntur ei peccata multa, quoniam dilexit
multum. »

Dominus, quid cordibus nostris insinuat, quidve
commendat, nisi ut de justitia sua nemo praesumat,
et de ipsius misericordia nemo diffidat, quae tunc
evidentius praeeminet, quando peccator sanctificatur,
et abjectus erigitur ? Neque enim de qualitate
nostrorum operum pendet caelestium mensura donorum : aut in isto saeculo, in quo *tota vita tentatio
est*[1], hoc unicuique retribuitur, quod meretur : ubi si
iniquitates Dominus observaret, nullus judicium
ipsius sustineret[2].

2. *Magnificate* ergo, dilectissimi, *Dominum mecum*,
et exaltemus nomen ejus in invicem[3], ut tota ratio
celebritatis hodiernae ad laudem sui referatur auctoris.
Nam quod proprie ad affectum animi mei pertinet,
confiteor me plurimum de omnium vestrum devotione gaudere. Cumque hanc venerabilium consacer-
dotum meorum splendidissimam frequentiam video,
angelicum nobis in tot sanctis sentio, interesse
conventum. Nec dubito nos abundantiore hodie
divinae praesentiae gratia visitari, quando simul
adsunt, et uno lumine micant tot speciosissima
tabernacula Dei, tot membra excellentissima corporis
Christi. Nec abest, ut confido, ab hoc coetu etiam
beatissimi apostoli Petri pia dignatio et fida dilectio :
nec vestram devotionem ille deseruit, cujus vos
reverentia congregavit. De vestro itaque et ipse
gaudet affectu, et in consortibus honoris sui observantiam Dominicae institutionis amplectitur, probans
ordinatissimam totius Ecclesiae caritatem[4] quae in
Petri sede Petrum suscipit, et a tanti amore pastoris

1. Cf. *Job* 7, 1, d'après LXX ; la Vulgate porte : « Militia est vita
hominis super terram. »
2. Cf. *Ps.* 129, 3 : « Si iniquitates observaveris, Domine, Domine,
quis sustinebit ? »
3. *Ps.* 33, 4.

œuvre qui est son œuvre, qu'est-ce que le Seigneur enseigne à nos cœurs ou que veut-il mettre en lumière, sinon que personne ne doit présumer de sa propre justice ni personne douter de sa miséricorde à lui, car celle-ci apparaît avec plus d'évidence quand est justifié le pécheur et relevé celui qui gisait à terre ? Ce n'est pas, en effet, de la qualité de nos œuvres que dépend la mesure des dons célestes et, en ce siècle où toute la vie est tentation[1], ce que chacun reçoit n'est pas ce qu'il mérite de recevoir ; car, si le Seigneur tenait compte de nos fautes, personne ne soutiendrait son jugement[2].

2. « Magnifiez donc avec moi le Seigneur », bien-aimés, « et exaltons ensemble son nom[3] », afin que toute la fête d'aujourd'hui soit rapportée à la louange de son auteur. Car, pour ce qui regarde les sentiments personnels de mon âme, je confesse me réjouir surtout de votre dévouement à tous. Lorsque je vois cette magnifique affluence de mes vénérables frères dans le sacerdoce, j'ai le sentiment, au milieu de tant de saints, que l'assemblée des anges est parmi nous. Et je n'hésite pas à croire que nous sommes aujourd'hui plus abondamment visités par la grâce de la présence divine, lorsque sont présents en même temps et brillent d'une même lumière tant d'admirables taber- nacles de Dieu, tant de membres si excellents du corps du Christ. A cette réunion, j'en ai la confiance, ne manque pas non plus la pieuse bienveillance et le sincère amour du saint apôtre Pierre, pas plus qu'il n'est absent de votre dévotion, lui dont la vénération vous a rassemblés. C'est pourquoi il se réjouit, lui aussi, de votre amour et il aime avec tendresse, en ceux qui partagent sa dignité, l'obéissance à l'institution du Seigneur ; il approuve donc cette charité parfaitement ordonnée[4] de toute l'Église qui accueille Pierre sur le siège de Pierre et ne laisse pas s'attiédir son amour envers un si grand pasteur, même

4. Cf. *Cant.* 2, 4 : « Ordinavit in me caritatem. »

nec in persona tam imparis tepescit haeredis. Ut
ergo haec pietas, dilectissimi, quam erga humilitatem meam unanimiter exhibetis, fructum sui studii
consequatur, misericordissimam Dei nostri clemen-
tiam supplices obsecrate, ut in diebus nostris
expugnet impugnantes nos[1], muniat fidem nostram,
multiplicet* dilectionem, augeat pacem, meque ser-
vulum suum, quem ad ostendendas divitias gratiae
suae[2] gubernaculis Ecclesiae voluit praesidere, suffi-
cientem tanto operi, et utilem vestrae aedificationi
dignetur efficere, et ad hoc tempora nostrae servitutis
extendere, ut proficiat devotioni, quod fuerit largitus
aetati, per Christum Dominum nostrum. Amen.

94

(III)

DE NATALI IPSIUS SERMO III
HABITUS IN ANNIVERSARIO DIE ASSUMPTIONIS
EJUSDEM AD SUMMI PONTIFICATUS MUNUS[3]

1. Quoties nobis misericordia Dei donorum suorum
dies renovare dignatur, justa, dilectissimi, et ratio-

---

1. Cf. *Ps.* 34, 1 : « Expugna impugnantes me. » Allusion aux
menaces des barbares. Elles étaient particulièrement pressantes en
cette année 441, comme on l'a vu à propos d'autres sermons prononcés
au cours des mois précédents (*Serm.* 26, 1 ; 65,4 ; 73, 1 ; *SC* 49 bis,
p. 65, et *supra*, p. 32, n. 1 et p. 80).

2. Cf. *Éphés.*, 2, 7 : « Ut ostenderet... divitias gratiae suae. »

3. Comme on l'a noté p. 60, des éléments de ce sermon se retrouvent
dans le *Sermon* 70.

quand il se porte sur la personne d'un héritier si inégal
à son modèle. Afin donc, bien-aimés, que cette piété
que vous manifestez unanimement envers mon humble
personne obtienne le fruit qu'elle désire, priez et suppliez
la clémence très miséricordieuse de notre Dieu ; qu'aux
jours de notre vie, il repousse ceux qui nous attaquent[1],
fortifie notre foi, fasse abonder notre amour, accroisse
la paix ; et, quant à moi, son humble serviteur, dont il
a voulu qu'il préside au gouvernement de son Église
pour manifester les richesses de sa grâce[2], qu'il daigne
me rendre apte à une telle tâche et utile à votre édification ;
et s'il lui plaît de prolonger la durée de notre service,
que ce soit de telle façon que profite à la dévotion ce qu'il
aura accordé d'années à notre vie, par le Christ notre
Seigneur. Amen.

94

(III)

TROISIÈME SERMON
SUR SA CONSÉCRATION ÉPISCOPALE
PRONONCÉ AU JOUR ANNIVERSAIRE
DE SON ÉLÉVATION AU SOUVERAIN PONTIFICAT[3]

SOMMAIRE. — 1. Action de grâces à Dieu ; le sacerdoce du
   Pontife éternel et parfait, Jésus-Christ, ne se transmet pas
   par la descendance charnelle, mais par la grâce du Saint-
   Esprit. — 2. Jésus-Christ continue à veiller sur son
   troupeau ; l'Église est bâtie sur la foi de Pierre. — 3. En la
   personne du Pontife son successeur, c'est l'Apôtre qui
   continue à gouverner l'Église du Christ et à la fortifier par
   sa foi inébranlable. — 4. Primauté de l'Église de Rome ;
   exemple qu'elle doit donner.

1. Chaque fois que la miséricorde de Dieu daigne
ramener les jours marqués par ses dons, bien-aimés,
juste et raisonnable est alors le motif de notre joie, si

nabilis causa est laetandi, si officii origo suscepti
ad laudem sui referatur auctoris. Hanc enim observantiam omnibus quidem sacerdotibus congruam,
sed mihi necessariam maxime esse cognosco, quoniam*
respiciens ad exiguitatis meae tenuitatem, et ad
suscepti muneris magnitudinem, etiam ego illud
propheticum debeo proclamare : *Domine, audivi
auditum tuum, et timui; consideravi opera tua, et
expavi*[1]. Quid enim tam sollicitum, tam pavendum,
quam labor fragili, sublimitas humili, dignitas non
merenti ? Et tamen non desperamus neque deficimus[2], quia non de nobis, sed de illo praesumimus,
qui operatur in nobis[3]. Unde et Davidicum psalmum,
dilectissimi, non ad nostram elationem, sed ad
Christi Domini gloriam consona voce cantavimus.
Ipse est enim de quo prophetice dictum* est : *Tu es
sacerdos in aeternum secundum ordinem Melchisedech*[4] :
hoc est, *non secundum ordinem Aaron*, cujus sacerdotium per propaginem suis seminis currens, temporalis ministerii fuit, et cum veteris Testamenti lege
cessavit ; sed *secundum ordinem Melchisedech*[5], in quo
aeterni Pontificis forma praecessit. Et dum quibus
parentibus sit editus non refertur[6], in eo ille intelli-
gitur ostendi, cujus generatio non potest enarrari[7].
Denique cum hujus divini sacerdotii sacramentum
etiam ad humanas pervenit functiones, non per
generationum tramitem curritur, nec quod caro et
sanguis creavit, eligitur ; sed cessante privilegio
patrum, et familiarum ordine praetermisso, eos

1. *Hab.* 3, 2, d'après LXX.
2. Cf. *II Cor.* 4, 1 : « Juxta quod misericordiam consecuti sumus, non deficimus. »
3. Cf. *Phil.* 2, 13 : « Deus... qui operatur in vobis et velle et perficere. »
4. *Ps.* 109, 4.
5. Cf. *Hébr.* 7, 11 : « Quid adhuc necessarium fuit secundum

toutefois nous rapportons à la louange de son auteur l'origine de la fonction que nous avons reçue. Ce devoir convient, certes, à tous les évêques, mais je sais qu'il s'impose particulièrement à moi, car, si je jette mon regard à la fois sur ma misérable bassesse et sur la grandeur de la charge qui m'est confiée, je dois m'écrier, moi aussi, avec le Prophète : « Seigneur, j'ai connu ta renommée et j'ai craint ; j'ai considéré tes œuvres et j'ai eu peur[1]. » Qu'y a-t-il, en effet, d'aussi périlleux, d'aussi redoutable, que le labeur pour l'homme fragile, l'élévation pour l'homme de basse condition, la dignité pour qui ne la mérite pas ? Et pourtant nous ne désespérons pas ni ne perdons courage[2], parce que ce n'est pas sur nous que nous comptons, mais sur celui qui opère en nous[3]. Aussi n'est-ce pas pour nous mettre en avant, mais pour rendre gloire au Christ Seigneur que nous avons chanté d'une seule voix le psaume de David : c'est, en effet, de lui qu'il a été dit prophétiquement : « Tu es prêtre à jamais selon l'ordre de Melchisédech[4] ! » Non pas « selon l'ordre d'Aaron », dont le sacerdoce, transmis par la filiation charnelle, fut un ministère temporaire qui cessa avec la loi de l'Ancien Testament, mais « selon l'ordre de Melchisédech[5] », en qui se manifesta à l'avance ce que serait le Pontife éternel. Et si l'on ne rapporte pas de quels parents il est issu[6], c'est pour faire comprendre qu'on désigne en lui celui dont la naissance ne peut être contée[7]. Enfin, lorsque le sacrement de ce divin sacerdoce est confié à des mains humaines, il ne parvient pas à celles-ci en parcourant une suite de générations et celui qui est élu n'est point ce qu'ont créé la chair et le sang ; mais le privilège des pères disparaît et l'ordre des familles est oublié : l'Église

---

ordinem Melchisedech alium surgere sacerdotem, et non secundum ordinem Aaron dici ? »

6. Cf. *ibid.*, 3 : « Sine patre, sine matre, sine genealogia. »

7. Cf. *Is.* 53, 8 : « Generationem ejus qui enarrabit ? »

rectores Ecclesia accipit, quod Spiritus sanctus praeparavit ; ut in populo adoptionis Dei, cujus universitas sacerdotalis atque regalis est[1], non praerogativa terrenae originis obtineat unctionem, sed dignatio caelestis gratiae gignat antistitem.

2. Quamvis ergo, dilectissimi, nos ad explendam nostri officii servitutem, et infirmi inveniamur et segnes, dum si quid devote et strenue agere cupimus, ipsius nostrae conditionis fragilitate tardamur ; habentes tamen incessabilem propitiationem omnipotentis et perpetui Sacerdotis, qui similis nostri, aequalis Patri, divinitatem usque ad humana submisit, humanitatem usque ad divina provexit, digne et pie de ipsius constitutione gaudemus : quoniam etsi multis pastoribus curam suarum ovium delegavit, ipse tamen dilecti gregis custodiam non reliquit. De cujus principali aeternoque praesidio, etiam apostolicae opis munimen accepimus, quod utique ab opere suo non vacat : et firmitas fundamenti[2], cui totius Ecclesiae superstruitur altitudo, nulla incumbentis sibi templi mole lacessit[3]. Soliditas enim illius fidei, quae in apostolorum principe est laudata, perpetuat* ; et sicut permanet quod in Christo Petrus credidit, ita permanet quod in Petro Christus instituit. Cum enim, sicut evangelica lectione reseratum est, interrogasset Dominus discipulos, quem ipsum, multis diversa opinantibus, crederent, respondissetque beatus apostolus* Petrus, dicens : *Tu es Christus filius Dei vivi* : Dominus ait : *Beatus es, Simon Bar Jona, quia caro et sanguis non revelavit*

---

1. Cf. *I Pierre* 2, 9-10 : « Vos autem... regale sacerdotium, ... populus acquisitionis, ... nunc autem populus Dei. »

2. Cf. *Éphés.*, 2, 20 : « Superaedificati super fundamentum Apostolorum et Prophetarum. »

reçoit pour la diriger ceux que l'Esprit-Saint a préparés ; ainsi, dans le peuple adopté par Dieu, tout entier sacerdotal et royal[1], ce n'est pas la prérogative attachée à une origine terrestre qui donne droit à l'onction, mais c'est le choix de la grâce céleste qui engendre le pontife.

2. Certes, bien-aimés, lorsqu'il s'agit de remplir les devoirs de notre charge, nous nous découvrons à la fois faible et lâche, alourdi que nous sommes par la fragilité de notre condition même, lorsque nous désirons agir avec piété et vigueur ; pourtant, fort de l'incessante intercession du Prêtre tout-puissant et éternel qui, semblable à nous et égal au Père, a abaissé la divinité jusqu'au niveau de l'homme et élevé l'humanité jusqu'au niveau de Dieu, nous nous réjouissons justement et saintement de la disposition qu'il a prise. Si, en effet, il a délégué à de nombreux pasteurs le soin de ses brebis, il n'a pas pour autant abandonné lui-même la garde de son troupeau bien-aimé. En outre, comme suite à cette assistance essentielle et éternelle, nous avons reçu la protection et l'appui de l'Apôtre qui, certes, ne se relâche pas de sa onction ; et ce solide fondement[2] sur lequel s'élève de toute sa hauteur l'édifice de l'Église ne se lasse[3] aucunement de porter la masse du temple qui repose sur lui. En effet, elle ne défaille pas, la fermeté de cette foi qui fut louée dans le Prince des Apôtres ; et de même que demeure ce que Pierre a cru dans le Christ, ainsi demeure ce que le Christ a établi en Pierre. En effet, comme l'a exposé la lecture de l'évangile, le Seigneur avait demandé à ses disciples ce qu'ils croyaient de lui, les opinions de beaucoup divergeant en tous sens ; le saint apôtre Pierre avait répondu : « Tu es le Christ, le Fils du Dieu vivant » ; le Seigneur lui dit alors : « Tu es heureux, Simon, fils de Jonas, car cette révélation t'est venue non de la chair

---

3. Le sens demanderait de lire *lassescit*, comme le portent certains témoins.

tibi, sed Pater meus qui in caelis est. Et ego dico tibi quia tu es Petrus, et super hanc petram aedificabo Ecclesiam meam, et portae inferi non praevalebunt adversus eam. Et tibi dabo claves regni caelorum. Et quodcumque ligaveris super terram, erit ligatum et in caelis: et quodcumque solveris super terram, erit solutum et in caelis[1].

3. Manet ergo dispositio veritatis, et beatus Petrus in accepta fortitudine* perseverans, suscepta Ecclesiae gubernacula non reliquit. Sic enim prae caeteris est ordinatus[2], ut dum Petra dicitur, dum fundamentum pronuntiatur, dum regni caelorum janitor constituitur, dum ligandorum solvendorumque arbiter, mansura etiam in caelis judiciorum suorum definitione, praeficitur, qualis ipsi cum Christo esset societas, per ipsa appellationum ejus mysteria nosceremus. Qui nunc plenius et potentius ea quae sib commissa sunt peragit, et omnes partes officiorum atque curarum in ipso et cum ipso, per quem est glorificatus, exsequitur. Si quid itaque a nobis recte agitur, recteque decernitur*, si quid a misericordi Dei quotidianis supplicationibus obtinetur, illius est operum atque meritorum, cujus in sede sua vivi potestas*, excellit auctoritas. Hoc enim obtinuit dilectissimi, illa confessio, quae Deo Patre apostolic inspirata cordi, omnia humanarum opinionum incert transcendit, et firmitatem petrae, quae nullis impul sionibus quateretur, accepit[3]. In universa namqu Ecclesia, *Tu es Christus Filius Dei vivi*, quotidi Petrus dicit, et omnis lingua, quae confitetu Dominum, magisterio hujus vocis imbuitur. Hae

---

1. *Matth.* 16, 13-19.
2. Le mot *ordinatus* appliqué à S. Pierre est celui-là même qu se dit de la consécration épiscopale ; ce rapprochement est certain ment voulu par S. Léon ; la traduction le rend imparfaitement.

et du sang, mais de mon Père qui est dans les cieux. Eh bien ! moi, je te dis : Tu es Pierre et, sur cette pierre, je bâtirai mon Église et les portes de l'enfer ne tiendront pas contre elle. Je te donnerai les clefs du Royaume des cieux : quoi que tu lies sur la terre, ce sera tenu pour lié dans les cieux, et, quoi que tu délies sur la terre, ce sera tenu pour délié dans les cieux[1]. »

3. La disposition voulue par la Vérité demeure donc et saint Pierre, persévérant dans cette solidité qu'il a reçue, n'a pas abandonné le gouvernail de l'Église mis entre ses mains. Car il a été institué[2] avant les autres pour que le fait d'être appelé Pierre, proclamé fondement, constitué portier du Royaume des cieux, préposé comme arbitre pour lier et délier par des jugements dont la décision doit demeurer jusque dans les cieux, pour que tout cela nous apprenne, par les mystères mêmes de ces appellations, quelle était son intimité avec le Christ. A présent il remplit plus pleinement et plus efficacement les tâches qui lui ont été confiées et tout ce qui ressortit à ses fonctions et à sa sollicitude, il l'accomplit en celui et avec celui par qui il a été glorifié. C'est pourquoi, s'il est quelque chose que nous accomplissions bien, quelque chose que nous décidions bien, quelque chose que nous obtenions de la miséricorde de Dieu par nos prières quotidiennes, tout cela est le fait du travail et des mérites de celui de qui, en son Siège, le pouvoir continue à vivre, l'autorité à se manifester. Telle est, en effet, bien-aimés, la récompense de cette profession de foi qui, inspirée par Dieu le Père au cœur de l'Apôtre, s'éleva plus haut que toutes les incertitudes des opinions humaines et reçut la fermeté d'un roc qu'aucune secousse n'ébranlerait[3]. Car c'est dans l'Église entière que Pierre dit chaque jour : « Tu es le Christ, le Fils du Dieu vivant » et que toute langue qui confesse le Seigneur est instruite par l'enseignement

3. Cf. *Matth.* 16, 18.

fides diabolum vincit, et captivorum ejus vincula
dissolvit[1]. Haec erutos mundo inserit caelo[2], et
portae inferi adversus eam praevalere non possunt.
Tanta enim divinitus soliditate munita est, ut eam
neque haeretica umquam corrumpere pravitas, nec
pagana potuerit superare perfidia[3].

4. His itaque modis, dilectissimi, rationabili obse-
quio[4] celebratur hodierna festivitas, ut in persona
humilitatis meae ille intelligatur, ille honoretur,
in quo et omnium pastorum sollicitudo[5] cum com-
mendatarum sibi ovium custodia perseverat, et
cujus dignitas etiam in indigno haerede[6] non deficit.
Unde venerabilium quoque fratrum et consacer-
dotum meorum desiderata mihi et honoranda praesentia hinc sacratior est atque devotior, si pietatem
hujus officii in quo adesse dignati sunt, ei principaliter deferunt, quem non solum hujus sedis praesulem,
sed et omnium episcoporum noverunt esse primatem.
Cum ergo cohortationes nostras auribus vestrae
sanctitatis adhibemus, ipsum vobis, cujus vice
fungimur, loqui credite : quia et illius vos affectu

---

1. Cf. *Matth.* 12, 29 : « Quomodo potest quisquam intrare in
domum fortis et vasa ejus diripere, nisi prius alligaverit fortem ? »
Texte que S. Léon cite volontiers (5 fois dans les *Sermons*). C'est le
mot « captivorum » qui montre qu'il y a pensé encore ici, mot qu'il
emploie également dans les références à *Matth.* 12, 29 du 2ᵉ sermon
pour Noël, 4, et du 2ᵉ sermon pour le carême, 2 (*SC* 22 bis, p. 87 ;
49 bis, p. 81) : « Captivitatis vasa rapiuntur. »

2. S. Léon a la même expression à propos des saints Innocents :
« Quod rex impius eximit mundo, Christus inserit caelo » (*1ᵉʳ sermon
pour l'Épiphanie*, 3, *SC* 22 bis, p. 216).

3. Au sens de manque de foi, comme *supra*, p. 234, n. 1.

4. Cf. *Rom.* 12, 1 : « Rationabile obsequium vestrum. »

5. Cf. *II Cor.* 11, 28 : « Sollicitudo omnium ecclesiarum. »

6. Walter ULLMANN a mis en relief la plénitude de sens juridique
que présentait, pour un Romain du vᵉ siècle, le mot *haeres* employé
intentionnellement par S. Léon pour donner une expression personnelle et singulièrement forte à la tradition relative à la primauté de

de cette parole. C'est cette foi qui vainc le diable et dénoue les chaînes de ses prisonniers[1]. C'est elle qui introduit au ciel ceux qu'elle a arrachés au monde[2] et les portes de l'enfer ne peuvent tenir contre elle. Elle est, en effet, assurée divinement d'une telle solidité que jamais ni la perversité des hérétiques ne pourra la corrompre, ni la perfidie[3] des païens avoir raison d'elle.

4. C'est donc dans cette perspective, bien-aimés, que la fête d'aujourd'hui reçoit un hommage raisonnable[4], en sorte que, en mon humble personne, on voie, on honore celui en qui le souci de tous les pasteurs[5] persévère dans la garde des brebis à eux confiées et de qui la dignité ne disparaît pas, même dans un héritier indigne[6]. C'est pourquoi la présence souhaitée et honorable de mes vénérables frères et de mes associés dans le sacerdoce est encore plus sacrée et plus chargée de religion s'ils offrent le pieux hommage auquel ils ont daigné participer à celui-là principalement qu'ils savent être non seulement l'évêque de ce siège, mais encore le primat de tous les évêques. Lors donc que nous faisons entendre nos exhortations à votre sainteté, croyez que c'est celui-là même dont nous remplissons les fonctions qui vous parle ; c'est, en effet, animé de ses propres sentiments que nous

---

Pontife romain (« Leo I and the theme of papal primacy », dans *Journal of Theol. Studies* 1960, p. 25-51). Ce sens se résumait dans cet axiome : « Haereditas est successio in universum jus. » Juridiquement l'héritier occupait réellement la place du défunt (*locum defuncti*, selon Gaïus ; *domini loco habetur*, selon Pomponius). L'Apôtre S. Pierre continue donc à parler, à agir et à décider dans son héritier, le Pontife romain. Mais il y avait aussi dans le droit romain la notion de l'« indigne héritier », *indignus haeres*, celui qui, principalement pour des raisons morales, était incapable d'agir en héritier ; il était alors *indignus haeres pronuntiatus*, comme s'exprime Modestin. 5. Léon se considère donc comme l'héritier de l'Apôtre, en ce qui concerne les fonctions et prérogatives de S. Pierre, mais comme un indigne héritier, en tant que personne, dans le domaine des qualités morales requises.

monemus, et non aliud vobis, quam quod docuit,
praedicamus : obsecrantes, ut *succincti lumbos mentis
vestrae*[1] castam et sobriam vitam in timore Dei[2]
ducatis, nec concupiscentiis carnis mens principatus
sui oblita, consentiat[3]. Brevia et caduca sunt terrenarum gaudia voluptatum, quae ad aeternitatem
vocatos, a semitis vitae conantur avertere. Fidelis
ergo et religiosus animus, ea quae sunt caelestia,
concupiscat, et divinarum promissionum avidus,
in amorem se incorruptibilis boni, et in spem verae
lucis attollat. Certi autem estote, dilectissimi, quod
labor vester, quo vitiis resistitis, et carnalibus
desideriis repugnatis, placens in conspectu Dei est
atque pretiosus[4], nec solum vobis, sed etiam mihi
apud Dei misericordiam profuturus : quia de profectu
Dominici gregis gloriatur cura pastoris. *Corona enim
mea*, sicut Apostolus ait, *et gaudium vos estis*[5] ;
si fides vestra, quae ab initio Evangelii in universo
mundo praedicata est[6], in dilectione et sanctitate
permanserit[7]. Nam licet omnem Ecclesiam, quae
in toto est orbe terrarum, cunctis oporteat florere
virtutibus, vos tamen praecipue inter caeteros populos
decet meritis pietatis excellere, quos in ipsa apostolicae petrae arce fundatos, et Dominus noster Jesus
Christus cum omnibus redemit, et beatus apostolus
Petrus prae omnibus erudivit. Per eumdem Christum
Dominum nostrum. Amen[8].

---

1. *I Pierre* 1, 13.

2. Cf. *ibid.*, 3, 2 : « Considerantes in timore castam conversationem vestram. »

3. Cf. *II Pierre* 1, 4 : « Fugientes ejus quae in mundo est, concupiscentiae corruptionem. »

4. Cf. *I Cor.* 15, 58 : « Scientes quod labor vester non est inanis
in Domino » ; *Ps.* 115, 15 : « Pretiosa in conspectu Domini... »

5. Cf. *I Thess.* 2, 20 : « Vos enim estis gloria nostra et gaudium. »

6. Cf. *Rom.* 1, 8 : « Fides vestra annuntiatur in universo mundo. »

vous avertissons et ce n'est rien d'autre que ce qu'il a
enseigné que nous vous prêchons ; car nous vous prions
de « ceindre les reins de votre esprit[1] » pour mener une
vie chaste et sobre dans la crainte de Dieu[2] et ne pas
permettre que votre âme, oubliant sa suprématie, consente
aux désirs de la chair[3]. Brèves et éphémères sont les joies
que l'on trouve dans les voluptés terrestres et qui s'efforcent
de détourner des chemins de la vie ceux qui sont appelés
à l'éternité. Que l'âme fidèle et religieuse convoite donc
les biens qui sont du ciel et, avide de ce qui a été promis
par Dieu, s'élève jusqu'à l'amour du bien incorruptible
et à l'espérance de la vraie lumière. Soyez d'ailleurs
certains, bien-aimés, que la peine que vous prenez pour
résister aux vices et repousser les désirs charnels est
agréable et précieuse aux regards de Dieu[4] et qu'elle
sera profitable auprès de sa miséricorde non seulement
pour vous, mais aussi pour moi, car du progrès du troupeau
du Seigneur se glorifie le zèle du pasteur. Vous êtes, en
effet, comme le dit l'Apôtre, ma couronne et ma joie[5],
à condition que votre foi, vantée dans le monde entier
dès le début de l'évangile[6], persévère dans l'amour et
la sainteté[7]. Car, même si c'est toute l'Église, répandue
dans le monde entier, qui doit fleurir de toutes les vertus,
il convient cependant que vous vous distinguiez particulièrement parmi les autres peuples par les mérites de la
piété, vous qui, établis sur la citadelle du roc apostolique,
avez été rachetés avec tous par notre Seigneur Jésus-Christ,
mais avez été instruits avant tous par le saint apôtre
Pierre. Par le même Christ notre Seigneur. Amen[8].

7. Cf. *I Tim.* 2, 15 : « Si permanserit in fide et dilectione et
sanctificatione cum sobrietate. »

8. Jugeant probable, d'après les termes de ce sermon, que
l'anniversaire de la consécration du Pape coïncidait cette année-là
avec les Quatre-Temps de septembre, A. CHAVASSE lui a assigné
la date du 29 septembre 443. Cf. « Le Sermon III de S. Léon et la
date de la célébration des Quatre-Temps de septembre », dans
Rev. Sc. Rel. (Strasbourg), janv.-avr. 1970, p. 77-84.

95

(IV)

DE NATALI IPSIUS SERMO IV
IN ANNIVERSARIO DIE EJUSDEM ASSUMPTIONIS[1]

1. Gaudeo, dilectissimi, de religioso vestrae devotionis affectu, et Deo gratias ago, quod in vobis
pietatem Christianae unitatis agnosco. Sicut enim
ipsa frequentia vestra testatur, intelligitis hujus diei
recursum ad communem laetitiam pertinere, et
honorem celebrari totius gregis per annua festa
pastoris. Nam licet universa Ecclesia Dei distinctis
ordinata sit gradibus, ut ex diversis membris sacrati
corporis subsistat integritas ; *omnes* tamen, sicut ait
Apostolus, *in Christo unum sumus*[2] ; nec quisquam
ita est* ab alterius divisus officio, ut non ad connexionem pertineat capitis cujuslibet humilitas portionis.
In unitate igitur fidei atque baptismatis[3], indiscreta
nobis societas, dilectissimi, et generalis est dignitas,
secundum evangelium* beatissimi Petri apostoli
sacratissima voce dicentis : *Et ipsi tamquam lapides*

---

1. Comme le sermon précédent, celui-ci a de longues parties
communes avec le *Sermon* 70 ; cf. p. 58, n. 1. S. Léon a repris celui-ci
lors de son différend avec l'évêque d'Arles Hilaire, en y ajoutant
quelques incises qui seront signalées au passage. Cf. l'Introduction,
supra, p. 19-21. Il est à dater du 29 septembre 444.

2. Cf. *Gal.* 3, 28 : « Omnes enim vos unum estis in Christo Jesu. »

3. Cf. *Éphés.*, 4, 5 : « Unus Dominus, una fides, unum baptisma ».

95

(IV)

QUATRIÈME SERMON
SUR SA CONSÉCRATION ÉPISCOPALE
PRONONCÉ LE JOUR ANNIVERSAIRE
DE SON ÉLÉVATION[1]

SOMMAIRE. — 1. Action de grâces ; la fête du pasteur est celle de tout le troupeau dans l'unité du corps mystique. — 2. C'est sur la foi de l'apôtre Pierre que repose l'Église entière. — 3. Pierre a reçu privilège et grâce pour transmettre son pouvoir aux autres Apôtres. — 4. Intercession de l'Apôtre pour l'Église universelle et pour les Romains en particulier.

1. Je me réjouis, bien-aimés, de votre religieuse affection et de votre dévouement et je rends grâce à Dieu de ce que je reconnais en vous la piété, signe de l'unité chrétienne. En effet — votre affluence en est par elle-même le témoignage —, vous comprenez que le retour de ce jour intéresse la joie de tous et qu'à travers la fête annuelle du pasteur, on honore tout le troupeau. Il est vrai, l'Église universelle de Dieu est ordonnée selon des degrés distincts les uns des autres, afin que son saint corps garde son intégrité à travers ses différents membres ; cependant, comme le dit l'Apôtre, nous ne faisons tous qu'un dans le Christ[2] et nul n'est à ce point séparé d'un autre dans sa fonction qu'un membre quelconque, tout humble qu'il soit, ne soit pas rattaché à la tête. Dans l'unité de foi et de baptême[3], la société qui existe entre nous, bien-aimés, ne présente donc pas de failles et la dignité de tous est la même, selon la bonne nouvelle annoncée par le très saint apôtre Pierre en ces mots infiniment sacrés : « Et vous-

vivi superaedificamini in domos spiritales, sacerdotium
sanctum, offerentes spiritales hostias acceptabiles Deo
per Jesum Christum; et infra : *Vos autem genus*
electum, regale sacerdotium, gens sancta, populus
acquisitionis[1]. Omnes enim in Christo regeneratos,
crucis signum efficit reges, Spiritus sancti* unctio
consecrat sacerdotes : ut praeter istam specialem
nostri ministerii servitutem[2], universi spiritales et
rationabiles Christiani agnoscant se regii generis, et
sacerdotalis officii esse consortes. Quid enim tam
regium quam subditum Deo animum corporis sui
esse rectorem ? Et quid tam sacerdotale quam vovere
Domino conscientiam puram, et immaculatas pietatis
hostias de altari cordis offerre[3] ? Quod cum omnibus
per Dei gratiam commune sit factum, religiosum*
vobis atque laudabile est, de die provectionis nostrae
quasi de proprio honore gaudere ; ut unum celebretur
in toto Ecclesiae corpore Pontificii*[4] sacramentum,
quod, effuso benedictionis unguento, copiosius quidem
in superiora profluxit, sed non parce etiam in infe-
riora descendit[5].

2. Cum itaque, dilectissimi, de consortio istius
muneris magna sit nobis materia communium gaudiorum, verior tamen nobis et excellentior erit causa
laetandi, si non in nostrae humilitatis consideratione
remoremini ; cum multo utilius multoque sit dignius
ad beatissimi Petri apostoli gloriam contemplandam
aciem mentis attollere, et hunc diem in illius potissi-

---

1. *I Pierre* 2, 5 et 9.
2. Nette distinction entre le « Sacerdoce royal » de tous les fidèles
et le sacerdoce ministériel et institutionnel des prêtres.
3. Cf. *I Pierre* 2, 5 : « Offerre spiritales hostias. »
4. Ce Pontife est Jésus-Christ dont l'unique pouvoir sacerdotal
est transmis par l'ordination, quand il s'agit des prêtres, par le baptême, en ce qui concerne les fidèles.

mêmes, comme pierres vivantes, prêtez-vous à l'édification
d'un édifice spirituel, pour un sacerdoce saint, en vue
d'offrir des sacrifices spirituels, agréables à Dieu par
Jésus-Christ », et, plus loin : « Mais vous, vous êtes une
race élue, un sacerdoce royal, une nation sainte, un peuple
acquis[1]. » De tous les régénérés dans le Christ, en effet,
le signe de la croix fait des rois, l'onction du Saint-Esprit
les consacre comme prêtres, afin que, mis à part le service
particulier de notre ministère[2], tous les chrétiens spirituels
et usant de leur raison se reconnaissent membres de cette
race royale et participants de la fonction sacerdotale.
Qu'y a-t-il, en effet, d'aussi royal pour une âme que
de gouverner son corps dans la soumission à Dieu ? Et
qu'y a-t-il d'aussi sacerdotal que de vouer au Seigneur
une conscience pure et d'offrir sur l'autel de son cœur
les victimes sans taches de la piété[3] ? Cela étant devenu
commun à tous par la grâce de Dieu, c'est de votre part
un acte religieux et louable que de vous réjouir du jour
de notre élévation comme de votre propre honneur ;
ainsi, c'est dans tout le corps de l'Église que l'on célèbre
l'unique sacrement qui confère le pouvoir du Pontife[4],
sacrement dont la grâce se répand plus abondamment,
certes, sur les membres supérieurs, lorsque coule l'huile
odorante de la bénédiction, mais qui ne descend pas
pour autant parcimonieusement sur les membres inférieurs[5].

2. Aussi, bien-aimés, quelque grande que soit la matière
de notre joie du fait que nous partageons tous ce don,
il y aura un motif plus authentique et plus excellent
à cette joie si vous ne vous arrêtez pas à considérer notre
bassesse ; il est, en effet, beaucoup plus utile et beaucoup
plus justifié d'élever le regard de nos âmes vers la contemplation de la gloire du saint apôtre Pierre et de célébrer

5. Cf. *Ps.* 132, 2 : « Sicut unguentum in capite, ...quod descendit
in oram vestimenti ejus. »

mum veneratione celebrare, qui ab ipso omnium
charismatum fonte tam copiosis est irrigationibus
inundatus, ut cum multa solus acceperit, nihil in
quemquam sine ipsius participatione transierit. Verbum caro factum jam habitabat in nobis[1], et
reparando humano generi totum se Christus impen-
derat. Nihil indispositum sapientiae, nihil erat
arduum potestati. Famulabantur elementa[2], ministrabant spiritus[3], angeli serviebant[4], nec ullo modo
poterat inefficax esse sacramentum, quod simul
ipsius Deitatis unitas operabatur et Trinitas. Et
tamen de toto mundo unus Petrus eligitur, qui et
universarum gentium vocationi, et omnibus apostolis,
cunctisque Ecclesiae Patribus praeponatur : ut
quamvis in populo Dei multi sacerdotes sint multique
pastores, omnes tamen proprie regat Petrus, quos
principaliter regit et Christus. Magnum et mirabile,
dilectissimi, huic viro consortium potentiae suae
tribuit divina dignatio ; et si quid cum eo commune
caeteris voluit esse principibus, numquam nisi per
ipsum dedit quidquid aliis non negavit. Omnes*
apostolos Dominus quid de se homines opinentur
interrogat ; et tamdiu sermo respondentium communis est, quamdiu humanae intelligentiae* ambiguitas
explicatur[5]. At ubi quid habeat sensus discipulorum
exigitur, primus est in Domini confessione, qui
primus est in apostolica dignitate. Qui cum dixisset :
Tu es Christus Filius Dei vivi, respondit ei Jesus :
Beatus es, Simon Bar Jona, quia caro et sanguis

1. Cf. *Jn* 1, 14.
2. Cf. *Matth.* 8, 27 : « Qualis est hic, quia venti et mare obediunt
ei ? »
3. Cf. *Mc* 1, 27 : « Spiritibus immundis imperat, et obediunt ei. »
4. Cf. *ibid.*, 13 : « Et angeli ministrabant illi. »

ce jour en vénérant principalement celui qu'inonda de flots si abondants la source même de tous les charismes : ce fut à ce point que, ayant été le seul à recevoir des dons multiples, il ne s'en transmet rien à personne sans son intervention. Le Verbe fait chair habitait déjà parmi nous[1] et le Christ s'était dépensé entièrement à la restauration du genre humain. Rien n'était imprévu pour sa sagesse, rien n'était ardu pour sa puissance ; les éléments étaient à son service[2], les esprits lui obéissaient[3], les anges le servaient[4] et l'action mystérieuse qu'exécutaient ensemble l'unité et la trinité d'une même Divinité ne pouvait en aucune façon être inopérante. Et pourtant, de tout l'univers, Pierre seul est choisi pour être préposé à l'appel de tous les peuples, seul il est mis à la tête de tous les Apôtres et de tous les Pères de l'Église ; ainsi, bien que, dans le peuple de Dieu, les prêtres fussent nombreux et nombreux les pasteurs, Pierre gouvernerait cependant à titre personnel tous ceux que, en tant que chef, gouverne aussi le Christ. Dans sa bienveillance, bien-aimés, Dieu a accordé à cet homme une grande et admirable participation à sa puissance ; et, s'il a voulu que les autres chefs aient avec lui quelque chose de commun, il n'a jamais donné que par lui ce qu'il n'a pas refusé aux autres. Or voici que le Seigneur demande à tous les Apôtres ce que les hommes pensent de lui. Leur réponse est unanime aussi longtemps qu'il s'agit d'exposer les hésitations de l'intelligence humaine[5]. Mais, dès que la question vient sur le sentiment des disciples, le premier à confesser le Seigneur est celui qui est le premier dans la dignité d'apôtre. Il avait dit : « Tu es le Christ, le Fils du Dieu vivant », Jésus lui répond : « Heureux es-tu, Simon, fils de Jonas, car cette révélation t'est venue non

5. Cette phrase manque dans le texte parallèle du *Sermon* 70.

non revelavit tibi, sed Pater meus qui in caelis est[1] ;
id est, ideo beatus es, quia te Pater meus docuit,
nec terrena opinio te fefellit, sed inspiratio caelestis
instruxit : et non caro nec sanguis, sed ille me tibi,
cujus sum unigenitus*, indicavit. *Et ego*, inquit,
dico tibi : hoc est, sicut Pater meus tibi manifestavit
divinitatem meam, ita et ego tibi notam facio excellentiam tuam : *Quia tu es Petrus* ; id est, cum ego
sim inviolabilis petra, ego lapis angularis[2], qui facio
utraque unum[3], ego fundamentum praeter quod
nemo potest aliud ponere[4] ; tamen tu quoque petra
es, quia mea virtute solidaris, ut quae mihi potestate
sunt propria, sint tibi mecum participatione communia. *Et super hanc petram aedificabo Ecclesiam meam,
et portae inferi non praevalebunt adversus eam*[5]. Super
hanc, inquit, fortitudinem aeternum exstruam templum, et Ecclesiae meae caelo inserenda* sublimitas
in hujus fidei firmitate consurget.

3. Hanc confessionem portae inferi non tenebunt,
mortis vincula non ligabunt : vox enim ista, vox
vitae est[6]. Et sicut confessores suos in caelestia
provehit, ita negatores ad inferna demergit. Propter
quod dicitur beatissimo Petro : *Tibi dabo claves
regni caelorum. Et quaecumque ligaveris super terram,
erunt ligata et in caelis ; et quaecumque solveris
super terram, erunt soluta et in caelis*[7]. Transivit
quidem etiam in alios apostolos jus potestatis istius,
et ad omnes Ecclesiae[8] principes decreti hujus consti-

---

1. *Matth.* 16, 16-17.

2. Cf. *Éphés.*, 2, 20 : « Ipso summo angulari lapide Christo
Jesu. »

3. *Ibid.*, 14.

4. Cf. *I Cor.* 3, 11 : « Fundamentum enim aliud nemo potest
ponere praeter id quod positum est, quod est Christus Jesus. »
Cette incise est ajoutée au texte du *Sermon* 70, 3.

5. *Matth.* 16, 18.

de la chair et du sang, mais de mon Père qui est dans les cieux[1]. » Autrement dit, tu es heureux, car c'est mon Père qui t'a enseigné et ce n'est pas une opinion de la terre qui t'aurait trompé, mais c'est une inspiration du ciel qui t'a instruit ; et ni la chair ni le sang ne m'ont désigné à toi, mais celui-là dont je suis l'unique engendré. « Et moi », dit-il, « je te dis » ; ce qui signifie : de même qu'à toi mon Père a manifesté ma divinité, ainsi moi, à toi, je fais connaître ton excellence : « Car tu es Pierre », c'est-à-dire : bien que je sois, moi, la pierre indestructible, moi, la pierre angulaire[2] « qui, des deux, ne fais qu'un seul[3] », bien que je sois le fondement en dehors duquel nul n'en peut poser d'autre[4], toi aussi, cependant, tu es pierre, car ma force t'affermit, en sorte que ce qui m'appartient en propre par puissance te soit commun avec moi par participation. « Et, sur cette pierre, je bâtirai mon Église et les portes de l'enfer ne prévaudront point contre elle[5]. » Sur la solidité de ce fondement, dit-il, je construirai un temple éternel et mon Église, dont la hauteur doit être introduite au ciel, s'élèvera sur la fermeté de cette foi.

3. Les portes de l'enfer n'auront pas raison de cette confession, les liens de la mort ne l'enchaîneront pas : cette parole, en effet, est une parole de vie[6]. Et, de même qu'elle élève aux cieux ceux qui la confessent, de même plonge-t-elle aux enfers ceux qui la nient. C'est pourquoi il est dit à saint Pierre : « Je te donnerai les clefs du royaume des cieux ; tout ce que tu auras lié sur la terre se trouvera lié dans les cieux et tout ce que tu auras délié sur la terre se trouvera délié dans les cieux[7]. » Certes, le droit d'exercer ce pouvoir a passé aussi aux autres Apôtres et l'institution née de cette décision s'est étendue à tous les princes de l'Église[8] ; mais ce n'est

6. Cf. *Jn* 6, 68.
7. *Matth.* 16, 19.
8. Troisième incise ajoutée au texte parallèle du *Sermon* 70, 2.

tutio commeavit ; sed non frustra uni commendatur, quod omnibus intimetur. Petro enim ideo hoc singulariter creditur, quia cunctis Ecclesiae rectoribus Petri forma proponitur*. Manet ergo Petri privilegium, ubicumque ex ipsius fertur aequitate judicium[1]. Nec nimia est vel severitas, vel remissio, ubi nihil erit ligatum, nihil solutum, nisi quod beatus Petrus aut solverit aut ligaverit. Instante autem passione sua, Dominus, quae discipulorum erat turbatura constantiam, *Simon*, inquit, *Simon, ecce Satanas expostulavit vos, ut cerneret sicut triticum. Ego autem rogavi pro te, ne deficiat fides tua. Et tu aliquando conversus confirma fratres tuos, ne* intretis in tentationem*[2]. Commune erat omnibus apostolis periculum de tentatione formidinis, et divinae protectionis auxilio pariter indigebant, quoniam diabolus omnes exagitare, omnes cupiebat elidere ; et tamen specialis a Domino Petri cura suscipitur, et pro fide Petri proprie supplicatur, tamquam aliorum status certior sit futurus, si mens principis victa non fuerit. In Petro ergo omnium fortitudo munitur, et divinae gratiae ita ordinatur auxilium, ut firmitas, quae per Christum Petro tribuitur, per Petrum apostolis conferatur.

4. Cum itaque, dilectissimi, tantum nobis videamus praesidium divinitus institutum, rationabiliter et juste in ducis nostri meritis et dignitate laetamur, gratias agentes sempiterno Regi Redemptori nostro Domino Jesu Christo, quod tantam potentiam dedit ei quem totius Ecclesiae principem fecit, ut si quid etiam nostris temporibus recte per nos agitur

---

1. Le sens du mot *aequitas* a été examiné à propos du *Sermon* 70 cf. *supra*, p. 62, n. 3. Pour le sens à donner au mot *forma* du débu de cette phrase, cf. la note du même *Sermon* 70 (*supra*, p. 62, n. 2).

pas en vain qu'est confié à un seul ce qui doit être signifié à tous. Si, en effet, ce pouvoir est remis à Pierre d'une façon personnelle, c'est que la règle de Pierre est proposée à tous les chefs de l'Église. Le privilège de Pierre demeure donc partout où un jugement est rendu en vertu de son équité[1]. Et il n'y a d'excès ni dans la sévérité ni dans l'indulgence là où rien ne se trouvera lié, rien délié, que ce que saint Pierre aura soit délié, soit lié. Or, à l'approche de sa Passion, qui allait troubler la constance des disciples, le Seigneur déclara : « Simon, Simon, voici que Satan vous a réclamés pour vous séparer comme le froment ; mais j'ai prié pour toi, afin que ta foi ne défaille pas. Toi donc, quand tu seras revenu, affermis tes frères, de peur que vous n'entriez en tentation[2]. » Le danger que leur ferait courir la tentation de crainte était commun à tous les Apôtres et ils avaient tous également besoin du secours de la protection divine, car le diable désirait les tourmenter tous, les faire tomber tous ; et pourtant c'est de Pierre que le Seigneur prend un soin particulier et c'est pour la foi de Pierre qu'il prie spécialement, comme si les autres allaient se trouver plus en sécurité si l'âme du chef n'était pas vaincue. En Pierre, c'est donc la vigueur de tous qui est fortifiée et le secours de la grâce divine est ainsi ordonné que la fermeté accordée par le Christ à Pierre soit conférée par Pierre aux Apôtres.

4. Aussi, bien-aimés, à la vue d'un si grand secours découlant pour nous de l'institution divine, il est raisonnable et juste que nous nous réjouissions des mérites et de la dignité de notre chef, rendant grâces au Roi éternel, notre Rédempteur le Seigneur Jésus-Christ, d'avoir donné à celui qu'il a fait prince de toute l'Église une puissance telle que si, même de nos jours, il est quelque chose que nous fassions bien, quelque chose dont nous

2. *Lc* 22, 31-32.46 ; nous avons déjà rencontré ce texte long de S. Luc au *Sermon* 70, 3 ; cf. *supra*, p. 63, n. 4.

recteque disponitur, illius operibus, illius sit gubernaculis deputandum, cui dictum est : *Et tu conversus
confirma fratres tuos* ; et cui post resurrectionem
suam Dominus ad trinam aeterni amoris professionem,
mystica insinuatione ter dixit : *Pasce oves meas*[1].
Quod nunc quoque proculdubio facit, et mandatum
Domini pius pastor exsequitur, confirmans nos
cohortationibus suis, et pro nobis orare non cessans,
ut nulla tentatione superemur. Si autem hanc pietatis
suae curam omni populo Dei, sicut credendum est,
ubique praetendit, quanto magis nobis alumnis suis
opem suam dignabitur impendere, apud quos in
sacro beatae dormitionis toro eadem qua praesedit
carne requiescit. Illi ergo hunc servitutis nostrae
natalitium diem, illi ascribamus hoc festum, cujus
patrocinio sedis ipsius meruimus esse consortes,
auxiliante nobis per omnia gratia Domini nostri
Jesu Christi, qui vivit et regnat cum Deo Patre,
et Spiritu sancto, in saecula saeculorum. Amen[2].

1. *Jn* 21, 17.
2. Les rapports entre le collège des évêques et le pape d'après la
doctrine de S. Léon et en particulier d'après les Sermons III et IV

décidions bien, il le faut rapporter à l'action, au gouvernement de celui à qui il a été dit : « Toi donc, quand tu seras
revenu, affermis tes frères » ; et c'est aussi à lui qu'après
sa résurrection, le Seigneur répondit par trois fois, confiant
à sa triple déclaration d'un éternel amour cette mystérieuse consigne : « Pais mes brebis[1]. » Cela, ce bon Pasteur
le fait, sans nul doute, maintenant aussi et il obéit au
commandement du Seigneur en nous fortifiant par ses
exhortations et en ne cessant pas de prier pour nous,
afin que nulle tentation n'ait raison de nous. Mais si,
comme il faut le croire, il étend cette sollicitude de sa
bonté partout et à tout le peuple de Dieu, combien plus
daignera-t-il prodiguer son secours à nous, ses enfants,
auprès de qui il repose sur la couche sacrée d'un bienheureux sommeil, et dans le corps même avec lequel il
nous gouverna ! A lui donc rapportons ce jour anniversaire
de notre entrée en fonction, à lui cette fête, puisque c'est
par sa protection que nous avons mérité d'être associé à
son Siège ; et que nous aide en toute chose la grâce de notre
Seigneur Jésus-Christ, qui vit et règne avec Dieu le Père
et l'Esprit-Saint dans les siècles des siècles. Amen[2].

« in anniversario assumptionis » ont été étudiés par J. LÉCUYER
dans *Études sur la colléqialité épiscopale*, I e Puy 1061, p. 00-44.

96

(V)

DE NATALI IPSIUS SERMO V
IN ANNIVERSARIO ASSUMPTIONIS SUAE AD
PONTIFICATUM

1. Sicut honor est filiorum, dilectissimi, dignitas patrum[1], ita laetitia est plebis, gaudium sacerdotis. Quod quia ex divino venit munere : *omne enim*, sicut scriptum est, *datum optimum, et omne donum perfectum desursum est, descendens a Patre luminum*[2] : gratias agere bonorum omnium debemus auctori, quoniam sive in naturalibus incrementis, sive in moralibus institutis, *ipse fecit nos, et non ipsi nos*[3] ; cumque hoc pie et fideliter confitemur, neque in nobis, sed in Domino gloriamur[4], fructuose in nobis renovantur vota cum tempore, et religiosa festa justa sunt gaudia, in quibus nec ingrati sumus tacendo de donis, nec superbi praesumendo de meritis.

---

1. Cf. *Prov.* 17, 6 : « Gloria filiorum patres eorum » ; *Sir.* 3, 13 (LXX, 11) : « Gloria hominis ex honore patris sui. »
2. *Jac.* 1, 17.
3. *Ps.* 99, 3.
4. Cf. *I Cor.* 1, 31 : « Qui gloriatur, in Domino glorietur. »

96

(V)

CINQUIÈME SERMON
SUR LE JOUR DE SA CONSÉCRATION ÉPISCOPALE
PRONONCÉ LE JOUR ANNIVERSAIRE
DE SON ÉLECTION AU PONTIFICAT

SOMMAIRE. — 1. Nous devons rapporter à Dieu tous les dons reçus ; aveu d'impuissance. — 2. Le premier pasteur partage les soucis de tous les autres pasteurs ; il doit mettre sa confiance dans le Gardien d'Israël. — 3. Le Seigneur, Pontife suprême, est présent au milieu de l'assemblée des pontifes, étant le Prêtre par excellence. — 4. Saint Pierre participe au gouvernement de l'Église par délégation du Christ. — 5. Les signes du temps ; hommage et reconnaissance à saint Pierre.

1. La dignité des pères est l'honneur des enfants[1] ; pareillement, bien-aimés, la joie de l'évêque est l'allégresse du peuple. Or cela procède d'un don divin, ainsi qu'il est écrit : « Tout don excellent, toute donation parfaite vient d'en-haut et descend du Père des lumières[2]. » Nous devons donc rendre grâces à l'Auteur de tout bien, car, qu'il s'agisse de progresser dans l'ordre naturel ou de s'instruire dans l'ordre moral, « c'est lui qui nous a faits et non nous-mêmes[3] ». Lorsque nous confessons cela avec piété et foi, et nous glorifions non en nous-mêmes, mais dans le Seigneur[4], les bons désirs se renouvellent en nous avec fruit en même temps que les saisons, et les fêtes religieuses sont pour nous de justes causes de joie, puisque nous ne nous y montrons ni ingrats en passant sous silence les dons reçus, ni orgueilleux en présumant de nos mérites.

Omnem igitur, dilectissimi, causam et rationem[1] solemnitatis hodiernae ad originem suam caputque feramus ; et illum debita gratiarum actione laudemus, in cujus manu et gradus officiorum, et momenta sunt temporum. Nam si ad nos et ad nostra respicimus, vix aliquid reperimus unde merito gaudeamus. Mortali etenim carne circumdati, et fragilitati corruptionis[2] obnoxii, numquam ita liberi sumus, ut non aliqua impugnatione pulsemur ; nec tam felix capitur in hoc agone victoria, ut non etiam post triumphos surgant rediviva certamina. Unde nemo tam perfectus est pontifex, tam immaculatus antistes, qui placationis hostias pro populi tantum delictis, non etiam pro suis debeat offerre peccatis[3].

2. Quae conditio si omnes sacerdotes generaliter tenet, quanto magis nos et onerat et obstringit ; quibus ipsa suscepti operis magnitudo creberrima est offensionis occasio. Quamvis enim singuli quique pastores speciali sollicitudine gregibus suis praesint, sciantque se pro commissis sibi ovibus reddituros esse rationem[4], nobis tamen cum omnibus cura communis est ; neque cujusquam administratio, non nostri laboris est portio : ut dum ad beati apostoli Petri sedem ex toto orbe concurritur, et illa universalis Ecclesiae a Domino eidem commendata dilectio etiam ex nostra dispensatione deposcitur ; tanto amplius nobis instare oneris sentiamus, quanto cunctis majora debemus. In hac ergo materia trepi-

---

1. *Causa et ratio* : S. Léon associe volontiers ces deux mots dont le sens est voisin ; cf. *8ᵉ sermon sur l'Épiphanie*, 1 (*SC* 22 bis, p. 282 et n. 5).

2. Cf. *Rom.* 8, 21 : « Creatura liberabitur a servitute corruptionis. »

3. Cf. *Hébr.* 7, 26-27 : « Talis enim decebat ut nobis esset pontifex, sanctus, innocens, impollutus, ... qui non habet necessitatem quotidie, quemadmodum sacerdotes, prius pro suis delictis hostias offerre, deinde pro populi. »

Rapportons donc, bien-aimés, à son origine et à son chef tout le fondement et toute la raison[1] de la solennité d'aujourd'hui et louons, en une action de grâces méritée, celui en la main de qui sont et les divers degrés des ministères et les moments du temps. Car si nous nous regardons nous-même et ce que nous sommes, c'est à peine si nous trouvons quelque chose dont nous puissions à juste titre nous réjouir. Revêtus, en effet, d'une chair mortelle et sujets à la faiblesse d'une nature corruptible[2], nous ne sommes jamais assez libre pour n'être pas l'objet de quelque attaque ; et, dans un tel combat, on ne remporte pas de si heureuse victoire que, même après le triomphe, les luttes ne reprennent vie pour surgir à nouveau. Aussi nul pontife n'est si parfait, nul évêque si pur qu'il ne doive offrir des sacrifices d'apaisement non seulement pour les péchés du peuple, mais encore pour ses propres fautes[3].

2. Si tous les prêtres en général sont soumis à pareille condition, combien plus celle-ci ne nous accable-t-elle pas et ne nous tient-elle pas enchaîné, nous pour qui la grandeur même de l'œuvre entreprise est une occasion si fréquente de faute. Sans doute chaque pasteur en particulier gouverne-t-il son troupeau avec une spéciale sollicitude et sait-il bien qu'il devra rendre compte des brebis qui lui ont été confiées[4] ; mais notre souci à nous prend sa part de celui de tous et ce que doit administrer l'un ou l'autre fait toujours partie de notre labeur : du monde entier, en effet, on accourt au siège du saint apôtre Pierre et cet amour de l'Église universelle que lui recommanda le Seigneur, on réclame aussi que nous le dispensions ; c'est pourquoi nous sentons d'autant plus le fardeau nous presser que nous devons donner davantage à tous. Parmi tant de raisons de craindre, où trouverions-nous

---

4. Cf. *ibid.* 13, 17 : « Ipsi (praepositi) pervigilant quasi rationem pro animabus vestris reddituri. »

dationis, quae nobis esset dependendae fiducia
servitutis, nisi non dormitaret, neque obdormiret
qui custodit Israel[1], et qui discipulis suis ait : *Ecce
ego vobiscum sum omnibus diebus usque ad consum-
mationem saeculi*[2] : nisi dignaretur non solum custos
ovium[3], sed ipsorum etiam pastor esse pastorum[4] ;
qui corporeo quidem intuitu non videtur, sed spiritali
corde sentitur ; absens carne, qua potuit esse conspi-
cuus ; praesens deitate, qua ubique semper est totus ?
Quia enim *justus ex fide vivit*[5], et haec est justitia
credentis, ut recipiat animo quod non cernit aspectu ;
*ascendens Dominus in altum captivam duxit captivi-
tatem, dedit dona hominibus*[6], fidem scilicet, et spem,
et caritatem, quae inde magna sunt, inde fortia,
inde pretiosa, quia quod carnis oculis non attingitur,
id miro mentis affectu et creditur, et speratur, et
amatur.

3. Adest igitur, dilectissimi, quod non temere,
sed fideliter confitemur, in medio credentium[7]
Dominus Jesus Christus : et quamvis ad dexteram
Dei Patris sedeat[8], *donec ponat inimicos suos sca-
bellum pedum suorum*[9], non deest tamen Pontifex
summus a suorum congregatione pontificum, meri-
toque illi totius Ecclesiae et omnium sacerdotum
ore cantatur : *Juravit Dominus, et non paenitebit
eum : Tu es Sacerdos in aeternum secundum ordinem
Melchisedech*[10]. Ipse enim verus et aeternus est
Antistes, cujus administratio nec commutationem

---

1. Cf. *Ps.* 120, 4 : « Ecce non dormitabit neque dormiet qui
custodit Israel. »

2. *Matth.* 28, 20.

3. Cf. *Hébr.* 13, 20 : « Pastorem magnum ovium, ... Dominum
nostrum Jesum Christum. »

4. Cf. *I Pierre* 5, 4 : « Cum apparuerit princeps pastorum. »

5. *Rom.* 1, 17 ; *Hab.* 2, 4.

donc la confiance d'exercer notre fonction si celui qui
garde Israël n'était celui qui ne dort ni ne sommeille[1]
et qui a dit à ses disciples : « Et moi, je suis avec vous
pour toujours jusqu'à la fin du monde[2] » ? Que ferions-
nous s'il ne daignait être non seulement le gardien des
brebis[3], mais encore le pasteur des pasteurs eux-mêmes[4],
invisible sans doute au regard charnel, mais sensible au
cœur selon l'esprit, absent de corps, de ce corps par lequel
on pourrait le voir, présent par la divinité, cette divinité
par laquelle il est partout toujours et tout entier ? « Le
juste, en effet, vit de la foi[5] » et la justice de celui qui croit
consiste à accueillir dans son âme ce qu'il ne voit pas
du regard ; aussi le Seigneur, « montant dans les hauteurs,
a emmené des captifs, a fait des présents aux hommes[6] »,
à savoir la foi, l'espérance et la charité, vertus qui sont
grandes, qui sont fortes, qui sont précieuses en ceci que,
par un admirable sentiment de l'âme, on croit, on espère
et l'on aime ce qui échappe aux yeux du corps.

3. Le Seigneur Jésus-Christ est donc présent, bien-
aimés, au milieu de ceux qui croient[7] ; cela, nous ne le
confessons pas à la légère, mais avec foi ; et, bien qu'il siège
à la droite de Dieu son Père[8] jusqu'à ce qu'il fasse de
ses ennemis l'escabeau de ses pieds[9], le Pontife suprême
n'est pourtant pas absent de l'assemblée de ses pontifes
et c'est avec raison que toute l'Église et tous les prêtres
chantent en son honneur : « Le Seigneur l'a juré et ne
s'en dédira point : tu es prêtre à jamais selon l'ordre
de Melchisédech[10]. » Il est, en effet, le vrai et éternel
pontife, dont le gouvernement ne peut connaître ni

---

6. *Éphés.*, 4, 8.
7. Cf. *Matth.* 18, 20 : « Ubi sunt duo vel tres congregati in nomine
meo, ibi sum in medio eorum. »
8. Cf. *Hébr.* 10, 12 : « In sempiternum sedet in dextera Dei. »
9. Cf. *Ps.* 109, 1.
10. *Ibid.* 4.

potest habere, nec finem. Ipse est cujus formam
Melchisedech pontifex praeferebat, non Judaicas
hostias offerens Deo, sed illius sacramenti immolans
sacrificium, quod Redemptor noster in suo corpore
et sanguine consecravit. Ipse est cujus sacerdotium Pater *non secundum ordinem Aaron* cum
legis tempore transiturum, sed *secundum ordinem
Melchisedech* perenniter celebrandum[1] cum firma-
mento insolubilis jurationis instituit. Nam quia
jusjurandum inter homines iis definitionibus adhi-
betur, quae perpetuis pactionibus sanciuntur, divini
quoque juramenti testificatio in his invenitur pro-
missis, quae incommutabilibus sunt fixa decretis :
et quia paenitentia mutationem indicat voluntatis,
in eo Deus non paenitet, in quo secundum aeternum
placitum non potest aliud velle quam voluit.

4. Non est itaque nobis, dilectissimi, praesump-
tuosa festivitas, qua suscepti sacerdotii diem divini
muneris memores honoramus ; quandoquidem pie
et veraciter confitemur, quod opus ministerii nostri
in omnibus quae recte agimus, Christus exsequitur ;
et non in nobis, qui sine illo nihil possumus[2], sed
in ipso, qui possibilitas nostra est, gloriamur[3].
Subjungit autem se ad rationem solemnitatis nostrae,
non solum apostolica, sed etiam episcopalis beatissimi
dignitas Petri, qui sedi suae praeesse non desinit,
et indeficiens obtinet cum aeterno Sacerdote consortium. Soliditas enim illa quam de Petra Christo
etiam ipse Petra factus accepit, in suos quoque se
transfudit haeredes[4], et ubicumque aliquid ostenditur
firmitatis, non dubie apparet fortitudo pastoris. Nam

1. Cf. *Hébr.* 7, 11 : « Quid adhuc necessarium fuit secundum
ordinem Melchisedech alium surgere sacerdotem, et non secundum
Aaron dici ? »

2. Cf. *Jn* 15, 5 : « Sine me nihil potestis facere. »

changement ni fin. Il est celui dont le prêtre Melchisédech montrait par avance la figure, n'offrant pas à Dieu des victimes conformes à la loi juive, mais immolant en sacrifice ce mystère que notre Rédempteur a consacré dans son corps et dans son sang. Il est celui dont le Père a, en le confirmant par un serment inviolable, institué le sacerdoce non selon l'ordre d'Aaron, pour qu'il passe avec le temps de la Loi, mais selon l'ordre de Melchisédech, pour qu'il soit perpétuellement célébré[1]. Car, puisqu'un serment prêté entre hommes est quelque chose qui vient sceller des points précis sanctionnés par des conventions perpétuelles, le serment divin, lui aussi, se trouve attesté par des promesses fixées en décrets immuables ; et, parce que qui dit repentir dit changement de volonté, Dieu ne se repent pas, puisque, selon son éternel bon plaisir, il ne peut vouloir autrement qu'il n'a voulu.

4. Ce n'est donc pas présomption de notre part, bien-aimés, que de fêter et d'honorer, nous souvenant du don divin, le jour où nous avons reçu le sacerdoce ; il suffit pour cela que nous confessions en toute piété et vérité que c'est le Christ qui accomplit l'œuvre de notre ministère en tout ce que nous faisons correctement et que nous nous glorifiions non en nous, qui sans lui ne pouvons rien[2], mais en lui[3] qui nous donne de pouvoir. Au motif de notre fête s'ajoute aussi la dignité non seulement apostolique, mais encore épiscopale, de saint Pierre qui ne cesse de présider à son Siège et conserve une participation sans fin avec le Souverain Prêtre. La fermeté qu'il reçut de la Pierre qui est le Christ, lui, devenu également Pierre, il la transmet aussi à ses héritiers[4] ; et, partout où paraît quelque fermeté, se manifeste indubitablement la force du pasteur. Car si, pour avoir supporté

3. Cf. I Cor. 1, 31 : « Qui gloriatur, in Domino glorietur. »
4. Sur le sens juridique plénier du mot haeres, voulu par S. Léon, cf. Sermon 94, 4 ; supra, p. 260, n. 6.

si omnibus fere ubique martyribus pro susceptarum
tolerantia passionum, hoc ad merita ipsorum mani-
festanda donatum est, ut opem periclitantibus ferre,
morbos abigere, immundos spiritus pellere, et innu-
meros possint curare languores[1] ; quis gloriae beati
Petri tam imperitus erit aut tam invidus aestimator,
qui ullas Ecclesiae partes non ipsius sollicitudine
regi, non ipsius ope credat augeri ? Viget prorsus et
vivit in apostolorum principe illa Dei hominumque
dilectio, quam non claustra carceris, non catenae,
non populares impetus, non minae regiae exter-
ruerunt ; et insuperabilis fides, quae bellando non
cessit, vincendo non tepuit.

5. Cum ergo in diebus nostris moestitudines in
laetitiam, labores in requiem, discordiae vertuntur
in pacem, agnoscimus nos praesulis nostri meritis
et precibus adjuvari, et documentis frequentibus
experimur ipsum salubribus consiliis, ipsum aequis
praesidere judiciis ; ut manente apud nos jure ligandi
atque solvendi, per moderamen beatissimi Petri et
condemnatus ad paenitentiam, et reconciliatus perdu-
catur ad veniam. Et ideo quidquid in nobis hodie
sive dignatione fratrum, sive pietate filiorum detu-
listis officii, illi vos mecum religiosius et verius
impendisse cognoscite, cujus sedi non tam praesidere
quam servire[2] gaudemus, sperantes orationibus ipsius
esse praestandum, ut Deus misericordiarum[3] ministerii nostri tempora benignus aspiciat, pastoremque
ovium suarum custodire semper dignetur, et pascere[4].

1. Cf. *Matth.* 10, 1 : « Dedit illis potestatem spirituum immundo-
rum ut ejicerent eos, et curarent omnem languorem... »

2. Cf. *Matth.* 20, 28 : « Filius hominis non venit ministrari, sed
ministrare. »

3. Cf. *II Cor.* 1, 3 : « Pater misericordiarum. »

4. Les allusions qu'on vient de lire, à des « tristesses qui se muent
en joie, des travaux en repos, des discordes en paix », à des « condam-

vaillamment les supplices qui leur étaient infligés et afin de manifester par là leurs mérites, les martyrs ont pratiquement tous et partout obtenu de porter secours aux hommes en danger, de chasser les maladies, d'expulser les esprits impurs et de guérir d'innombrables maux[1], qui sera assez ignorant ou assez envieux pour mésestimer la gloire de saint Pierre et croire qu'il y ait des portions de l'Église qui échappent à la sollicitude de son gouvernement et ne s'accroissent pas grâce à lui ? Voici qu'est en pleine vigueur et vie dans le Prince des apôtres cet amour de Dieu et des hommes que n'ont effrayé ni la réclusion du cachot, ni les chaînes, ni les émeutes populaires, ni les menaces des rois ; et il en est de même de sa foi invincible qui n'a pas lâché pied dans le combat et ne s'est pas attiédie dans la victoire.

5. Aux jours que nous vivons, les tristesses se muent en joie, les peines en repos, les désaccords en paix : à cela nous reconnaissons que nous sommes aidés par les mérites et les prières de notre chef et nous expérimentons par des témoignages innombrables que c'est lui qui préside aux décisions salutaires, aux jugements équitables ; le droit de lier et de délier nous étant conservé, c'est le gouvernement de saint Pierre qui conduit le condamné à la pénitence et le réconcilié au pardon. C'est pourquoi tout ce que, aujourd'hui, vous nous avez apporté d'hommage, soit par considération fraternelle, soit par piété filiale, sachez que vous en avez plus religieusement et plus réellement payé le tribut avec moi à celui dont nous nous réjouissons d'occuper le Siège, non pas tant pour présider que pour servir[2], espérant obtenir de ses prières que le Dieu des miséricordes[3] regarde favorablement le temps de notre ministère et daigne toujours garder et nourrir le pasteur de ses brebis[4].

---

nés qui viennent à la pénitence et des réconciliés au pardon », permettent de proposer une date pour ce sermon. En 452, la délégation

97

IN NATALI SANCTORUM SEPTEM
FRATRUM MARTYRUM MACHABAEORUM[1]

1. Gratias, dilectissimi, Domino Deo nostro, quod quanta sit hujus diei solemnitas, etiam si ego taceam, conventus vester ostendit. Tam conspiranti enim studio et tam devoto animo convenistis, ut festi-

romaine dont S. Léon faisait partie a rencontré Attila à Mantoue et a réussi à le persuader de rebrousser chemin ; l'année précédente, le concile de Chalcédoine a pu tenir ses assises grâce à l'avènement de l'empereur Marcien à Byzance, et rendre ses décrets dans la crise eutychienne qui divisait l'Orient ; le pape pouvait donc espérer que l'œuvre du concile mettrait fin aux discordes et pacifierait les esprits. Enfin l'allusion à la pénitence des condamnés et au pardon des réconciliés fait penser aux Manichéens que S. Léon, on le sait, combattit dès les premières années de son pontificat. En 445, l'empereur d'Occident Valentinien III avait, sur l'instigation du pape, promulgué une constitution les frappant de peines sévères ; s'ils ne venaient pas à résipiscence, ils étaient bannis, frappés de confiscation de leurs biens et d'une véritable mort civile. On peut penser que la rigueur de ces sanctions en aura fait réfléchir plus d'un et les aura amenés à désavouer leur erreur, aidés en cela par les prières en leur faveur que S. Léon avait souvent recommandées aux fidèles ; de ces retours de brebis égarées, le pape ne pouvait que se réjouir. — Ces diverses circonstances inclinent à proposer pour ce sermon la date du 29 septembre 452. L'étude critique des textes manuscrits des *Sermons* ne s'oppose pas à cette datation.

1. Ce sermon, reconnu par Quesnel comme étant de S. Léon, avait été écarté par les Ballerini sur la foi d'un des manuscrits sur lesquels ils appuyaient leur édition et qui l'attribuait à S. Augustin. Il est maintenant restitué à S. Léon et l'étude critique des *Sermons* a levé tout doute à ce sujet. Il suffit d'ailleurs d'être un tant soit peu familier avec le style léonien pour le reconnaître sans grande hésitation dans ce sermon où se retrouvent également des thèmes familiers à S. Léon, notamment celui du combat intérieur qui a remplacé en temps de paix les persécutions sanglantes.

97

AU JOUR ANNIVERSAIRE
DES SEPT FRÈRES MACCABÉES MARTYRS[1]

SOMMAIRE. — 1. Double motif de joie pour cette fête : le souvenir des martyrs et celui de la dédicace de l'église. — 2. Nous devons imiter les combats des martyrs et ne manquons jamais d'occasion pour le faire. — 3. Comment célébrer dignement la fête. — 4. Le chrétien temple de Dieu.

1. Grâces soient rendues, bien-aimés, au Seigneur notre Dieu de ce que, même si je me tais, votre rassemblement montre combien est grande la solennité de ce jour. Vous vous êtes réunis avec une ardeur si unanime et un cœur si dévot que votre foule témoigne par elle-même,

L'église dont la consécration est évoquée dans ce sermon est, selon toute vraisemblance, l'église des Saints Apôtres reconstruite, sur le mont Esquilin, par le prêtre Philippe avec l'aide pécuniaire de l'impératrice Eudoxie, épouse de Valentinien III. Cette église fut consacrée par Sixte III, prédécesseur immédiat de S. Léon. Elle changea son vocable en celui de Saint-Pierre-aux-liens, lorsque les chaînes de l'Apôtre y furent apportées, sans doute à la fin du Ve siècle. Quant aux frères Maccabées, martyrs juifs de la persécution d'Antiochus, ils étaient vénérés à Rome comme partout dans le monde chrétien (des reliques de ces saints y furent apportées d'Antioche, mais seulement au VIe siècle, et déposées dans l'église de Saint-Pierre-aux-Liens). Leur fête était célébrée le 1er août, le même jour que celle de la dédicace de l'église. Cf. *DACL*, articles « Chaînes de S. Pierre », « Maccabées » ; SCHUSTER, *Liber Sacramentorum*, Bruxelles 1932, VIII, p. 139-144 ; R. VIELLIARD, *Recherches sur les origines de la Rome chrétienne*, 2e éd., Rome 1959, p. 74, 88, 96.

C'est donc au pape Sixte III que s'adressent les éloges du 3e paragraphe de ce sermon. S. Léon aura pu prononcer celui-ci dans les débuts de son pontificat ou même du temps où il était encore archidiacre de Sixte.

vitatis magnificentiam, etsi sermo non indicet,
congregatio tamen ipsa testetur, et recte. Duplex
enim causa laetitiae est : in qua et natalem ecclesiae
colimus, et martyrum passione gaudemus ; nec
immerito digne Ecclesia horum exsultat martyrio,
quorum ornatur exemplo. Causam ergo solemnitatis
hodiernae, dilectissimi, plenissime sacrae historiae
lectione didicistis, nec latere vos potuit quem in
tanto rerum gestarum ordine exceperitis auditum,
cum gloriosam septem martyrum matrem exsultanti
et non tacito[1] honoraretis affectu, in singulis quidem
filiis passam, sed in omnibus coronatam. Subsecuta
est enim felici exitu, quos invicto praemisit hortatu.
Beata genitrix, beata progenies, memorabilis praece-
dentium devotio, mirabilis consequentium fortitudo.
Nam cum in illo ordine mortium, et in illa dispo-
sitione poenarum, id saevissimi regis excogitasset
impietas, ut victoriam sibi et de primis promitteret,
quos sine tolerantiae cruciaret exemplo, et de postre-
mis, quos in supplicio torqueret alieno, multiplicatae
sunt martyrum palmae, et dum singuli in omnibus
vincunt, praeter coronas proprias, omnes acquisivere
septenas.

2. Sed haec ad infructuosam recolenda sunt aurium
voluptatem ! Inflat scientia, nisi aedificet obedientia[2],
gravant audita, nisi suscipiantur imitanda. Nec
enim quia cessavit persecutor et tortor, quia omnes
jam Deo militant potestates, desunt Christianis,
quas superent, passiones. *Fili*, inquit, *accedens ad*

---

1. Ces mots semblent indiquer que l'assemblée des fidèles, foule
méridionale, a manifesté bruyamment sa joie et son admiration pour
les martyrs dont la passion lui était contée. Des réactions de ce genre
sont souvent apparentes dans les sermons de S. AUGUSTIN ; cf.
indications à ce sujet, avec références, dans F. VAN DER MEER,
Saint Augustin pasteur d'âmes, trad. franç., Colmar 1955. Tome II,
p. 180, 217, 227-230, 232-233.

et à juste titre, de la magnificence de la fête, même si la parole ne le dit pas. En effet, la raison de notre joie est double ; elle vient de ce que, du même coup, nous vénérons la dédicace d'une église et nous nous réjouissons de la passion des martyrs ; et ce n'est pas à tort que l'Église est justement heureuse du martyre de ceux dont l'embellit l'exemple. La cause de la solennité d'aujourd'hui, bien-aimés, vous l'avez pleinement apprise par la lecture de l'histoire sacrée et le récit entendu n'a pu vous échapper, présentant un tel déroulement des faits : vous avez honoré, en effet, avec un sentiment d'allégresse et qui n'a pu se taire[1], la glorieuse mère des sept martyrs, souffrant, certes, en chacun de ses fils, mais couronnée en tous. Car elle a suivi, par un heureux trépas, ceux qu'elle a envoyés devant elle par une exhortation victorieuse. Heureuse mère, heureuse progéniture, mémorable piété de ceux qui sont partis les premiers, admirable force de ceux qui les ont suivis ! Car, dans cette succession de morts et dans cette disposition de peines, l'impiété d'un roi très cruel avait pensé pouvoir se promettre la victoire à la fois sur les premiers qu'il tourmenterait sans qu'ils aient un exemple de patience, et sur les derniers qu'il torturerait dans le supplice des autres ; mais les palmes des martyrs en furent multipliées et, tandis que chacun triomphait en tous, tous acquirent les sept couronnes, outre les leurs propres.

2. Mais il ne sert de rien de rappeler ces choses pour le seul plaisir de l'oreille ! La science enfle, si l'obéissance n'édifie[2] ; ce que l'on entend est à charge, si on ne l'accueille pour l'imiter. Ce n'est pas, en effet, parce que le persécuteur et le bourreau ont cessé de sévir, ni parce que, désormais, tous les pouvoirs publics sont au service de Dieu, que manquent aux chrétiens des combats à soutenir. « Mon

2. Cf. I Cor. 8, 1 : « Scientia inflat, caritas vero aedificat. »

*servitutem Dei, sta in justitia et timore, et praepara
animam tuam ad tentationem*[1] ; et Apostolus dicit :
*Quicumque in Christo pie volunt vivere, persecutionem
patiuntur propter justitiam*[2]. Qui ergo putas quievisse
persecutionem, et nullum tibi cum hostibus esse
conflictum, intimum cordis tui scrutare secretum,
et omnes recursus animae tuae diligens explorator
ingredere ; et vide si nulla te impugnat adversitas[3],
si nullus tyrannus vult in mentis tuae arce dominari.
Noli cum avaritia pacem firmare, et iniquorum
quaestuum incrementa contemne. Superbiae concor-
diam nega, et magis time in gloriam suscipi quam
in humilitate calcari. Dissociare ab ira, nec dolorem
inflammet invidiae cupido vindictae. Renuntia voluptati, avertere ab immunditia, pelle luxuriam, fuge
iniquitatem, obnitere falsitati[4] ; et cum videris te
multiplicem habere pugnam, tu quoque, imitator
martyrum, numerosam quaere victoriam. Toties
enim peccatis morimur, quoties in nobis peccata
moriuntur ; et *pretiosa in conspectu Domini* etiam
ista *mors sanctorum eius*[5], ubi homo occiditur mundo,
non interitu sensuum, sed fine vitiorum.

3. Si ergo, carissimi[6], non ducitis cum infidelibus
jugum[7], si peccatores esse desistitis, et nullis carnalium cupiditatum tentationibus ceditis, solemnem

---

1. *Sag. Sir.* 2, 1 (Vulg.).

2. *II Tim.* 3, 12 ; les mots « propter iustitiam » sont ajoutés au
texte de l'Apôtre, par référence à *Matth.* 5, 10 : « Beati qui persecutionem patiuntur propter iustitiam. »

3. Le mot *adversitas* peut être pris ici dans le sens de « ce qui est
tourné contre » (et non dans celui d'adversité, de malheur) de même
qu'au *Sermon* 91, 9 (*supra* p. 242) ; il s'agit des vices, comme la suite
va le faire voir.

4. Ce passage est à rapprocher du *sermon* 26, 5 (*1er sermon sur le
carême* ; *SC* 49 bis, p. 74), où S. Léon expose en termes assez semblables
les principes de l'examen de conscience ; cette ressemblance plaide

fils, est-il dit, si tu veux servir Dieu, tiens-toi ferme dans la justice et la crainte, et prépare ton âme à l'épreuve[1]. » Et l'Apôtre dit : « Tous ceux qui veulent vivre pieusement dans le Christ sont persécutés pour la justice[2]. » Toi donc qui penses que la persécution s'est endormie et qu'il n'y a pas de combat à soutenir contre des ennemis quelconques, scrute l'intime secret de ton cœur, et pénètre en observateur attentif dans tous les replis de ton âme ; vois si aucune force adverse[3] ne t'attaque, si aucun tyran ne cherche à dominer sur la citadelle de ton esprit. Ne conclus pas la paix avec l'avarice et méprise les profits que procurent des gains injustes. Refuse de t'entendre avec la superbe et crains davantage d'être élevé en honneur que d'être foulé aux pieds dans l'humiliation. Sépare-toi de la colère et que le désir de la vengeance n'allume pas la douleur que te causerait l'envie. Renonce à la volupté, éloigne-toi de l'impureté, chasse la luxure, fuis l'injustice, refuse le mensonge[4] ; et, lorsque tu te verras en face de multiples combats, toi aussi, imitant les martyrs, recherche de nombreuses victoires. Aussi souvent, en effet, que nous mourons aux péchés, aussi souvent les péchés meurent en nous ; et « elle est précieuse aux yeux du Seigneur[5] », cette mort, elle aussi, de ses saints, mort où l'homme est tué pour le monde, non par l'extinction du sentiment, mais par la fin des vices.

3. Si donc, bien-aimés[6], vous ne faites pas attelage avec les infidèles[7], si vous cessez d'être pécheurs et ne cédez à aucune tentation venant des convoitises charnelles,

---

en faveur de l'authenticité du sermon. Dans le même sens, cf. *sermon* 28, 1 (*ibid.*, p. 92-93).

5. *Ps.* 115, 15 (Vulg.).

6. L'expression « carissimi » ne se rencontre jamais dans les *sermons*, où S. Léon dit toujours « dilectissimi ». Est-ce une raison suffisante pour refuser l'authenticité du sermon, comme le font les Ballerini ?

7. Cf. *II Cor.* 6, 14 : « Nolite iugum ducere cum infidelibus. »

hanc diem legitime celebratis[1] ; et non solum martyres ac martyrum matrem, sed etiam illius memoriam
justo honore veneramini, qui hoc die antiquam
festivitatem hujus loci consecratione geminavit :
magnificus quidem structor parietum, sed magni-
ficentior aedificator animarum, ultra aevi sui terminos
opera pietatis extendens, ut utilitatibus institutionum
ejus etiam in ipso frueretur devota posteritas, et
habitando quod condidit, et faciendo quod docuit.

4. Omnia ergo, dilectissimi, quae oculis cernitis
et mente meministis, ad profectum vestrae aedifi-
cationis assumite, et ita unusquisque vestrum praeparato a majoribus utatur habitaculo, ut in seipso
meminerit templum Dei esse fundatum[2]. Nihil
structurae suae pravum, nihil supponat infirmum ;
sed vivis et electis lapidibus[3] congruendo, per
indissolubilem connexionem crescat in Dominici
corporis unitatem[4] : auxiliante ipso angulari lapide[5]
Deo et Domino nostro Jesu Christo, qui cum Patre
et Spiritu sancto vivit et regnat in saecula saeculorum. Amen.

1. Expression familière à S. Léon et dont Dom M. B. DE SOOS
a cherché à préciser le sens dans *Le mystère liturgique d'après S. Léon
le Grand*, Aschendorff, Münster 1958, p. 94 s. Elle se retrouve dans
les *Sermons* 50, 7 et 57, 6 (*SC* 74, p. 83 et 122).

2. Cf. *I Cor.* 3, 16 : « Nescitis quia templum Dei estis ? » ; *idem
II Cor.* 6, 16.

3. Cf. *I Pierre* 2, 4-5 : « Ad quem accedentes lapidem vivum,

vous célébrez comme il convient[1] ce jour solennel ;
et vous vénérez non seulement les martyrs et la mère
des martyrs, mais aussi, en lui rendant un honneur mérité,
le souvenir de celui qui, en ce jour, a doublé une antique
fête en y ajoutant la consécration de ce lieu ; constructeur
magnifique, certes, de ces murs, mais bâtisseur plus
magnifique encore des âmes, il a étendu au delà des
limites de sa vie ses œuvres de piété, en sorte qu'une
postérité dévote jouisse jusque dans sa vie à elle des
avantages de ses institutions, et cela à la fois en habitant
la maison qu'il a fondée et en faisant ce qu'il a enseigné.

4. Tout ce donc, bien-aimés, que vous voyez de vos yeux
et rappelez dans votre mémoire, faites-le servir au progrès
de votre édification et qu'ainsi chacun d'entre vous se
serve de la maison établie par les anciens en se souvenant
qu'en lui-même a été construit le temple de Dieu[2]. Qu'il
n'ajoute à son édifice rien de mauvais, rien de malsain ;
mais en s'agrégeant aux pierres vivantes et choisies[3],
qu'il croisse, par une union indissoluble, dans l'unité
du corps du Seigneur[4], cela avec l'aide de la pierre angulaire elle-même[5], notre Dieu et Seigneur Jésus-Christ,
qui, avec le Père et l'Esprit-Saint vit et règne dans les
siècles des siècles. Amen.

... a Deo electum... ; et ipsi tamquam lapides vivi... ». *Ibid.* 9 : « Vos
autem genus electum.. ».

4. Cf. *Éphés.* 4, 15 : « Crescamus in illo per omnia, qui est caput
Christus. » *Idem Col.* 2, 19 ; *I Pierre* 2, 2.

5. Cf. *I Pierre* 2, 6 : « Ecce pono in Sion lapidem summum angu-
larem. »

98

INCIPIT PRAEFATIO SYMBOLI AD ELECTOS[1]

Dilectissimi nobis, accepturi sacramenta baptismatis et in novam creaturam[2] sancti spiritus procreandi fidem, quam credentes iustificandi estis[3], toto corde concipite et animis vestris veram conversationem[4] mutatis ad deum, qui mentium nostrarum est inluminator[5], accedite suscipientes evangelicae symboli sacramentum[6], a domino inspiratum, ab apostolis institutum, cuius pauca quidem verba sunt sed magna mysteria. Sanctus etenim spiritus, qui magistris ecclesiae ista dictavit, tali eloquio talique brevitate salutiferam condidit fidem, ut quod creden-

---

1. Le texte de ce sermon est une exhortation aux catéchumènes avant la réception du baptême et une communication du Symbole des Apôtres, la « tradition du Symbole ». Il a été revendiqué pour S. Léon par Dom P. DE PUNIET dans un article de la *Rev. d'Hist. Eccl.* de 1904, p. 770-784, et cette attribution n'a pas été contestée. Il se trouve dans le *Sacramentaire Gélasien* et nous le donnons d'après l'édition de Mohlberg, Rome 1960, p. 48-51. On en trouve aussi le texte dans WILSON, *The Gelasian Sacramentary*, Oxford 1894, dans FELTOE, *idem*, et dans ANDRIEU, *Les Ordines Romani du Haut Moyen Age*, Louvain 1948, Ordo XI, II, p. 433-437. — A propos du *Sermon 33 (8e sermon sur le carême)*, nous avions émis l'hypotèse qu'il pourrait avoir été, lui aussi, prononcé pour la « tradition du symbole » (*SC* 49 bis, p. 158, n. 7). — En empruntant le texte de Mohlberg, nous n'avons pas cherché à harmoniser l'orthographe avec celle des *Sermons* de ce volume.

98

ADMONITION POUR LA TRADITION DU SYMBOLE[1]

SOMMAIRE. — Invitation à recevoir le Symbole adressée aux catéchumènes. Les éléments du Symbole. Le baptême est mort et résurrection. Il faut fixer le Symbole dans le cœur sans y rien changer. Conclusion.

Nos bien-aimés, vous allez recevoir le sacrement du baptême et être mis au monde en une nouvelle créature[2] du Saint-Esprit ; concevez de tout cœur la foi, en la créance de laquelle vous allez être justifiés[3] et, vos âmes retournées par une vraie conversion[4] vers Dieu, illuminateur de nos esprits[5], approchez-vous et recevez la révélation[6] du symbole évangélique inspiré par le Seigneur, fixé par les Apôtres, et dont peu nombreux, certes, sont les mots, mais grands sont les mystères. Le Saint-Esprit, en effet, qui a dicté ces mots aux maîtres de l'Église, a enfermé la foi source du salut en un texte aussi bref afin que ce que vous

2. Cf. *II Cor.* 5, 17 : « Si qua in Christo, nova creatura » ; de même *Gal.* 6, 15.

3. Cf. *Rom.* 5, 1 : « Justificati ex fide » ; de même *Gal.* 2, 16 ; 3, 8.24.

4. Cf. *Jac.* 3, 13 : « Ostendat ex bona conversatione operatione suam. »

5. Cf. *Ps.* 26, 1 : « Dominus illuminatio mea » ; *Éphés.* 3, 9 : « Illuminare omnes. »

6. Nous traduisons ainsi le mot *sacramentum*, dans le sens d'*Éphés.* 3, 9, sous-entendu quelques lignes plus haut : « Dispensatio sacramenti absconditi a saeculis in Deo. »

dum vobis est semperque providendum, nec intelle-
gentiam possit latere nec memoriam fatigare[1]. Intentis
itaque animis symbolum discite, et quod vobis
sicut accipimus tradimus[2], non alicui materiae qui
corrumpi potest, sed paginis vestri cordis ascribite[3].
Confessio itaque fidem quam suscipistis hoc incoatur
exordio.

Hic recitatur symbolum primum graece, deinde latine

Haec summa est fidei nostrae, dilectissimi nobis,
haec verba sunt symboli, non sapientiae humano
sermone facta[4], sed vera divinitus ratione disposita.
Quibus conpraehendendis adque servandis nemo
non idoneus, nemo non aptus. Hic dei patris et
filii una aequalis pronuntiatur potestas. Hic unigenitus dei de Maria virgine et spiritu sancto secundum
carnem natus ostenditur. Hic eiusdem crucifixo et
sepultura ac die tertia resurrectio praedicatur. Hic
ascensio ipsius super caelos et confessio in dextera
paternae maiestatis[5] agnoscitur, venturusque ad
iudicandos vivos et mortuos declaratur. Hic spiritus sanctus in eadem qua pater et filius deitate

---

1. Mêmes expressions chez S. Augustin : « Symbolum est breviter
complexa regula fidei, ut mentem instruat, nec oneret memoriam »
(*Serm.* 213, 1 ; *PL* 38, 1060 ; cité par D. P. de Puniet, *art. cit.*,
p. 763).

2. Ici est soulignée la permanence de la tradition dans l'Église :
le Pontife transmet aux nouveaux chrétiens ce qu'il a lui-même
reçu ; cf. *I Cor.* 11, 23 : « Ego enim accepi a Domino quod et tradidi
vobis » ; *ibid.* 15, 3 : « Tradidi enim vobis in primis quod et accepi. »

3. Il y a ici un souvenir de la discipline de l'arcane, mais celle-ci
ne semble plus comprise. On recommande, en effet, d'inscrire le
Symbole dans le cœur et non sur une matière corruptible, mais on
n'en donne pas la raison. Dans les Sermons de S. Pierre Chrysologue

devez croire et toujours considérer ne puisse ni
échapper à l'intelligence ni fatiguer la mémoire[1]. Aussi
apprenez le symbole en y appliquant votre esprit et,
ce que nous vous transmettons comme nous l'avons
reçu[2], inscrivez-le non sur quelque matière corruptible,
mais sur les pages de votre cœur[3]. La confession de la foi
que vous recevez commence donc ainsi :

Formule du symbole en grec d'abord, en latin ensuite.

Telle est la somme de notre foi, nos bien-aimés, telles
sont les paroles du symbole, qui ne sont pas le fait d'un
discours humain de sagesse[4], mais ont été fixées divinement
selon la vérité. Les comprendre et les garder, il n'y a
personne qui n'en soit capable, personne qui n'y soit
apte. Ici est annoncée l'unique et égale puissance du
Père et du Fils. Ici est montré le Fils unique de Dieu né
selon la chair de la Vierge Marie et de l'Esprit-Saint.
Ici sont prêchées sa mise en croix et sa sépulture et sa
résurrection le troisième jour. Ici sont reconnues son
Ascension au delà des cieux et sa proclamation à la droite
de la majesté paternelle[5] et on déclare qu'il viendra
juger les vivants et les morts. Ici est reçu l'Esprit-Saint
indivisé du Père et du Fils dans la même divinité. Ici

---

sur le Symbole, au contraire, cette discipline apparaît plus clairement :
il faut confier le Symbole à la mémoire, non à un écrit, « ne caeleste
secretum arbiter profanus assumat, ne quod est credentibus ad
vitam, existat perfidis ad ruinam (*Sermo* 60, *PL* 52, 368 C) ... ne
sacramentum fidei divulgetur in publicum, ne ad infidelem fidei
derivetur *arcanum* » (*Sermo* 61, *ibid*. 371 A). Il y a là une référence
implicite à *Matth*. 7, 6 : « Nolite dare sanctum canibus, neque mittatis
margaritas vestras ante porcos. »

4. Cf. *I Cor*. 2, 4.

5. Même expression au *sermon* 53, 4 : « Super omnes altitudines
caelorum ad dexteram paternae majestatis ascendit » (*SC* 74, p. 98).

indiscretus accipitur. Hic postremo ecclesiae vocatio, peccatorum remissio et carnis resurrectio perducitur[1].

Vos itaque, dilectissimi, ex vetere homine in novum reformamini[2], et de carnalibus spiritales, de terrenis incipitis esse caelestes[3]. Secura et constanti fide credite resurrectione, quae facta est in Christo, etiam in nobis omnibus est conplenda, et hoc secuturus in toto corpore, quod praecessit in capite[4]. Quoniam et ipsum, quod praecepturi estis, baptismi sacramentum huc spei expremit formam. Ibi quaedam enim ibi mors et quaedam resurrectio celebratur[5]. Vetus homo deponitur et novus sumitur. Peccator aquas ingreditur et iustificatus egreditur. Ille abicitur qui traxit ad mortem, et suscepitur ille qui reduxit ad vitam, per cuius gratiam vobis confertur, ut filii dei sitis, non carnis voluntate editi[6], sed sancti spiritus virtute generati.

Et ideo hanc brevissimam plenitudinem ita debetis vestris cordibus inherere, ut omni tempore praesidio huius confessionis utamini. Invicta est enim semper talium armorum potestas, contra omnes insidias inimici ad bonam Christi miliciam profuturis. Diabolus, qui hominem temptare non desinit, munitos vos hoc symbolo[7] semper inveniat : ut devicto adversario

---

1. Le paragraphe suivant manque dans certains témoins. Andrieu le rejette en note.

2. Cf. *Rom.* 12, 2 : « Reformamini in novitate sensus vestri. »

3. Cf. *I Cor.* 15, 47-49.

4. Ces mots rappellent ceux du *Sermon* 60, 4 *(1ᵉʳ sermon sur l'Ascension)* : « Quo praecessit gloria capitis, eo spes vocatur et corporis » *(SC* 74, p. 138).

5. Même formule dans le *Sermon* 50, 6 *(12ᵉ sermon sur la Passion)* : « Quaedam species mortis et quaedam similitudo resurrectionis

enfin on termine par la vocation de l'Église, par la rémission des péchés et la résurrection de la chair[1].

Vous donc, bien-aimés, vous vous renouvelez en quittant le vieil homme pour prendre le nouveau[2] et vous commencez, de charnels que vous étiez, à devenir spirituels, de terrestres, célestes[3]. Croyez d'une foi certaine et ferme que la résurrection accomplie dans le Christ se réalisera aussi en nous tous et que ce qui a précédé dans la tête suivra dans tout le corps[4]. Car le sacrement du baptême que vous allez recevoir maintenant présente, lui aussi, une expression qui convient à cette espérance. Ici, en effet, sont célébrées comme une mort et comme une résurrection[5]. Le vieil homme est déposé et le nouveau revêtu. Le pécheur entre dans l'eau et l'homme justifié en sort. Celui-là est rejeté qui entraîna à la mort et celui-ci est pris qui a ramené à la vie ; par sa grâce il vous est conféré d'être des enfants de Dieu, non pas mis au monde par la volonté de la chair[6], mais engendrés par la puissance du Saint-Esprit.

Et c'est pourquoi vous devez fixer dans vos cœurs cette plénitude si brièvement exprimée, pour vous servir en tout temps du secours de cette confession. Invincible, en effet, est toujours la puissance de pareilles armes, utiles qu'elles sont contre les ruses de l'ennemi et pour un bon service du Christ. Que le diable, qui ne cesse pas de tenter l'homme, vous trouve toujours couverts de ce symbole[7], afin que, une fois vaincu l'ennemi auquel

---

intervenit » (*SC* 74, p. 83). Nous donnons le texte de l'édition Mohlberg. L'édition Wilson en a un autre plus compréhensible : « Quaedam enim ibi mors et quaedam resurrectio celebratur. »

6. Cf. *Jn* 1, 13.

7. Comme d'un bouclier.

cui renunciatis, gratiam domini incorruptam et
inmaculatam usque in finem, ipso quem confitemini
protegenti, servetis : ut in quo peccatorum remis-
sionem accipitis, in eo gloriam resurrectionis habeatis.
Ergo, dilectissimi, praefatum symbolum fidei catholicae in praesente cognovistis : nunc euntes edocimini
nullo mutato sermone. Potens est enim dei misericordia, quae et vos ad baptismi fidem currentes
perducat, et nos qui vobis mysteria tradimus, una
vobiscum ad regna caelestia faciat pervenire : per
eundem dominum nostrum Iesum Christum, qui
vivit et regnat in saecula saeculorum. Amen.

vous renoncez, vous gardiez jusqu'à la fin, intacte et immaculée, la grâce du Seigneur, par la protection de celui que vous confessez ; ainsi vous aurez la gloire de la résurrection en celui en qui vous recevez le pardon des péchés. Donc, bien-aimés, vous connaissez à présent le symbole de la foi catholique récité tout à l'heure ; allez maintenant et soyez-en parfaitement instruits, sans qu'une parole en soit changée. La miséricorde de Dieu, en effet, est puissante et pour conduire votre course à la foi du baptême et pour nous faire parvenir en même temps que vous au royaume céleste, nous qui vous livrons les mystères ; par le même Jésus-Christ, notre Seigneur, qui vit et règne dans les siècles des siècles. Amen.

PRAECONIUM S. LEONI
A SERGIO PAPA PRIMO DICATUM[1]

Huius apostolici primum est hic corpus humatum
  quod foret et tumulo dignus in arce Petri.
Hinc vatum procerumque cohors quos cernis adesse
  membra sub egregia sunt adoperta domo.
Sed dudum ut pastor magnus Leo septa gregemque
  christicolam servans ianitor arcis erat.
Commonet e tumulo quod gesserat ipse superstes
  insidians ne lupus vastet ovile Dei.

---

1. Le texte de cette épitaphe, dont l'original est perdu mais
a été copié au Moyen-Age, se trouve dans J. B. DE ROSSI, *Inscr.
christ. urbis Romae* II, 1, 98, anno 688, Sergius I in porticu Basil.
Vatic. Elle est reproduite dans *PL* 55, 330 ; 89, 27 et 128, 911 ;
traduction française assez libre dans SCHUSTER, *Liber Sacramentorum*,
VII, 116, Bruxelles 1931. Duchesne la commente ainsi (*Liber Pontificalis* I, p. 379, n. 35 ; voir également p. 241, n. 15, et plan de
l'ancienne basilique, p. 192 [les tombes successives de S. Léon
occupaient les endroits marqués *ee* et *14*] ; III [Additions et Correc-
tions], p. 297-298) : « Le tombeau de saint Léon se trouvait au bout,
à gauche, du portique d'entrée, au bas du *secretarium*. Il était là comme
le portier du temple, dans l'attitude d'un pasteur veillant sur son
troupeau, tel qu'il avait été durant son pontificat. Mais, par la suite
des temps, les sarcophages de ses successeurs, se pressant auprès
du sien, le cachaient aux regards. Serge le transporta à l'intérieur
de l'église, orna cette nouvelle tombe de marbres précieux et y fit
peindre, soit à fresques, soit en mosaïque, des prophètes et autres
saints dont les corps reposaient à Saint-Pierre. Il n'est guère douteux
que cette chapelle ne soit identique à l'oratoire de Saint-Léon, mentionné dans la vie de Paul Ier, restauré sous Léon IV et Pascal II.
Cet oratoire se trouvait dans le transept sud de la basilique, auprès
de la porte par laquelle on accédait au monastère de saint-Martin.
L'expression *in fronte sacrae domus* par laquelle cet emplacement

ÉLOGE DE S. LÉON LE GRAND
PAR LE PAPE SERGE I (681-701)[1]

Le corps de cet homme apostolique d'abord fut inhumé ici, qui plus tard serait digne de l'honneur d'un tombeau dans le haut-lieu de Pierre.

Après lui, inspirés et grands personnages, dont tu vois la présence, eurent en foule leurs restes ensevelis dans l'éminente demeure.

Naguère encore, Léon, comme le berger suprême, gardant l'enclos et le troupeau adorateur du Christ, était le portier du haut-lieu.

De sa tombe, se survivant à lui-même, il avertit, comme il le faisait en sa vie, afin que le loup aux aguets ne dévaste pas le bercail de Dieu.

est désigné dans l'inscription est peu naturelle, à moins que l'on n'entende par *sacra domus* le sanctuaire de la confession et de l'abside. La translation eut lieu le 28 juin 688. » Duchesne dit encore (p. 241) : « Léon est le premier pape qui ait reçu la sépulture dans le portique de Saint-Pierre ; il est aussi le premier dont les restes aient été déposés à l'intérieur de la basilique. Mais cette seconde déposition n'eut lieu qu'en 688, par les soins du pape Serge 1er. » Au sujet du pape Serge, le *Liber Pontificalis* contient cette notice (I, p. 375, n° 163) : « Hic corpus beati Leonis, probatissimi patris ac pontificis, quod in abdito inferioribus secretarii praedictae basilicae positum fuerat, facta diligentius tumba, in denominata basilica publico loco, ut sibi fuerat revelatum, reposuit ac locum ipsum ornavit. » — Aujourd'hui les restes de S. Léon reposent sous un autel du transept nord de la basilique vaticane, où Paul V les fit transférer en 1607, les réunissant à ceux des papes Léon II, Léon III et Léon IV ; la chapelle est ornée d'un bas-relief en bronze d'Algardi, représentant l'entrevue de S. Léon et d'Attila.

Testantur missi pro recto dogmate libri
  quos pia corda colunt, quos prava turba timet.
Rugiit[1] et pavida stupuerunt corda ferarum
  pastorisque sui iussa sequuntur oves.
Hic tamen extremo iacuit sub marmore templi
  quem iam pontificum plura sepulchra celant.
Sergius antistes divino impulsus amore
  Nunc in fronte sacrae transtulit inde domus.
Exornans rutilum pretioso marmore tumbum
  in quo poscentes mira superna vident.
Et quia praemicuit miris virtutibus olim
  ultima Pontificis gloria maior erit.

Sedit in episcopatu annos XXI, mensem I, dies XIII.
  Depositus est III idus april[2]. et iterum translatus
  huc a beato papa Sergio IIII kal. iul. indictione I[3].

---

1. Comme un lion : jeu de mot sur le nom du pape Léon *(leo)*.

2. Cette date est inexacte, remarque Duchesne (I, p. 241, n. 15) ; la
vraie s'est conservée dans le martyrologe hiéronymien, IIII idus
novembris (10 novembre).

3. Cette indication de date ne fait pas partie de l'éloge lui-même ;
elle a figuré sur la nouvelle tombe édifiée par Serge.

En sont témoins ses livres dédiés à la défense du dogme authentique ; les cœurs pieux les honorent, la troupe des méchants les craint.

Il a rugi[1] et les fauves, le cœur tremblant, en sont restés interdits, tandis que les brebis suivaient l'appel de leur berger.

Ici pourtant il reposa, sous le marbre du temple, en ce lieu écarté que cachent à présent les tombeaux de plusieurs pontifes.

L'évêque Serge, mû par l'amour divin, l'a maintenant transféré d'ici au point le plus élevé de la sainte demeure.

Il a orné d'un marbre précieux sa tombe étincelante, où les suppliants contemplent des merveilles célestes.

Et, après avoir brillé autrefois de vertus admirables, la gloire ultime du Pontife en sera accrue d'autant.

Il siégea comme évêque vingt et un ans, un mois et treize jours.

Il fut enseveli le 3e des ides d'avril (11 avril)[2] et transféré ici par le bienheureux pape Serge le 4e des kalendes de juillet (28 juin), indiction I[3].

TABLES ET INDEX

TABLE DE CONCORDANCE

de l'édition Ballerini-Migne *(BM)* avec la présente édition *(SC)*, couvrant l'ensemble des quatre volumes des Sermons.

Les astérisques (*, **, ***, ****) indiquent dans quel tome se trouve chaque sermon. L'ordre des sermons donnés dans ce tome IV diffère en partie de celui que nous avions envisagé lors de la première édition de nos tomes I, II et III ; il est conforme à la Table de concordance publiée dans la 2e édition.

BM	SC	BM	SC
I****	92	XXIV*	4
II****	93	XXV*	5
III****	94	XXVI*	6
IV****	95	XXVII*	7
V****	96	XXVIII*	8
VI**	20	XXIX*	9
VII**	21	XXX*	10
VIII**	22	XXXI*	12
IX**	23	XXXII*	13
X**	24	XXXIII*	14
XI**	25	XXXIV*	15
XII****	82	XXXV*	16
XIII****	83	XXXVI*	17
XIV****	84	XXXVII*	18
XV****	85	XXXVIII*	19
XVI****	86	XXXIX**	26
XVII****	87	XL**	27
XVIII****	88	XLI**	28
XIX****	89	XLII**	29
XX****	90	XLIII**	30
XXI*	1	XLIV**	31
XXII*	2	XLV**	32
XXIII*	3	XLVI**	33

INDEX BIBLIQUE

Les citations littérales sont imprimées en caractères droits, les citations proches, rappels de textes ou citations non littérales, *en italique*, les pures allusions ou réminiscences *en italique et entre parenthèses*. Dans l'indication des passages des Sermons, le chiffre romain indique le tome ; suit le numéro du Sermon concerné, celui du chapitre, puis celui ou ceux des lignes de ce chapitre où se trouve la référence. En ce qui concerne les citations allusives, cet index ne prétend pas à être exhaustif. (L'index se réfère à la 2ᵉ édition des tomes I et II — *SC* 22 bis et 49 bis — et à la 1ʳᵉ édition des tomes III et IV — *SC* 74 et 200.)

N. B. — La distinction entre les citations littérales et les citations non littérales est souvent imprécise et, partant, conjecturale, étant donné la liberté que prend S. Léon à l'égard des textes qu'il cite, comme A. Chavasse l'a rappelé dans un article des *Mélanges liturgiques offerts à Dom Bernard Botte*, Louvain 1972, p. 71-74 : « Dans sa prédication, S. Léon le Grand a-t-il utilisé des sources liturgiques ? »

Ancien Testament

Nouveau Testament

I Corinthiens

INDEX ANALYTIQUE

Le chiffre romain indique le tome des Sermons ; vient ensuite le numéro du Sermon concerné, suivant la numérotation de notre édition, puis le paragraphe du Sermon où se trouve l'idée évoquée.

IV, 68, 4. — Ses chastes délices IV, 67 ; 76, 4. — A. privée et
a. collective IV, 74, 2 ; 75, 2. — Utilité de l'a. dans la lutte
contre le démon IV, 74, 2. — L'a. chrétienne supérieure aux
jeûnes des juifs IV, 76, 1. — Le sacrifice de l'a. offert à Dieu pour
les fruits reçus de lui IV, 83 ; 86, 2. — La loi de l'a. inscrite en
toute saison IV, 89, 2.

ACTIVITÉ. Les a. de la vie présente ne doivent pas nous livrer à
l'anxiété ou à l'orgueil III, 53, 4.

ACTUALISATION de la Passion par le récit évangélique III, 39, 1 ;
43, 1 ; 47, 1 ; 51, 1 ; 53, 1 ; 56, 3 ; 57, 1. — A. sans cesse renouvelée
des secours divins pour notre sanctification IV, 88, 1.

ACTUALITÉ de la fête de l'Épiphanie I, 16, 2 ; 17, 1 ; 19, 1. —
Des promesses et des actes du Seigneur II, 23, 1 ; III, 50, 6.

ADAM. Parallèle avec Jésus I, 5, 5 ; III, 56, 3. — Formation
d'Adam et naissance de Jésus I, 10, 4. — Ce qui est tombé dans
le premier Adam est relevé dans le second IV, 82, 1.

ADMIRATION pour les biens éternels II, 37, 2. — L'a. de l'homme
s'épuise en face des œuvres de Dieu, surtout de la Passion de N. S.
III, 49, 1. — A. pour les œuvres de Dieu III, 54, 1.

ADOPTION. En carême, de nouveaux peuples sont introduits dans
l'a. des fils de Dieu II, 36, 3. — A. des païens par Dieu III,
42, 5. — A. réciproque de Dieu et de son peuple III, 58, 6. —
Grâce de l'a. reçue par la régénération dans l'Esprit-Saint en vue
de la vie éternelle III, 63, 8. — L'esprit d'a. abolit la crainte
servile IV, 91, 1.

ADVERSITÉ. Danger moral de l'a. II, 36, 1. — La voix du Père
encourage à la supporter III, 38, 8. — Aucune a. ne pourra nous
nuire, si Dieu est pour nous III, 44, 5. — Les a. corrigent ou
éprouvent, d'où motif à les supporter IV, 82, 2.

AFFECTIONS. Que l'âme ne se dérobe pas aux a. terrestres, mais en
prenant appui sur les promesses divines II, 36, 2.

AFFLICTION. Jésus a été attristé dans notre a. III, 45, 4. —
Consoler les affligés IV, 83.

AGNEAU. L'a. véritable immolé pour les chrétiens III, 40, 3 ;
43, 3. — L'immolation de l'a. en Égypte figure de la croix et de la
Pâque de Jésus I, 14, 4. — Le sang de l'a. immaculé a annulé le
pacte de la prévarication III, 42, 3. — L'a. véritable prend la
place de l'a. symbolique III, 45, 1. — Le sang d'un a. rendit
la liberté à Israël III, 47, 2. — L'immolation du véritable a.
a fait passer les fils de la promesse à la liberté de la foi III, 55, 3.
— L'occision de l'a. pascal a cessé à la Passion du Christ III,
56, 2. — Le sang de l'a. marque le seuil du Chrétien III, 42, 5.

AGONIE du Seigneur, son mystère III, 43, 2 ; 45, 5.

AGRICULTURE. Dieu suprême agriculteur IV, 68, 3 ; 90, 2. —

L'a. spirituelle IV, 74, 4 (par l'aumône) ; IV, 76, 4 ; 82, 3 ; 84, 1 ; 88, 3.

AILES. Les deux ailes qui soulèvent l'âme jusqu'à Dieu sont la foi et la charité II, 32, 2 ; sont la charité et la pureté III, 42, 5.

ALIMENTS. Qui nourrissent pour l'éternité II, 27, 4. — Choisir parmi les a. et en fixer la mesure, sans condamner la nature II, 29, 5 ; IV, 76, 1. — Les a. de l'erreur II, 33. — Le péché a été commis à l'occasion d'un a., sa réparation III, 44, 4. — La distinction des a. a cessé III, 56, 2. — Les a. de l'âme IV, 81, 1.2. — Préférer les a. célestes aux voluptés de la terre IV, 81, 2. — L'excès des a. affaiblit les forces de l'âme IV, 89, 1.

ALITÉ. Bonté à témoigner aux alités II, 27, 4.

ALLIANCE. Ancienne et nouvelle a. se confirment mutuellement lors de la Transfiguration de Jésus III, 38, 4. — La nouvelle a. confirmée par le sang du Christ III, 55, 3. — La seconde a. fondée par le même Esprit que la première III, 62, 1.

AMBITION. La croix du Christ contre l'a. du siècle III, 59, 4. — Piège du démon IV, 88, 1.

ÂME. On fait du bien à son â. quand on aide les indigents II, 20. — On nuit à son â. en ne secourant pas celle d'autrui II, 25, 1. — L'â. temple de Dieu II, 28, 1. — Elle doit conquérir son empire sur le corps II, 29, 2 ; sur ses propres passions IV, 89, 2 ; mais est facilement blessée par ce qu'elle doit réprimer IV, 77, 1. — L'â. chrétienne, son attitude II, 33, 2. — L'â. attaquée par les souffrances du corps et la volupté de la chair ; s'armer de la croix du Christ II, 34, 1. — Grand travail que de garder intacte la vigueur le l'â. II, 36, 2. — L'â. hôtesse des biens terrestres plutôt que leur maîtresse II, 36, 2. — On sauve son â. en ne craignant pas de la perdre pour le Christ II, 38, 2. — Nos â. sont appelées en haut III, 61, 5 ; prédestinées à l'éternité III, 61, 5 ; sur le chemin de la vérité III, 61, 5. — L'â. se purifie dans la mesure où s'afflige la chair IV, 65, 1. — Donne sensation et mouvement au corps IV, 89, 1. — Doit refuser certaines choses à la chair IV, 89, 1. — Libre des attraits charnels, pourra vaquer à la sagesse divine IV, 89, 1.

AMEN. Sens de celui de la communion IV, 78, 3.

AMITIÉ. Changer les haines en a., pratique du carême II, 27, 5. — A. entre hommes et a. avec Dieu IV, 82, 1 ; 91, 9. — Les a. ne donnent la paix que si elles s'accordent avec la volonté de Dieu IV, 91, 9.

AMOUR. Les membres du Christ sont dans l'unité de l'a. II, 28, 3. — Obstacles à l'a. de Dieu et des hommes II, 31, 2. — A. de Dieu et a. du prochain, force et sagesse de la foi chrétienne II, 32, 1. — L'a. de Dieu et du prochain doit s'exercer en tout temps,

du salut I, 2, 1 ; 6, 1 ; 15, 1 ; 19, 1 ; II, 27, 1 ; 29, 1 ; 30, 3 ; 31, 1 ;
III, 43, 1. — Les institutions de toute l'a. nous disposent au
mystère pascal II, 34, 1 ; 36, 1. — Les a. de notre vie ne dépendent pas des astres, mais de Dieu III, 44, 5. — Au retour de
chaque a., Dieu nous accorde des facilités d'ordre temporel IV,
86, 1.

ANNONCES. A. prophétiques du sacrement de Pâques dans l'Ancien
Testament III, 41, 1. — Le Christ y a mis un terme en venant
lui-même III, 50, 5 ; 53, 2.

APOLLINAIRE. Sa doctrine I, 4, 5 ; 7, 2 ; 8, 5 ; 10, 2 ; II, 34, 2 ;
52, 1.

APÔTRE. Concidérer les actions du Christ comme si l'on se trouvait
en la compagnie des a. II, 33, 2 ; 34, 1. — L'institution des
« collectes » vient des a. II, 22 ; 23, 3 ; 24, 1 ; 24, 2 ; 25, 1. — Les
jeûnes du carême également II, 31, 2 ; 34, 1. — Dans les a., c'est
l'Église universelle qui écoutait le Christ II, 34, 1 ; III, 38, 8 ; 51, 1 ;
IV, 89, 1. — Leur crainte à l'annonce de la trahison de Judas III,
45, 3. — Leur abattement ne provenait pas de la défiance III, 47, 2.
— L'unité apostolique III, 45, 4. — Nous trouvons notre force
dans l'intelligence des a. III, 51, 1. — Leur prière face à la persécution III, 54, 2. — L'instruction des a. nous arme contre les
sophismes et les calomnies III, 60, 1. — Les a. ont douté pour que
nous ne doutions pas III, 60, 1. — Nos pères dans la foi III,
60, 1. — Raffermis par les manifestations du Christ ressuscité III,
60, 4. — Leur tristesse changée en joie par l'ascension du Christ
III, 61, 3. — Leur contemplation du Christ monté au ciel III,
61, 3. — Effets sur les a. de l'effusion du Saint-Esprit III, 63, 5.
— Dans le Saint-Esprit, toute la Trinité régissait les a. IV, 65, 1.
— Ont instruit toute l'Église par leurs paroles et leurs exemples
IV, 65, 2. — Ont commencé par le jeûne l'apprentissage de la
milice chrétienne IV, 65, 2. — Ont reçu le monde en charge et se
le sont partagé IV, 69, 3. — Ont donné l'exemple de la pauvreté
IV, 91, 3. — Leur abandon de tout à l'appel du Seigneur IV,
91, 3. — Tous les a. ont reçu le pouvoir de lier et de délier, mais en
dépendance de Pierre IV, 95, 3.

APPARITIONS. Du Christ après sa résurrection, leur but III, 58, 3.

APPÉTITS. Les a. charnels s'opposent aux désirs chastes et spirituels IV, 74, 1.

APPLICATION à Dieu. Toujours nécessaire, impossible constamment
IV, 75, 3.

APPROCHE du Christ glorifié, par la foi III, 61, 4.

ARBRES stériles, les hommes à qui manque le fruit de la piété
IV, 88, 3.

Les a. sont une sainte offrande II, 23, 3. — Ajouter aux a. la dénonciation des manichéens II, 23, 4. — Dieu seul sait ce que chacun peut faire en a. II, 24, 1. — Laver son âme par les a. II, II, 24, 2. — Les a. effacent les péchés II, 24, 2 ; délient les fautes II, 25, 1. — Nos a. prient pour nous II, 24, 2. — L'a. joyeuse II, 25, 2 ; 35, 5 ; IV, 75, 5 ; 81, 4. — L'a. faite au pauvre est donnée à Dieu II, 25, 2 ; au Christ IV, 74, 4 ; rend créancier et usurier de Dieu IV, 87, 2. — A. et jeûne II, 31,2 ; 36, 6 ; IV, 67 ; 68, 4 ; 74, 4 ; 81, 4 ; 83. — Les a. des infidèles sont sans justice II, 31, 2. — L'a. échange avantageux II, 32, 3 ; IV, 87, 2 ; un gain IV, 65, 4 ; un bon placement IV, 74, 4. — Les a. ont un grand pouvoir pour notre amendement II, 33, 4. — Avantages spirituels des a. plus larges en carême III, 58, 1. — Les a. reçoivent du Saint-Esprit le pouvoir de nous purifier III, 62, 5. — Ce qu'on donne en a., on le met de côté comme récompense IV, 65, 4. — L'a. multiplie les fruits des désirs spirituels IV, 68, 4. — L'a. prescrite à celui qui ne peut jeûner IV, 74, 3. — L'ensemencement de l'a. promet une moisson certaine IV, 74, 4 ; 84, 1. — L'a. justifie le cœur, lave la conscience, utile à celui qui reçoit et à celui qui donne IV, 75, 5. — Celui qui fait l'a. ne doit pas être pusillanime IV, 75, 5. — Faire l'a. surtout aux membres du corps du Christ IV, 76, 5. — Faire converger prière, a. et jeûne IV, 80, 3 ; 82, 4. — Donner en a. ce qu'on épargne en jeûnant IV, 76, 5 ; 81, 4 ; 83 ; 90, 3. — L'a. entretient la bonté de l'âme IV, 82, 4. — L'a. au moyen des biens que le Père céleste nous accorde IV, 86, 1. — Jeûne et a. en action de grâces pour les dons de Dieu IV, 87, 1.

AUTEL. Les a. des Juifs renversés le Vendredi-Saint III, 44, 5. — L'a. de la croix III, 42, 3 ; 51, 3 ; non plus du Temple, mais du monde III, 46, 5 ; sur lequel une nouvelle hostie est présentée III, 46, 5.

AUTRUI. Attitude vis-à-vis du bonheur d'a., objet de l'examen de conscience II, 28, 1. — Se souvenir de soi-même en a. II, 35, 2.

AVARICE. Envahit le cœur de ceux à qui le démon enlève la charité II, 23, 1. — Rend le jeûne stérile II, 27, 4. — Chercher, en creusant l'âme, la racine de l'avarice II, 32, 4. — L'a. racine de tous les maux II, 32, 4 ; III, 47, 4 ; 61, 5. — L'a. n'aime pas la libéralité II, 34, 1. — Pas de place pour les avares dans l'unité des saints II, 35, 2. — Aucune justice dans un cœur avare III, 47, 4. — L'avare ne célèbre pas la Pâque du Seigneur III, 59, 5. — L'a. opposée plus que tout à la miséricorde et aux œuvres de charité III, 61, 5. — L'a. objet de l'examen de conscience IV, 81, 2 ; 97, 2. — Jeûner sans faire l'aumône est de l'a. IV, 85, 2. — Engendre l'inquiétude, vaincre celle-ci par la confiance en Dieu IV, 87, 1 ; par la générosité IV, 88, 2 ; par la sobriété IV, 89, 2.

BÉNÉDICTION. B. de tous les dons spirituels acquise aux chrétiens III, 48, 5. — Les fleuves des b. ont commencé à arroser la terre à la Pentecôte III, 62, 2. — Que l'on fasse en sorte que tous bénissent Dieu d'une seule voix II, 36, 6.

BIEN. Désir du bien des autres, objet de l'examen de conscience I, 19, 3. — Ceux qu'un saint amour associe se réjouissent mutuellement de leur bien et ainsi le rendent commun II, 35, 1 ; IV, 75, 4. — Biens terrestres et biens célestes II, 36, 2 ; 37, 2 ; III, 58, 5 ; IV, 77, 3. — L'âme hôtesse des b. terrestres II, 36, 2. — Ne pas craindre la perte des b. temporels, dans l'espoir des éternels III, 38, 2. — Les b. préparés pour les fidèles III, 41, 3 ; les convoiter IV, 94, 4 ; en méprisant ceux de la terre III, 59, 5. — Le Sauveur a fait tourner en b. le mal commis par les impies III, 54, 3 ; 57, 2. — Les b. du Père sont ceux du Fils et ceux du Saint-Esprit III 62, 3. — Ne pas prendre le b. d'autrui, mais donner le sien IV, 73, 2. — Le b. public l'emporte sur le b. privé IV, 76, 2. — Souci du b. commun IV, 76, 2. — Les b. donnés en aumônes sont mis en sûreté IV, 79, 3. — Le b. d'autrui mal acquis ne donne pas autant de joie que le sien propre bien dépensé IV, 80, 2. — Le Créateur donne les b. temporels et en promet d'éternels IV, 86, 1. — Les b. temporels donnés aux pauvres se changent en b. éternels IV, 86, 2. — L'usage spirituel des b. terrestres en fait des richesses célestes IV, 89, 3. — On multiplie ses b. en les donnant IV, 89, 3. — Les b. de la terre ne nous ont pas été remis en vue de la volupté IV, 90, 2.

BIENHEUREUX. État des b. IV, 91, 5. — Le B. s'est penché vers les misérables III, 39, 2.

BIENVEILLANCE. Pratique du carême spirituel II, 27, 5 ; 32, 4. — Elle rend heureux II, 31, 2. — Elle détruit l'envie IV, 77, 4 ; 88, 2.

BLASPHÈME des Juifs au Calvaire III, 42, 2. — B. contre le Saint-Esprit commis par les Macédoniens III, 62, 4. — Id. par les Juifs III, 63, 4.

BLESSURE. B. de l'âme, objet de l'examen de conscience II, 31, 1. — Toute b. est guérie dans le Sauveur élevé de terre III, 44, 4. — Il est difficile de ne pas encourir de b. dans les combats de la vie présente IV, 85, 1.

BOIS. Celui qui est tombé par le b. est relevé par le b. III, 44, 4.

BONHEUR. Ne pas douter du b. promis, mais il ne peut précéder le temps de la souffrance III, 38, 5.

BON, BONTÉ. La piété des b. désire l'amendement des méchants III, 57, 5. — Nul homme n'est bon pour soi seul IV, 72, 1. — La bonté chrétienne dépasse le pauvre pour voir en lui son Auteur II, 32, 3. — Celui qui n'est pas b. pour les autres est méchant pour

accroissement de la pratique religieuse   II, 27, 1. — En c., ajouter
un complément à notre mesure habituelle d'observance chrétienne
II, 27, 1. — Embrasser le jeûne de c. avec dévotion et foi   II, 27, 4.
— Le plus grand et le plus sacré des jeûnes   II, 29, 1 ; 36, 1 ;
décrété par les Apôtres   II, 31, 2 ; 34, 1 ; doit être observé par
tous   II, 36, 1. — Se porter, en c., des choses de la terre à celles du
ciel   II, 36, 4. — Les exercices du c. doivent passer en habitude
III, 58, 6. — Les exercices du c. nécessaires à tous   II, 30, 3. —
Le c. application plus intense à la pratique habituelle   II, 31, 2. —
Réclame notre dévotion   II, 34, 1. — En c., l'Église est rappelée
à l'intelligence des mystères du salut   II, 33, 1. — En quoi consiste
le jeûne du c. : s'abstenir surtout du péché   II, 31, 2.

Catholique.   Notre « mère catholique »   II, 29, 5. — Celui qui
s'éloigne de la foi catholique, s'approche d'autant de la mort   II,
34, 2. — Hors de l'Église c., rien n'est pur   IV, 66, 2.

Cause.   Le Seigneur a pris sur lui notre cause   III, 44, 4 ; pour la
plaider   III, 45, 5 ; pour la défendre   III, 46, 1.

Cédule.   La c. de notre dette déchirée par le Christ   III, 38, 7 ;
supprimée du sommet de la croix   III, 40, 1 ; 42, 3 ; passe au
pouvoir du Rédempteur   III, 48, 4.

Céleste.   Le chrétien doit être c. d'espérance et de conduite   II,
33, 4. — Par la charité et la pureté, de terrestres, devenir c.   III,
42, 5.

Cène.   La dernière C.   III, 45, 3-4.

Centurion.   La confession du c. de garde auprès de la croix   III,
55, 3.

César.   Jésus, par sa doctrine, a secondé le pouvoir de C.   III,
48, 1.

Chair.   Signifie tout l'homme dans Jean 1, 14 (contre Apollinaire)
I, 7, 2. — La c. du Christ est véritable, habitée par la plénitude de
la divinité   I, 8, 7. — La maladie d'une c. infirme laisse l'esprit
libre de remplir son rôle   II, 31, 2. — Combat de la c. contre
l'esprit et de l'esprit contre la c.   II, 26, 2 ; 34, 1. — Dans la c. de
J.-C. se trouve vraiment la majesté de Dieu qui l'assume   II, 34, 2.
— Le Verbe a pris c. dans le sein de la Vierge pour réaliser l'économie de la passion   II, 35, 1 ; III, 54, 5. — Retrancher à la c. son
rassasiement pour libérer l'esprit   II, 26, 5. — Le rassasiement de
la c. émousse la pointe de l'esprit   IV, 89, 1. — Dompter la
convoitise de la c., pratique du carême spirituel   II, 27, 5. —
Crucifier les désirs de la c. par les clous de la continence   II, 32, 4 ;
III, 59, 4. — Jeûnes inutiles de ceux que ne nourrit pas la vraie c.
du Christ   II, 33, 1. — Unité indissoluble du Verbe et de la c.
II, 33, 2. — En carême, rejeter quelque peu les préoccupations de
la c.   II, 36, 4. — En J.-C., la c. exécute ce qui est de la c.   III,

— Le c. glissant de la vie présente III, 58, 6. — C. de la vérité et c. de l'erreur IV, 66, 2.

CHOIX. C. de Dieu par l'âme et ce qui en découle IV, 81, 2.

CHOSES. Innombrables sont ceux qui recherchent les c. visibles II, 36, 2. — Heureuse l'âme qui ne s'attarde pas aux c. parmi lesquelles elle doit marcher II, 36, 2. — En carême, se porter des c. de la terre à celles du ciel II, 36, 4. — Les chrétiens, tendus vers les c. éternelles, ne doivent pas être absorbés par les temporelles III, 40, 3. — Les c. temporelles ne sont qu'apparence III, 58, 5. — Que les c. périssables n'accaparent pas les âmes prédestinées à l'éternité III, 61, 5. — S'occuper davantage des c. spirituelles que des charnelles IV, 89, 1.

CHRÉTIEN. Membre du Christ I, 1, 3 ; 3, 5. — Participant de la nature divine I, 5, 5. — Temple du Saint-Esprit I, 1, 3 ; 3, 5 ; 7, 6. — Race spirituelle d'Abraham III, 40, 3. — Le c., semblable à la lumière qui a guidé des mages, montre la voie qui mène à Dieu I, 14, 5. — Le c. doit imiter l'humilité de son Sauveur I, 5, 6. — La bonté du c. dépasse le pauvre pour voir son Auteur II, 32, 3. — Les c. non engendrés dans une race esclave, mais régénérés dans une famille libre III, 40, 3. — Abus du nom de c. III, 53, 3. — Vivre conformément au nom de c. IV, 77, 2. — Pauvreté des premiers c. IV, 91, 3. — Tous les c. sont de race royale et participent à la fonction sacerdotale IV, 95, 1.

CHRIST. Dans le C., la Miséridorde est descendue vers les pécheurs, la Vérité vers les égarés, la Vie vers les morts I, 4, 1. — Un même C. dans notre abaissement et dans la majesté divine I, 5, 3 ; III, 51, 2 ; IV, 78, 3. — Dans le C., une seule Personne avec une double nature II, 33, 1-2 ; III, 51, 2. — Dans le C., vraie humanité et vraie divinité II, 33, 2 ; III, 38, 1 ; 56, 3 ; IV, 78, 3. — Le C. degré pour monter à lui par lui I, 5, 3 ; III, 54, 6. — Demeure ce qu'il était au commencement, le Verbe I, 5, 3. — Seigneur et fils de David I, 8, 2 ; 9, 2. — Crucifié, mort, enseveli selon son humanité, ressuscité selon sa divinité I, 8, 6. — Présent dans le pauvre II, 20 ; 23, 2 ; 35, 5 ; III, 57, 5 ; IV, 78, 3. — Exempt de toute dette envers la mort II, 36, 3 ; III, 51, 2. — Actions du C. III, 39, 5. — Est remonté dans la gloire du Père sans délaisser ses serviteurs III, 42, 5. — Un seul et même C. dans tous les saints III, 50, 3. — Exempt de la faute originelle III, 51, 2. — Aussi éloigné d'un homme fictif que d'un dieu passible III, 52, 1. — Patience et humilité, chemin qui mène au C. III, 54, 6. — Substance unique avec son Père, même nature avec sa mère III, 56, 3. — Ni dédoublement de personne, ni confusion d'essences III, 56, 3. — Le C. voie, vérité et vie ; comment III, 59, 1. — Dans le C., nous avons été crucifiés, sommes morts, avons été

sachent donner ce qu'a donné la terre IV, 90, 2. — L'élan du c. peut être le même avec des moyens inégaux IV, 85, 2. — Par le jeûne et l'aumône, le sol de notre c. fait germer la justice et la charité IV, 87, 1. — La droite du Très-Haut change les c. IV, 88, 2. — Les c. de tout le peuple saint, unis en un commun propos, possèdent une vertu divine IV, 88, 2. — La béatitude des c. purs IV, 91, 8.

Colère. Objet de l'examen de conscience II, 26, 5. — Le démon cherche à l'enflammer II, 27, 2. — Éteindre la c. par la sérénité, pratique du carême spirituel II, 27, 5 ; 29, 6 ; 32, 4 ; l'Esprit-Saint nous l'enseigne IV, 88, 2. — L'effet de la c. de Dieu se fait parfois attendre I, 16, 3 ; 17, 4 ; II, 30, 3. — Les fervents luttent contre les mouvements de la c. II, 31, 1. — Ne relève pas de l'alliance du Christ, mais du parti du diable II, 35, 2. — Le jeûne apaise la c. IV, 85, 2. — S'abstenir de la c. est un jeûne authentique IV, 89, 3.

Collaborateur. L'homme est c. des œuvres de Dieu IV, 90, 2.

Collectes. Annonce du jour de la c. II, 20 ; 21 ; 23, 3. — Leur institution remonte aux « saints Pères » II, 23, 3 ; aux Apôtres II, 22 ; 23, 3 ; 24, 1 ; 25, 1. — Leur organisation et leur mode d'exercice II, 21 ; 22. — La première c. a été instituée le jour d'une fête païenne II, 22 ; 23, 3 ; 24, 1. — Leur institution a servi à détruire de vaines croyances, elle sert maintenant à accroître les vertus II, 24, 1. — La c. a lieu à des jours déterminés de diverses époques de l'année II, 25, 2 ; par les soins des chefs d'églises II, 25, 2 ; dans les églises des diverses régions de Rome II, 23, 3 ; 25, 2.

Combat. Il se livre en nous bien des c. II, 26, 2 ; 34, 1. — C. du Seigneur contre le démon, pour que nous puissions combattre II, 26, 3. — Pas de c. sans ennemi II, 26, 3. — C. de l'homme intérieur contre la chair IV, 77, 1. — Notre c. spirituel contre le diable avec le secours de Dieu IV, 88, 1 ; 97, 2.

Commandement. Le c. a pour but de nous faire rechercher l'aide de Dieu II, 36, 1. But poursuivi par les c. de Dieu IV, 80, 1. — Rechercher le secours divin en obéissant aux c. célestes II, 26, 2. — Obéir de cœur aux c. de Dieu, pour enlever au démon les fruits de sa jalousie II, 33, 1 ; 36, 4. — Les c. de Dieu, moyen de l'examen de conscience II, 36, 4. — En carême, s'appliquer à obéir aux divins c. II, 37, 3. — La grâce de J.-C. rend possible la pratique des c. III, 38, 4. — La voix du Père, en recommandant le Fils, nous encourage à la pratique des c. III, 38, 8. — Tout ce qu'on propose d'opposé aux c. de Dieu vient de la tromperie du diable III, 44, 5. — Les c. de Dieu, gardés avec une foi intègre, font de vrais fils d'Abraham, c.-à-d. de parfaits chrétiens

III, 59, 2. — La nature humaine a reçu du Christ sa c. dans la création, sa substance (divine) dans la rédemption III, 59, 2.

CONFESSEUR. La parole de Jésus acceptant la volonté du Père a enflammé d'amour tous les c. III, 45, 5.

CONFESSION. C. de S. Pierre III, 38, 1. — Demeurer dans la c. du Christ III, 38, 8. — Il faut confesser en J.-C. pareillement l'homme et Dieu III, 38, 1. — La c. du Christ Fils de Dieu obtiendrait leur pardon aux Juifs et aux païens III, 39, 5.

CONFIANCE. C. que donnent les promesses de Dieu II, 33, 4.

CONFLIT. Les c. dans la vie chrétienne II, 34, 1. — Pas de c. de sentiments contraires en Jésus dans son agonie III, 43, 2.

CONFUSION. L'unité de personne en J.-C. n'entraîne pas c. des natures III, 41, 1 ; 52, 1 ; 56, 3. — La passion de Jésus motif de c. pour les païens III, 43, 2.

CONSCIENCE. Ne pas se fier à l'intégrité de sa c. II, 31, 1. — Purifier soigneusement l'intime de la c. II, 37, 1. — Notre c. reçoit sa force par la réalisation des annonces de l'Écriture III, 47, 1.

CONSÉCRATION d'une église IV, 97, 3-4.

CONSEIL. Sublimité du c. divin III, 57, 3.

CONSTANCE C. qu'inspire la foi III, 38, 7.

CONSUBSTANTIEL. Le Fils de Dieu, c. à son Père selon la divinité, à sa mère selon la chair I, 10, 6.

CONTEMPLATION. La c. de la passion charme et dépasse l'esprit III, 49, 1. — Le regard de la c. a plus de force chez les uns que chez les autres III, 56, 1. — Notre c. des biens célestes ne doit pas se laisser détourner par les biens terrestres III, 58, 5. — Objet de la c. des Apôtres : la divinité du Christ assis à la droite du Père III, 61, 3.

CONTINENCE. Le démon cherche à ridiculiser la c. II, 27, 2. — Crucifier les désirs de la chair par les clous de la c. II, 32, 4. — Retenir la chair par les rênes de la c. II, 32, 4. — La c. à l'origine des vertus IV, 66, 1. — La c. servante de l'évangile du Christ IV, 79, 2. — La c. triomphe de la luxure IV, 88, 2.

CONTRADICTION. Il est plus facile d'éviter un contradicteur que de s'écarter d'un menteur II, 30, 1.

CONTRAINTE. Pas de contrainte quand on aime ce qui est ordonné IV, 76, 1.

CONTRARIÉTÉ. Racheté par la passion du Christ, ne pas nous laisser effrayer parmi les c. III, 59, 4.

CONVERSION. Nécessité de la c. quotidienne II, 30, 1. — C. d'une vie détestable à une conduite excellente, par la grâce du Saint-Esprit II, 35, 2. — C. des Juifs par la prédication de S. Pierre et

grâce à la prière de Jésus en croix   III, 49, 3. — Ce qu'est une c.
III, 58, 1. — De quoi se convertir, et à quoi   III, 58, 1.

CONVOITISE.   Objet de l'examen de conscience   I, 19, 3 ; II, 26, 5 ;
28, 1. — Dompter la c. de la chair, pratique du carême spirituel
II, 26, 5. — Mâter sous la même loi toutes les c., et pas seulement
celle de la nourriture   II, 29, 2. — Les c. nous provoquent constamment   II, 30, 1. — Elles sont un piège du démon   IV, 88, 1. —
Les fervents résistent à leurs c.   II, 31, 1. — Notre c. ne se contente
pas de ce qui suffit à la nature   II, 37, 2. — Comment comprendre
qu'il ne faut pas se plier à toutes les c.   III, 58, 5. — Une modération raisonnable et une sainte résolution refrène les c. rebelles
IV, 74, 1. — Prendre la croix, c'est exterminer la c.   III, 59, 5. —
Le jeûne nous fait triompher des c.   IV, 85, 2. — Convoiter les
chastes délices   II, 37, 2.

COOPÉRATION.   La c. de l'âme et de Dieu   II, 30, 1 ; de la chair et
de la divinité en Jésus   II, 33, 2.

CORRUPTION.   D'un corps corruptible naît quelque chose qui peut
aussi corrompre l'âme   IV, 77, 1.

CORPS.   Doit être soumis à l'âme   II, 29, 2. — Dans un c. malade
peut se trouver une âme saine   II, 31, 2. — Le c. fournit à l'âme
qui le gouverne un service indispensable   II, 32, 4. — Ce ne sont
pas seulement les douleurs du c. qui attaquent l'âme, mais aussi
les voluptés charnelles   II, 34, 1. — Ne pas accorder le superflu
au c. qui doit être gouverné par l'âme, mais ne pas lui refuser le
nécessaire   III, 58, 5. — Rejeter de notre idée des Personnes
divines celle de c. liés à des lieux   III, 64, 4. — Le diable ne peut
blesser l'âme de ceux qui ont appris à régner sur leur c.   IV, 74, 1.
— La correction infligée au c. (par le jeûne) donne force à l'âme
IV, 74, 1. — Le c. glorifié des saints, sa parfaite soumission à
l'âme   IV, 91, 5.

CORPS DU CHRIST.   N'a pas été formé ni animé avant que le Christ
lui-même ne vienne l'habiter   I, 8, 2. — La Transfiguration a
révélé la puissance détenue par le c. du C.   III, 38, 2 ; elle a révélé
la transformation glorieuse dont sera gratifié le c. du C.   III, 38, 3.
— Le corps glorieux du Christ est fait de la poussière de notre
abjection   III, 40, 3. — Vérité du c. du C. et de ses sens humains
III, 52, 2. — Dieu n'a pas abandonné le c. du C. dans sa passion
III, 55, 1. — Le c. du C. n'a pas été détruit par la résurrection, mais
ses propriétés ont changé   III, 58, 4.

CORPS MYSTIQUE DU CHRIST.   Né avec Jésus, crucifié avec lui,
ressuscité avec lui   I, 6, 2. — La foi fait de l'Église entière le c. du
Christ   II, 33, 3. — Ce qu'opère la participation au c. du Christ
III, 50, 7. — Ne pas se laisser arracher à tout ce qui constitue le
c. du Christ   III, 52, 5. — Jésus, siégeant à la droite du Père,

continue à habiter tout son corps III, 59, 3. — Là où la gloire de la tête a précédé (lors de l'Ascension), là aussi est appelée l'espérance du corps III, 60, 4. — Ne pas communier avec ceux qui se sont séparés de l'unité du c. du C. IV, 66, 2.

COUPABLES. Comment leur fut acquis le pardon III, 43, 1.

CRAINTE. Danger moral de la c. II, 36, 1. — Il ne nous est pas bon d'y demeurer III, 45, 5. — Crainte des disciples lors de la Transfiguration III, 38, 6. — Crainte de Jésus dans sa passion III, 41, 4 ; 52, 2. — Dans son agonie, Jésus a excusé nos craintes III, 45, 5. — La c. des impies n'est pas celle qui justifie, mais celle qui tourmente la mauvaise conscience III, 46, 6. — La c. ne manque pas sur le chemin qui mène au Christ III, 54, 6. — Notre c. de nous laisser aller au crime qu'ont commis les impies sur le Sauveur III, 57, 1. — La c. du péché est bonne pour l'âme soumise à Dieu IV, 80, 1.

CRAINTE DE DIEU. Les clous de la c. de Dieu, en transperçant l'âme, lui permettent de résister aux désirs charnels II, 34, 1. — Rejeter la c. charnelle III, 38, 7.

CRÉANCIER. Dieu, dispensateur miséricordieux de ses dons, en est le juste c. IV, 90, 2.

CRÉATEUR. Doit être adoré, non la créature (les astres en particulier) I, 2, 6 ; 7, 5 ; IV, 89, 2. — A estimé sa créature au point de la restaurer en J.-C. I, 4, 2. — En J.-C., le C. portait sa créature pour refaire en elle son image III, 41, 4. — Le C. conduit la vie présente et la soutient par sa Providence IV, 86, 1 ; il accorde les biens temporels et en promet d'éternels IV, 86, 1 ; il n'abandonne pas son œuvre à elle-même, mais demeure en elle par une bienveillante administration IV, 86, 1 ; il veut être visible dans sa créature raisonnable IV, 91, 7.

CRÉATION. L'ébranlement de la c. lors de la passion confirme notre espérance III, 40, 2 ; il porte un verdict évident contre les coupables III, 42, 4 ; il a montré que Jésus élevé de terre avait tout attiré à lui III, 44, 4. — Gémissement de la c. tandis que le Créateur pend au gibet III, 44, 4. — La c. s'est refusée à servir les impies III, 46, 7. — État de la nature humaine dans sa c., état plus heureux dans sa re-création III, 59, 2.

CRÉATION NOUVELLE. Voir à NOUVELLE.

CRÉATURE. Usage correct des c. I, 7, 6. — Toutes les c. sont bonnes II, 29, 4. — En fixant une mesure à l'usage des aliments, nous ne condamnons pas la c. IV, 76, 1. — La beauté des c. doit servir à la louange de leur Auteur IV, 76, 3-4. — Voir le Créateur dans la beauté des c. IV, 77, 3. — La beauté des c. fait entendre à notre cœur les leçons de la raison IV, 89, 2.

CRIME. Jésus n'a pas été l'auteur du crime des Juifs III, 54, 3. —

— La c. réconcilie le monde avec Dieu III, 53, 3. — La c. rappelle toutes choses à la vraie paix III, 53, 3. — La c. du Fils de Dieu enleva l'intelligence aux Juifs et troubla le cœur des sages de ce monde III, 57, 3. — La c. du Christ *sacramentum et exemplum* III, 59, 1. — Qu'est-ce que se glorifier dans la c. du Christ III, 57, 5.

CROYANTS. Les c. de Jérusalem IV, 91, 3.

CRUCIFIER les désirs de la chair par les clous de la continence II, 32, 4. — Le Christ c. pour le monde, la plus sublime des œuvres de Dieu III, 41, 1. — Nous avons été c. dans le Christ III, 59, 3.

CRUCIFIXION. C. du Seigneur III, 40, 1 ; 42, 1 ; 44, 4.

CULTURE. C. spirituelle de l'âme II, 32, 4 ; IV, 68, 3.

CUPIDITÉ. Le démon cherche à l'aiguiser II, 27, 2. — Exterminer les c. du corps par la vertu de l'Esprit II, 32, 4. — La c. à l'origine de tous les péchés III, 47, 4.

DAVID. Troublé par les vicissitudes des choses temporelles II, 30, 2. — Ancêtre et précurseur du Christ III, 54, 1 ; a raconté d'avance comme siennes les souffrances du Christ, car celui-ci parlait par lui *Ibid.* ; a vraiment souffert dans le Christ, parce que le Christ a été crucifié dans la chair de D. *Ibid.*

DÉBAUCHÉ. Ne célèbre pas la Pâque du Seigneur III, 59, 5.

DÉBITEUR. Remettre les dettes à nos d. II, 26, 5-6.

DÉCRETS divins. Ils suivent un cours immuable III, 101.

DÉFIANCE. Engendre le souci IV, 87, 1.

DEGRÉ. Par sa croix, le Christ nous prépare des d. pour monter au Royaume III, 38, 7. — Dans l'unique essence divine, pas de d. qui divisent l'unité III, 59, 5 ; 64, 4. — D. dans l'Église, sans qu'un membre soit isolé des autres ou de la tête IV, 95, 1.

DÉLAIS. D. de l'œuvre rédemptrice, leur raison III, 56, 2. — Le Seigneur a réduit au minimum le d. prédit pour sa résurrection III, 58, 2.

DÉLECTATION. La d. du plaisir s'introduit à la faveur du soin de la santé II, 37, 2.

DÉLICES. Les d. spirituelles, nourriture de l'esprit II, 26, 5. — Que les œuvres de la piété fassent nos d. II, 27, 4. — Le peuple de Dieu a ses chastes d. II, 37, 2 ; chastes et spirituelles délices de l'âme dont Dieu est le souverain bien IV, 80, 2. — De plus grandes d. ont été données à l'esprit qu'à la chair IV, 68, 1. — Brûler d'amour pour les d. saintes et spirituelles IV, 76, 4.

DÉLUGE. Figure du baptême III, 47, 3.

DEMEURE. La d. de Dieu ne subsiste pas sans le concours de son Auteur II, 30, 1 ; 35, 1. — Contribution humaine à son accroisse-

34, 1 ; doit dépasser en carême la mesure accoutumée II, 28, 1. — L'homme doit à Dieu sa d. III, 54, 5. — Personne n'est si dévot qu'il ne doive être plus dévot encore (en carême) II, 36, 1.

DIABLE. Fut vaincu par la nature même qu'il avait vaincue I, 1, 1. — Sa prétention vis-à-vis de l'homme tombé I, 2, 1 ; 10, 6. — Sa consolation dans ses maux : avoir un compagnon de prévarication I, 2, 1 ; II, 23, 1. — Sa perfidie et son insolence déjouées I, 2, 4. — Sa présomption et sa violence à l'égard du Seigneur I, 2, 4 ; II, 28, 2 ; III, 48, 4 ; 51, 2 ; 56, 4. — Ses pièges à l'égard des chrétiens I, 6, 4 ; 7, 3 ; variés et multiformes III, 57, 4 ; IV, 76, 3 ; par l'excitation des vices III, 56, 5 ; par la gourmandise IV, 74, 1 ; par la propagation de l'erreur III, 56, 5 ; par des suggestions variées IV, 84, 2 ; ils ne chôment même pas dans l'exercice des vertus IV, 77, 4 ; ni aux jours des « jeûnes » IV, 84, 2 ; comment leur résister IV, 84, 2. — Le Fils de Dieu est venu détruire les œuvres du d. I, 7, 2. — Figuré par Hérode I, 17, 2. — Ses manœuvres sous couvert de la paix extérieure I, 17, 3. — Se réjouit des erreurs des païens, mais est abattu par la pratique de la vraie religion II, 22. — Les progrès de la justice le consument II, 22 ; tout ce que nous tentons pour notre salut, c'est contre lui que nous le faisons II, 26, 4 ; notre justification fait sa torture II, 26, 4 ; 35, 2 ; 36, 3 ; IV, 74, 1 ; 84, 1 ; 88, 2. — Il avait soumis la plus grande partie du genre humain à l'erreur et à la superstition II, 23, 1 ; III, 39, 1 ; 56, 3. — Instigateur et père du péché, orgueilleux, envieux, menteur II, 23, 1 ; III, 44, 5 ; jaloux II, 36, 3-4 ; IV, 86, 3. — Il pousse à toutes les turpitudes ceux qu'il a trompés sous couleur de religion II, 23, 1 ; enlève la charité du cœur de ceux à qui il ne peut enlever la foi II, 23, 1 ; tend des pièges à la foi de ceux dont il ne peut corrompre la vertu II, 34, 2 ; III, 56, 5 ; tend à la piété des pièges tirés de la piété même II, 29, 3. — Les pièges et attaques du d. redoublent en temps de carême II, 26, 2 ; 27, 2 ; 36, 3 ; il cherche à souiller de quelque impureté ceux qui vont célébrer la Pâque II, 26, 2 ; 28, 2. — Les manichéens sont ses serviteurs II, 29, 4 ; pour les manichéens, le d. est l'auteur de certaines créatures II, 29, 4 ; le d. est présent dans toutes les perversions, spécialement dans celle des manichéens IV, 86, 4. — Sagesse de Dieu contre prudence du d. II, 29, 3 ; le d. enchaîné par le Christ III, 38, 7 ; la tyrannie du d. anéantie par la croix III, 42, 3. — Le d. suscite l'hostilité contre ceux qui sont établis dans un bon propos II, 34, 1 ; adversaire de l'innocence et ennemi de la paix II, 35, 2. — N'a pas persévéré dans la vérité et a perdu par son orgueil la gloire propre à sa nature II, 35, 2. — Tout ce qui est proposé en opposition à la foi chrétienne et aux commandements de Dieu vient des tromperies du d. III,

dans la passion de leur maître III, 47, 2. — Tout ce qui frappa l'âme des d. dans la passion nous affecte aussi III, 57, 1. — Les d. ébranlés par la tempête de la passion, mais affermis ensuite invinciblement par la résurrection et par les manifestations du Christ ressuscité III, 57, 1 ; 60, 4. — Les d. ont manqué de foi pendant et après la passion III, 60, 1. — Les d. d'Emmaüs III, 60, 2. — Jésus montre aux d. hésitants les marques des clous III, 60, 3.

DISCIPLINE.   D. et clémence dans les rapports de maître à serviteur II, 36, 5. — D. célestes de l'Église, les jeûnes en particulier II, 37, 2. — La discipline chrétienne III, 50, 5 ; issue de l'enseignement divin IV, 66, 1. — Ce que peut obtenir de Dieu la d. acceptée unanimement par toute l'Église IV, 75, 3.

DISCORDE.   Objet de l'examen de conscience II, 26, 5. — En carême, briser les motifs de d., la changer en paix II, 28, 3 ; 29, 6. — Les d. engendrent les querelles II, 36, 6.

DISCOURS.   D. de Jésus après la Cène III, 45, 4.

DISPENSATEURS   des dons de Dieu : les riches IV, 77, 3 ; 87, 4.

DISTANCE.   N'en pas introduire dans notre conception de la Trinité III, 64, 4.

DISTINCTION   entre les deux natures en J.-C., rendue manifeste dans son agonie III, 43, 2.

DIVINITÉ.   En J.-C., vraie d. dans l'homme, comme vraie nature humaine en Dieu III, 38, 1. — L'immuable d. abaissée jusqu'à la condition d'esclave III, 38, 6. — D. une dans le Père, le Fils et le Saint-Esprit III, 51, 2. — La d. n'est pas devenue passible du fait de son union avec la chair III, 59, 2. — Dans la d., pas de degrés qui divise l'unité, ni de singularité qui confonde la trinité III, 59, 5 ; pas de différences dans la d., comment comprendre l'évangile III, 64, 4-5. — Les signes de la d. apparaissaient à travers la condition servile assumée par le Fils de Dieu III, 61, 1. — Parfaite unité d'essence dans la d. des trois Personnes III, 62, 3. — La d. n'est pas plus grande ou plus petite dans telle ou telle des Personnes III, 63, 3. — Activité commune des Personnes dans l'inséparable d. III, 64, 2.

DOCTEUR.   Les d. de la loi resteront étrangers aux nouveaux mystères et perdront les anciens III, 45, 2.

DOCTRINE.   Se soumettre de tout cœur à la saine d. II, 33, 1. — Grande chose que d'avoir une saine d. II, 35, 3.

DON.   *Dons de Dieu* : en user avec justice et sagesse, de peur que la matière des bonnes œuvres ne devienne cause de péché II, 24, 1 ; toute saison en est remplie II, 29, 1 ; Dieu ne veut pas que ses dons soient oisifs IV, 73, 2.

Don du Saint-Esprit. Ce d., fait à la Pentecôte, ne fut pas un commencement, mais une largesse qui s'ajoutait à d'autres ; il fut

II, 37, 2. — L'E.-S. qui a engendré le Christ régénère le chrétien III, 53, 4. — L'E.-S. infusé aux Apôtres par l'insufflation du Seigneur III, 60, 2 ; donné aux Apôtres 50 jours après l'immolation du véritable agneau III, 62, 2 ; plus abondamment qu'auparavant III, 63, 4 ; effets de cette effusion III, 63, 5. — L'E.-S. a mis le comble à ses dons à la Pentecôte III, 64, 1. — L'E.-S. esprit du Père et du Fils, de quelle manière III, 62, 3 ; sa toute-puissance commune avec le Père et le Fils, et son unique divinité selon *I Cor.* 12, 4-6 III, 62, 4. — L'E.-S. ne diffère aucunement en excellence du Père et du Fils III, 63, 2 ; il lui appartient éternellement d'être l'Esprit du Père et du Fils III, 63, 2 ; le Père et le Fils n'ont jamais été sans l'E.-S. III, 63, 2 ; ce qu'est le Père et le Fils, l'E.-S. l'est aussi III, 63, 3 ; n'est jamais séparé du Père et du Fils III, 64, 1 ; bien qu'il ne soit ni le Père ni le Fils III, 64, 6 ; Personne distincte dans la Trinité, il possède cependant la substance unique qui est dans la divinité du Père et du Fils III, 64, 6 ; ne rien penser de l'E.-S. autrement que du Père et du Fils III, 64, 6. — L'E.-S. donne d'invoquer le Père, donne les larmes de la pénitence et les gémissements de la supplication III, 62, 4. — L'E.-S. sanctifie toute l'Église et instruit toute âme raisonnable III, 62, 5. — Inspirateur de la foi, docteur de la science, source de l'amour, sceau de la chasteté, principe de toute vertu III, 62, 5. — Le même E.-S. a été donné aux saints de tous les temps, seule la mesure a varié III, 63, 3 ; 64, 1. — Aucun rite n'a jamais été institué, aucun mystère célébré sans la grâce de l'E.-S. III, 63, 3. — Avant la passion les Apôtres n'étaient pas sans l'E.-S. III, 63, 4 ; 64, 1. — Le blasphème contre l'E.-S. commis par les Macédoniens III, 62, 4 ; par les Juifs III, 63, 4. — La vertu de l'E.-S. animait les œuvres du Sauveur III, 63, 4. — Le pardon des péchés ne se fait pas sans l'assistance de l'E.-S. III, 63, 4. — On ne peut prier comme il faut sans l'E.-S. III, 63, 4. — Paroles de N.-S. concernant l'E.-S., leur explication III, 63, 4-6. — L'E.-S. ne peut rien enseigner sans le Verbe III, 63, 5. — Ce que reçoit l'E.-S., le Père le donne, et le Fils le donne à son tour III, 63, 5 ; dans le partage de l'œuvre de notre restauration, l'E.-S. a mis le feu au sacrifice du Fils agréé par le Père III, 64, 2. — L'E.-S. gouverne par ses préceptes les cœurs des fidèles IV, 66, 1.

ESSENCE. E. divine unique et égale, non séparée, dans le Père et le Fils III, 38, 6 ; 49, 1. — Jésus Fils par e. du Père III, 38, 6. — L'e. consubstantielle de la Trinité n'est aucunement divisée en elle-même, aucunement diversifiée, car tout ensemble intemporelle, immuable et ne cessant pas d'être ce qu'elle est III, 51, 2. — Dans l'unique e. divine, ne pas introduire de degrés qui divisent l'unité III, 59, 5 ; ni de singularité qui confonde la Trinité *Ibid.* — L'e. divine ne s'est pas montrée dans la manifestation de la Pentecôte, ne peut être vue par le regard humain III, 62, 3. — E. et unité coïncident en tout dans la Trinité. III, 63, 2. — L'e. divine possède l'égalité sans admettre la solitude, est d'une même substance sans être d'une même personne III, 64, 1. — L'e. divine doit être pensée identiquement et indistinctement du Père, du Fils et de l'Esprit-Saint III, 64, 3.

ÉTIENNE. A illustré Jérusalem comme Laurent Rome IV, 72, 4.

ÉTOILE. L'é. des mages, signe dont l'intelligence est donnée en même temps que l'éclat I, 12, 1 ; 14, 2 ; 15, 1.3. — Elle signifiait l'illumination des gentils et la cécité des juifs I, 16, 1. — Brille au ciel par la grâce I, 16, 2. — Continue à appeler les cœurs et les guide pour les conduire adorer Dieu I, 17, 1. — Annonçait la grâce de Dieu I, 19, 1.

ÉTOURDERIE. Le diable saisit toutes les occasions pour faire tomber les âmes étourdies III, 44, 5.

ÉTRANGER. Réconforter l'é. II, 24, 2. — Un é., Simon de Cyrène, porte la croix de Jésus, sens de ce fait III, 46, 5. — Les fidèles sont des é. en voyage dans la vallée de ce monde. III, 61, 5.

EUNOME. Serviteur du diable IV, 86, 3.

EUTYCHÈS. Rappel de ses doctrines : une des deux natures du Christ disparaît dans l'union ; réfutation I, 8, 5 ; 11, 1. — Fait disparaître l'humain dans le divin, condamné par la foi catholique IV, 78, 2.

EUTYCHIENS. Rappel de leur doctrine touchant l'Incarnation III, 51, 1. — Vanité de leur espérance III, 51, 3.

ÉVANGILE. Le témoignage de l'é. touchant l'Incarnation, concurremment avec la loi et les prophètes I, 7, 1 ; l'é. fut annoncé par les prophètes non comme à venir, mais comme accompli III, 54, 1. — L'é. appelle souvent fils de l'homme celui qu'il proclame Fils de Dieu II, 34, 2. — La lecture publique de l'é. invite à l'intelligence du mystère commémoré III, 38, 1 ; elle actualise les événements racontés (la Passion) III, 39, 1 ; 43, 1 ; 47, 1 ; 51, 1 ; 53, 1 ; 56, 3 ; 57, 1 ; 59, 1. — Indubitable autorité de l'é. III, 39, 1 ; lui donner créance III, 53, 1 ; 56, 3 ; cette autorité s'accroît du fait que l'Ancien Testament avait mis à son service symboles et mystères III, 53, 2. — Le passage de la loi à l'é. symbolisé par la déchirure du voile du Temple III, 55, 3. — L'é. n'a pas détruit la loi IV, 90, 1.

ÈVE. Création d'Ève et naissance de J.-C. I, 10, 4.

ÉVÉNEMENTS. Leurs circonstances ne dépendent pas de la nature des éléments ni de l'influence des astres, mais du pouvoir de Dieu III, 44, 5.

ÉVÊQUE. Les é. accueillent Pierre en S. Léon sur le siège de Pierre IV, 93, 2. — Tout é. doit rapporter sa charge épiscopale à la louange de son véritable auteur IV, 94, 1. — La joie de l'é. fait l'allégresse du peuple IV, 96, 1. — L'é. doit offrir des sacrifices non seulement pour les péchés du peuple, mais encore pour les siens propres IV, 96, 1.

EXAMEN DE CONSCIENCE. Utile pour savoir si Dieu habite en nous ; comment le faire ; le faire porter surtout sur la charité I, 19, 3-4 ; II, 35, 3 ; ses objets IV, 81, 2. — En temps de carême II, 26, 5 ; 28, 1 ; 36, 3. — Fait toujours apparaître quelque faute II, 31, 1. — Fait apparaître le bienfait de la rectitude morale IV, 80, 2.

EXCÈS. D'un usage licite, on passe facilement à des e. II, 37, 2.

EXEMPLE. E. que nous présente la Nativité du Sauveur I, 1, 2. — Exemples que présentent à notre imitation les actes du Seigneur I, 5, 6 ; 18, 1 ; III, 53, 4. — E. de l'humilité du Seigneur I, 18, 3 ; de sa conduite en face de la tentation II, 26, 3 ; de son courage dans sa passion III, 52, 2. — Le Sauveur a laissé aux croyants un secours et un e. III, 50, 4 ; 52, 2 ; 54, 5. — L'e. de Jésus, remède divin qui appelle notre concours humain III, 59, 1. — L'e. du Seigneur nous fait comprendre que nous devons demander la patience avant la gloire III, 38, 5. — La croix du Christ, e. qui excite la dévotion humaine III, 59, 1. — Par son e., Dieu nous a formé au travail I, 16, 3. — L'e. des œuvres divines, norme de notre conduite II, 32, 2. — Puissance de l'e., surtout de celui des martyrs IV, 72, 1.

EXHORTATION. Beaucoup, dans leur ferveur, préviennent l'e. de l'évêque II, 33, 1. — E. réitérée touchant l'Incarnation II, 34, 3.

EXILÉ. Il faut secourir l'e. II, 24, 2 ; 27, 4.

EXPÉRIENCE. L'e. des joies supérieures II, 37, 2.

EXTASE. E. de Pierre lors de la Transfiguration III, 38, 5.

FAIBLESSE. La f. ne saurait dispenser de l'effort II, 36, 4. — F. de notre nature assumée par le Fils de Dieu III, 38, 8 ; S. Pierre ne devait pas s'en scandaliser III, 38, 2. — Le même J.-C. est dans la f. et dans la puissance III, 41, 1. — F. humaine et puissance divine dans l'économie de notre restauration III, 41, 2. — Notre propre f. dans le Christ III, 53, 4 ; Jésus s'en est revêtu pour habiller notre f. de la fermeté de sa force III, 41, 4. — Les mystères de la f. accomplis sur la croix III, 42, 4. — Toute f. est abolie dans le Sauveur élevé de terre III, 44, 4. — La f. humaine est vaincue par la gloire de Dieu dans la prédication de la passion du Seigneur III, 49, 1. — Dans l'Incarnation, la force n'a pas

humain III, 51, 2. — Il a animé du souffle de la vie raisonnable l'homme fait de limon III, 51, 2. — Il a réformé ce qu'il avait créé III, 51, 2. — Unique médecin III, 51, 2. — L'unique F. de D. est à la fois homme et Verbe III, 51, 4. — Éternel selon la divinité par son Père, lié au temps selon la chair par sa mère III, 51, 4. — Seule et unique Personne, Fils de Dieu et de l'homme, intangible sous un aspect, passible sous l'autre III, 52, 2. — Devenu fils d'homme pour posséder une réelle humanité et la pleine divinité III, 53, 4. — Il a pris non seulement la substance, mais la condition de la nature pécheresse III, 58, 2. — Les apparitions du Christ ressuscité ont démontré qu'il est F. de D., Verbe et chair III, 58, 3. — Vrai Dieu, tenant du Père et possédant entièrement ce qu'est le Père, sans commencement qui le rende temporel, sans vicissitudes qui le fassent changeant, pas séparé de l'Un, pas différent du Tout-Puissant, Fils éternel du Père éternel, dans notre condition sans quitter la sienne III, 59, 5. — Le Fils unique est du Père III, 62, 3. — Il appartient éternellement au Fils d'être engendré intemporellement par le Père III, 63, 2. — Ce qu'est le Père, le Fils l'est aussi III, 63, 3. — Dans le partage de l'œuvre de notre restauration, le Fils a offert le sacrifice III, 64, 2. — Tout déshonneur infligé au Fils est une injure faite au Père III, 64, 4. — Le Fils est avec le Père ce que le Père est lui-même ; inséparable du Père ; en venant à nous, il ne s'éloigne pas du Père ; en retournant au Père, il ne quitte pas les hommes III, 64, 5. — Dieu véritable, il a l'unité et l'égalité avec le Père et l'Esprit-Saint ; est homme véritable à travers la conception et l'enfantement IV, 78, 2.

Fin. Fin unique des semences confiées à la terre et des vertus cultivées dans les âmes, issues d'une Providence unique IV, 90, 2.

Foi. Affirmation de la vraie f. en l'Incarnation I, 10, 3.6 ; 11, 2 ; avoir cette vraie f. pour pouvoir honorer dignement le mystère I, 1, 1 ; c'est une grande chose que d'avoir cette f. II, 35, 3. — Hommage à la f. des Romains I, 11, 3 ; II, 23, 4 ; IV, 94, 4. — La fête de l'Épiphanie est un grand secours pour la f. I, 15, 1. — Le zèle des Mages fortifie notre f. dans les deux natures du Christ I, 15, 3. — Saisir les armes de la f. contre les manichéens II, 23, 4 ; leur dénonciation est une œuvre de f. IV, 86, 6 ; la f. des Romains doit s'y distinguer II, 23, 4. — La f. manifeste sa force par les œuvres II, 24, 2 ; IV, 91, 7. — Il n'est pas de f. sans épreuves II, 26, 3 ; il faut supporter celles-ci avec une f. joyeuse III, 56, 5. — Le bouclier de la f. II, 26, 4. — F. alerte pour embrasser le jeûne du carême II, 27, 4. — Même f. chez les maîtres et les serviteurs II, 28, 3. — La f. de la veuve de Sarepta II, 29, 2. — La f. donne du prix aux choses viles en

présent ; elle supprime l'éloignement du temps III, 57, 1. — La difficulté à croire rend plus admirable la fermeté de la f. III, 57, 3. — Manque de f. chez les disciples III, 60, 1 ; leur hésitation affermit notre f. *Ibid.* ; leur f. augmentée par l'Ascension et fortifiée par le don de l'Esprit, ses merveilleux effets *Ibid.* — La f. instruite s'approche du Fils remonté au ciel III, 61, 4 ; cela par l'intelligence spirituelle, non plus d'une façon charnelle *Ibid.* — L'Esprit-Saint est inspirateur de la f. III, 62, 5. — F. et raison nous guident vers la vérité III, 64, 3. — La f. en la Trinité enseignée par le Fils unique, établie par l'Esprit-Saint III, 64, 6. — La f. sanctifie même celui qui mange IV, 66, 2. — Embrasser le jeûne avec f. IV, 66, 3. — La f. doit s'appliquer au souvenir des bienfaits de Dieu IV, 71, 2. — Dans l'Eucharistie, on reçoit de bouche ce qu'on croit par la f. IV, 78, 3. — La f. protège le champ de notre cœur IV, 84, 1. — La f. germe des progrès de l'Église IV, 88, 3.

FORCE. F. et faiblesse dans l'Incarnation III, 59, 5. — La f. de Jésus a accepté nos faiblesses afin de les vaincre III, 45, 4 ; elle a été manifestée par le moyen de la faiblesse assumée III, 47, 2. — La f. des saints est la f. du Christ III, 57, 6. — La f. divine rend possible à l'homme ce que sa faiblesse propre lui interdisait IV, 77, 2.

FORME. Nous devons rejeter les f. des choses visibles de notre idée des Personnes divines III, 64, 4. — Il nous faut nous réformer à l'image de celui qui s'est rendu conforme à notre difformité III, 40, 3.

FRAGILITÉ. La f. humaine est entourée de scandales et de tentations II, 31, 1.

FRAYEUR. En nous, Jésus tremblait de notre f. III, 41, 4. — Nos f. repoussées par l'agonie de Jésus III, 45, 4.

FRÈRE. Il faut être dans l'amour des f. pour que Dieu nous compte parmi ses fils II, 36, 6.

GAGE. La passion et la résurrection de Jésus, g. unique de notre espérance III, 52, 5. — La conversion des infidèles, g. de la résurrection future III, 53, 3.

GAIN. L'attrait captieux du g. nous sollicite constamment II, 30, 1. — Nos g. spirituels sont fonction de la fécondité de nos âmes IV, 82, 3. — Nous devons convoiter le juste g. de la miséricorde IV, 87, 2.

GÉNÉRATION. La g. du Christ absolument unique par rapport aux g. singulières de l'Ancien Testament ; comparaisons I, 10, 4. — La passion du Christ ne nous trouble pas, parce que nous n'errons pas sur sa g. III, 51, 1. — Le nombre de g. humaines est déterminé d'avance par Dieu ; elles continueront à se dérouler après la Rédemption jusqu'à la fin du monde III, 53, 1.

GÉNÉROSITÉ. Elle ne se mesure pas au poids du don, mais à l'intensité de la bonne volonté II, 22. — La g. ne manquera jamais de moyens, puisque c'est le Christ qui nourrit et qui est nourri dans ses pauvres II, 35, 5 ; IV, 74, 4. — Elle ne doit pas être inquiète, puisqu'elle a le Christ pour débiteur IV, 74, 4. — Elle éteint l'avarice IV, 88, 2.

GIBET. Spectacle et leçon que donnent le g. de Jésus III, 42, 1.

GLOIRE. La g. de Dieu est l'enfance du Christ naissant d'une mère vierge I, 9, 1. — G. conférée aux hommes par l'Incarnation du Verbe III, 64, 5. — Le diable tente de vaincre par la g. ceux qu'il n'a pu vaincre par la pusillanimité II, 29, 3. — Humiliation et g. de Jésus dans sa passion III, 38, 2 ; 39, 3 ; 41, 1. — La g. du Seigneur découverte aux Apôtres lors de la Transfiguration III, 38, 3. — Il nous faut demander la patience avant la g. III, 38, 5. — G. à laquelle sont appelés les chrétiens III, 53, 4. — La g. est conférée à l'homme par l'ignominie du Fils de Dieu III, 57, 3. — Jésus, siégeant à la droite du Père, nous invite à la g. III, 59, 3. — Le Seigneur manifeste sa g. après sa résurrection par des preuves nombreuses et claires III, 61, 1. — La vaine g., objet de l'examen de conscience IV, 81, 2. — Se glorifier non en soi-même, mais dans le Seigneur I, 9, 3 ; 19, 4 ; II, 32, 4 ; III, 42, 5 ; 51, 3 ; IV, 66, 3 ; 72, 4 ; 96, 1 ; 96, 4.

GLORIFICATION. La g. du Seigneur par son élévation en croix III, 48, 3.5.

GLOUTONNERIE. Il faut circoncire la g. II, 35, 3.

GOURMANDISE. Le démon cherche à l'exciter II, 27, 2 ; 29, 4.

GRÂCE. Nous devons coopérer à la g. de Dieu qui opère en nous I, 16, 3. — Par sa g., Dieu a élevé au salut ceux qu'il appelait à l'adoption Ibid. — Les préceptes sont faciles quand la g. donne le secours I, 16, 3 ; III, 38, 4. — C'est un effet de la g. que l'impie puisse se convertir II, 23, 2. — La justification n'est pas accordée aux mérites, mais vient de la seule g. II, 36, 3. — En Jésus, tout était plein de g. (sacramenta) III, 45, 4. — Les dons de la g. ne sont refusés à aucun homme qui croit III, 50, 5. — La g. de l'union du Verbe à notre nature nous donne la force de vaincre nos troubles III, 52, 2. — La g. de Dieu a détruit les ennemis de l'Incarnation, en révélant la vérité à travers toutes les églises III, 53, 5. — La g. de Dieu a été rendue plus admirable par le baptême de ceux qui avaient répandu le sang du Sauveur III, 54, 3. — Dieu avait préparé sa g. non selon les mérites des hommes, mais selon les richesses de sa sagesse et de sa science Ibid. — La g. de Jésus est le remède qui nous confère le secours

parole de Jésus acceptant la volonté du Père permet de surmonter la h. du monde III, 45, 5. — Satisfaire sa h. ne donne pas autant de contentement que renoncer à la vengeance IV, 80, 2.

Hérésies. Voir Erreurs.

Hérétiques. Mise en garde contre eux I, 4, 6 ; 8, 4 ; 10, 3 ; 11, 2-3 ; III, 56, 5 ; IV, 86, 3 ; fuir leurs entretiens empoisonnés III, 56, 5 ; s'armer de la croix du Christ contre leurs traits III, 59, 4 ; rejeter leurs inventions impies, afin de ne pas souiller par l'erreur nos jeûnes et nos aumônes IV, 78, 3. — Les h. prétendent fausse l'humanité du Christ III, 52, 3. — Vanité de leurs assertions et de leur espérance III, 52, 4. — Ils ne sont ni les temples du Saint-Esprit, ni les membres du Christ III, 56, 5. — L'h., moins que tout autre, ne célèbre pas la Pâque du Seigneur III, 59, 5. — Les h. sont au service du diable IV, 86, 3 ; ils se sont séparés de l'unité de l'Église en prenant le diable pour chef Ibid. — Leurs manœuvres pour tromper Ibid. — Ils se dissimulent sous le nom du Christ Ibid.

Héritage. L'h. céleste acquis aux chrétiens I, 9, 3 ; III, 48, 5 ; procuré par l'Épiphanie du Seigneur I, 13, 4. — L'adoption divine confirme tous les hommes dans l'h. céleste III, 53, 2.

Héritier. Celui qui distribue les biens temporels devient h. des éternels II, 23, 2. — Les pacifiques sont h. de Dieu, coh. du Christ I, 6, 5 ; II, 29, 3. — Les noms des h. du royaume éternel ont été inscrits avec le sang du Christ III, 55, 3.

Hérode. Sa jalousie à l'égard de l'enfant Jésus et sa perfidie vis-à-vis des mages I, 12, 2. — Sa fureur après le départ des mages I, 12, 3 ; 14, 4. — Sa cruauté servit le plan divin I, 13, 1. — Sa peur d'un rival ; vanité de cette crainte I, 15, 2. — Il continue à craindre et à agir en la personne du diable I, 16, 2 ; 17, 2. — Ses successeurs, les Juifs, les hérétiques, les païens I, 17, 2. — En sa personne s'annonçait la cruauté des païens I, 19, 1.

Hésitation. N'éprouver aucune h. au sujet de la naissance temporelle, de la passion et de la mort, de la résurrection du Christ III, 59, 7. — L'h. des Apôtres à croire à la résurrection a été permise pour jeter les bases de notre foi III, 60, 1.

Homme. Conditions de sa création ; sa chute I, 4, 2 ; toute la postérité du premier h. est tombée III, 51, 2. — Que l'h. ne soit pas vil aux yeux de l'h. II, 23, 2. — Dieu a vaincu l'ennemi du genre humain non en tant que Dieu, mais en tant qu'h. II, 26, 3 ; 29, 3. — Dieu vient en aide aux h. par le ministère des h. II, 30, 4. — L'h. dans le Christ n'a pas refusé le repas nuptial II, 33, 2. — Dans la passion, le Verbe n'est pas plus séparé de l'h. que l'h. n'est séparé du Verbe III, 39, 2. — La promesse au bon larron dépasse la condition de l'h. III, 40, 1. — Dieu a pris l'h.

8, 3 ; 10, 6 ; III, 41, 1 ; 43, 1 ; 50, 1 ; 51, 4. — Selon certains traits, en butte aux injures ; selon d'autres, glorifié par des miracles II, 33, 2 ; signes manifestes de la divinité en lui ; ne pas regarder pour autant comme faux les faits et paroles concernant son corps *Ibid.* ; nous ne répudions pas sa divinité quand nous le croyons crucifié, mort et ressuscité III, 49, 2. — J.-C. Dieu et homme ; en lui, l'humanité est en Dieu et la divinité en l'homme II, 34, 2 ; J.-C. est uni à nous par sa substance corporelle, distinct de nous par son origine spirituelle III, 43, 3 ; vrai Dieu et vrai homme, fils de la Vierge et auteur de sa mère, né à la fin des siècles et créateur des temps, Seigneur des puissances célestes et issu de la souche mortelle, ignorant le péché et immolé pour les pécheurs dans une chair semblable à celle du péché III, 49, 2 ; J.-C. a été fait et a fait toutes choses, a été arrêté par des mains impies et n'est retenu par aucune limite, a été percé de clous et n'a pu être meurtri, a subi la mort et ne cesse d'être éternel III, 55, 1. — En J.-C. se sont accomplis les promesses prophétiques et le sens des préceptes de la Loi III, 38, 4 ; c'est sur lui que projetaient leur lumière les témoignages de la Loi, les oracles des prophètes et les sacrifices anciens III, 53, 2. — J.-C. crucifié force de Dieu et sagesse de Dieu III, 40, 3. — J.-C., élevé de terre, a tout tiré à lui III, 39, 1 ; 44, 4 ; 46, 7. — J.-C., par sa doctrine, a secondé le pouvoir de César, loin de le combattre III, 48, 2 ; son enseignement et ses œuvres rappelés à Pilate *Ibid.* — J.-C. est roi ; dans quel sens *Ibid.* — J.-C. a souffert volontairement la croix et a accepté la mort qu'il allait vaincre III, 48, 3 ; il a persévéré sans défaillance dans son dessein sauveur III, 55, 3. — J.-C. meurt pour la rédemption du monde et reviendra en juge dans la majesté du Père III, 48, 3. — J.-C. Fils unique de Dieu, né de la Vierge Marie par l'Esprit-Saint III, 49, 2. — Tout ce qui relève de Dieu et tout ce qui relève de l'homme en J. C., l'humanité et la divinité l'ont accompli ensemble III, 49, 2. — J.-C. cacha au diable sa majesté et lui opposa notre humilité III, 49, 3. — J.-C. a pris toutes nos infirmités issues du péché, sans avoir part au péché III, 50, 4. — En J.-C. seul, la nature de tous était innocente III, 50, 4 ; 51, 3. — J.-C. est le seul homme en qui tous ont été crucifiés, tous sont morts, tous sont ensevelis, tous ressuscités III, 51, 3. — En J.-C., aucune division entre les substances divine et humaine. ses actions furent celles d'une seule personne, acte inséparable, mais aucune confusion par un mélange quelconque III, 52, 1. — J.-C. victime unique offerte à Dieu pour le salut du monde III, 55, 3. — Toutes choses lui sont soumises, comme le prouve le ministère des anges à son égard III, 61, 4. J.-C. pasteur des pasteurs eux-mêmes IV, 96, 2 ; vrai et éternel pasteur selon l'ordre de Melchisédech IV, 96, 3. — J.-C. invisible maintenant au regard corporel, sensible au cœur spirituel IV, 96, 2 ; présent au milieu de ses fidèles et de leurs pasteurs IV, 96, 2-3.

JEÛNE. Le j. ne consiste pas seulement à s'abstenir de nourriture II, 26, 5 ; 29, 2. — Condition pour que nos j. soient agréés de Dieu : qu'ils s'accompagnent de l'exercice des vertus II, 29, 6 ; le tout du j. IV, 78, 1-2 ; le j. spirituel : s'abstenir de nourriture, mais surtout s'abstenir de péché II, 31, 2 ; IV, 81, 2 ; 89, 2. — Les j. des hérétiques, feints et simulés, mènent à la perdition I, 4, 6. — Les j. des manichéens, impurs et mensongers I, 15, 5 ; souillent leurs âmes II, 29, 4 ; les manichéens jeûnent le dimanche et le lundi en l'honneur du soleil et de la lune II, 29, 5. — Le peuple hébreu s'astreignit, pour vaincre les Philistins, à un j. II, 26, 1. Le j. de N. S. pendant 40 jours II, 28, 2. — Le j. des 40 jours très salutaire pour nous préparer à Pâques II, 30, 3 ; 35, 1. — Le j. des 40 jours remonte aux Apôtres II, 31, 2 ; 34, 1 ; inspiré par le Saint-Esprit *Ibid.* — Les Apôtres ont commencé par le j. l'apprentissage de la milice chrétienne IV, 65, 2. — Le j. parfait II, 26, 6 ; IV, 89, 2. — Au sens général, le j. désigne toute maîtrise de soi ; au sens propre, la restriction dans la nourriture IV, 80, 2. — Double aspect du j. : l'un regarde les désirs de la chair, l'autre les convoitises de l'âme IV, 81, 1. — Le j. doit s'accompagner de générosité pour les pauvres ; sinon il n'est qu'une diète stérile II, 27, 4 ; une peine infligée au corps plutôt qu'une purification de l'âme IV, 85, 2 ; une manifestation d'avarice *Ibid.* — Le diable peut nuire par le moyen du j., par exemple chez les manichéens II, 29, 4. — Le j. de carême : il consume les fautes des autres temps II, 29, 1 ; ses avantages pour l'âme III, 58, 1 ; il faut l'orner des œuvres de la piété, c'est-à-dire de l'aumône II, 34, 3. — Les j. de Pentecôte : leur annonce III, 62, 5 ; 63, 9 ; IV, 65, 1.3.4 ; 67 ; 68, 4 ; leurs effets salutaires III, 62, 5 ; 63, 9 ; ils viennent de la tradition apostolique III, 63, 9 ; IV, 65, 1 ; 68, 1 ; destinés à corriger les excès de la fête et à garantir les dons reçus du Saint-Esprit IV, 65, 3 ; 68, 3. — Les j. du VIIe mois : leur annonce IV, 73, 2 ; 75, 5 ; 76, 6 ; 77, 4 ; 79, 4 ; 81, 4 ; leurs caractéristiques IV, 74, 2 ; 75, 3 ; 76, 1.5 ; 77, 1 ; 78, 1 ; 79, 2.4 ; 80, 3 ; 81, 1 ; observance judaïque adoptée par les chrétiens, mais dans un nouvel esprit IV, 76, 1 ; 77, 1 ; 79, 1 ; 85, 2 ; 90, 1 ; en les assumant, nous ne nous imposons pas le fardeau de la Loi IV, 79, 2 ; leur sens mystique, à cause du nombre sept et de l'Esprit septiforme IV, 79, 4 ; établis par la tradition et confirmés par la coutume IV, 81, 1 ; 90, 2. — Les j. du Xe mois : leur annonce IV, 82, 4 ; 83 ; 85, 2 ; 86, 6 ;

87, 4 ; 88, 3 ; 89, 3 ; leurs caractéristiques IV, 82, 4 ; 83 ; 84, 2 ; 85, 2 ; 86, 2 ; 87, 1 ; 88, 2 ; 89, 3 ; 90, 2 ; institués par les saints Pères IV, 86, 2 ; leur symbolisme IV, 88, 2. — Les j. saisonniers IV, 74, 1 ; 76, 1 ; 77, 4 ; conformes à une coutume sainte IV, 73, 1 ; 76, 1 ; ils remontent à l'Ancien Testament IV, 76, 1 ; 79, 1 ; 85, 2 ; sont destinés à renouveler nos forces spirituelles IV, 77, 4. — Le j. a pour but de supprimer les foyers de désirs charnels II, 31, 2. — Le j. spirituel ne laisse pas de côté les malades et les infirmes *Ibid.* ; l'aumône leur est prescrite IV, 74, 3. — J. inutiles et vains de ceux que le diable a trompés par ses illusions II, 33, 1. — C'est un j. saint et spirituel que de rejeter les aliments de l'erreur *Ibid.* ; IV, 78, 2 ; c'est là le plus salutaire des j. IV, 66, 2 ; car l'erreur souille les j. IV, 78, 3. — Les j. reçoivent du Saint-Esprit le pouvoir de nous purifier III, 62, 5 ; IV, 66, 3 ; ils sont un don du Saint-Esprit III, 63, 9 ; IV, 65, 1 ; 66, 1 ; 68, 1 ; 89, 2 ; les âmes purifiés par le j. sont rendues plus aptes à recevoir les charismes du Saint-Esprit IV, 65, 1. — Que la réfection des indigents seconde nos j. II, 35, 5 ; IV, 67 ; 73, 1 ; 74, 3 ; 83 ; 85, 2 ; sinon, ils seraient vains IV, 74, 3 ; et peu utiles IV, 90, 3. — Les j. observance utile parmi les disciplines célestes de l'Église II, 37, 2. — Secours que nous apporte le j. IV, 89, 2 ; il stimule l'âme et réprime le corps IV, 67 ; il nous mérite le secours divin contre nos ennemis IV, 73, 1 ; il allège le cœur IV, 68, 2. — Que l'esprit jeûne d'injustice comme le corps de nourriture II, 37, 2 ; IV, 89, 2. — Faire son profit des j. pieusement célébrés III, 55, 4. — J. des juifs, des hérétiques et des païens IV, 66, 2 ; 76, 1 ; 79, 2. — Le j., secours donné par Dieu contre les pièges du diable IV, 74, 1. — Être unanimes dans la pratique du j. IV, 74, 3 ; 88, 2. — J. particuliers et j. général IV, 76, 2. — Il faut jeûner des mensonges des hérétiques II, 33, 3. — Le j. ne doit pas être triste IV, 74, 4 ; il doit être sans ostentation IV, 79, 3. — Le j. est efficace pour gagner la miséricorde de Dieu et restaurer l'homme IV, 75, 1 ; 80, 2 ; il purifie l'extérieur et l'intérieur de l'homme IV, 78, 1. — Le j. est de tous les temps et conforme aux deux Testaments IV, 77, 1 ; 80, 3 ; 85, 2. — Dispositions pour entrer dans le temps du j. IV, 75, 5. Origine apostolique des j. IV, 79, 1 ; 80, 3 ; 90, 1. — Certains jours sont réservés aux j. pour que l'âme puisse respirer IV, 75, 3 ; 76, 4 ; ils sont distribués tout au long de l'année, quatre principaux, selon les saisons IV, 89, 2. — Il faut affecter à la nourriture des pauvres l'économie procurée par le j. IV, 76, 5 ; 81, 4 ; 84. — Effets multiples du j. IV, 85, 2 ; il maintient l'innocence de la vie IV, 82, 4 ; il rétablit l'ordre dans l'homme IV, 80, 2 ; il travaille le champ de notre cœur IV, 84, 1 ; il nous

III, 57, 1. — Tout en détestant la perfidie des Juifs, nous embrassons leur foi s'ils se convertissent III, 57, 2.

JUSTE. Les j. de l'Ancien Testament ont été justifiés par la vraie foi en l'Incarnation I, 3, 4 ; 10, 7 ; III, 53, 1. — Les j. ont reçu des couronnes, ils n'en ont pas donné III, 51, 3.

JUSTICE. Les progrès de la j. consument l'auteur de l'impiété II, 22. — Il peut résulter d'un faible ensemencement de nombreux fruits de j. II, 22. — Les armes de la j. à exercer en carême II, 29, 2. — La j. humaine se trompe souvent II, 30, 2. — L'iniquité est en guerre avec la j. II, 34, 1. — Souffrir pour la j. III, 38, 8. — L'impiété ne pouvait revenir à la j., si le juste lui-même ne s'était penché vers les impies III, 39, 2. — Courir par amour de la j. III, 46, 8. — Le Christ, dans sa passion, propose un modèle de j. III, 46, 8. — Dans le Christ, la j. n'a pas résisté aux injustes III, 56, 3. — La plénitude de toute j. est dans l'amour de Dieu et du prochain IV, 72, 1. — Dieu veut que nous marchions dans les sentiers de la j. vers les promesses de la vie éternelle IV, 74, 1. — Comment la j. chrétienne déborde celle des scribes et des pharisiens IV, 79, 2. — C'est perfection de la j. et de la piété que de rendre grâces à Dieu pour les fruits de la terre IV, 87, 1 ; 90, 2 ; id. que d'aider le prochain au moyen des biens que le Père nous accorde IV, 86, 1. — Rien n'est diminué, sous l'évangile, de la j. de l'Ancien Testament IV, 90, 1. — La béatitude des affamés et assoiffés de j. IV, 91, 6. — Personne ne doit présumer de sa propre j. IV, 93, 1. — La j. des fidèles est d'accueillir dans l'âme ce qu'on ne voit pas du regard IV, 96, 2. — Le but de nos vouloirs et de nos actes est ce qui est agréable à la j. divine II, 28, 1. — Goûter par le cœur la douceur de la j. de Dieu II, 37, 2. — La j. de Dieu dans l'œuvre de notre acquittement III, 43, 1. — La j. de Dieu corrige les siens par la discipline ou les exerce par la patience III, 17, 5 ; elle est infléchie par les prières des saints IV, 71, 1 ; elle pèse non la quantité des dons, mais le poids des sentiments IV, 90, 3. — J. et clémence dans les œuvres et les jugements de Dieu IV, 82, 2. — La J. nous veut justes IV, 91, 7.

JUSTIFICATION. Elle n'est pas accordée aux mérites, mais concédée par la seule libéralité de la grâce II, 36, 3. — Il n'y a de j. que dans la rédemption de J.-C. III, 39, 1. — La j. est accordée à la foi sans distinction de temps III, 53, 1 ; 56, 2. — Dieu auteur de notre j. III, 54, 5. — Dieu a daigné justifier beaucoup de Juifs III, 42, 5.

LABEUR. Ne manque pas sur le chemin qui mène au Christ III, 54, 6. — Par le l., on accède au repos III, 38, 8.

présider IV, 96, 5. — Ses frères seront sa joie et sa couronne au jour de la rétribution finale IV, 92. — L'élection divine en ce qui le concerne IV, 93, 1. — Il espère en l'incessante intercession du Prêtre éternel IV, 92, 2 ; sa confiance en le gardien d'Israël IV, 96, 2. — Héritier de S. Pierre, quoique inégal à son modèle IV, 93, 2 ; 94, 4 ; il a confiance en la protection de S. Pierre IV, 94, 2 ; 95, 4. — Il attribue à l'action et aux mérites de S. Pierre ce qu'il fait de bien ou obtient de Dieu par ses prières IV, 94, 3 ; 95, 4 ; 96, 5. — Il l'attribue aussi au Christ IV, 96, 4. — Il rapporte à S. Pierre le jour anniversaire de son élévation IV, 95, 4 ; 96, 5. — Il demande qu'on célèbre le jour anniversaire de sa consécration en vénérant principalement l'apôtre Pierre IV, 95, 2. — On doit voir et honorer en lui l'apôtre Pierre IV, 94, 4 ; 95, 2. — Il exhorte au nom de S. Pierre et avec ses paroles mêmes IV, 94, 4. — On lui demande de partout le même amour de l'Église universelle qui fut recommandé à l'apôtre Pierre IV, 96, 2.

LETTRE. Le Juif ne doit pas rester à l'écorce de la lettre III, 53, 2.

LEVAIN. Se purifier pour célébrer la fête de Pâques du l. de l'ancienne méchanceté III, 42, 5.

LÉVITE. L'ordre des l. est maintenant plus illustre III, 46, 7. — S. Laurent et S. Étienne lévites également illustres IV, 72, 4.

LIBÉRALITÉ. Convient aux âmes clémentes et douces II, 30, 4. — L. contre avarice II, 34, 1 ; IV, 77, 4. — La l. doit être plus compatissante en carême II, 35, 5.

LIBERTÉ. La vraie l. de l'homme est lorsque son corps est soumis à l'âme comme à son juge et l'âme conduite par Dieu comme par son supérieur II, 26, 2. — Nous devons régler notre l. selon une juste norme d'abstinence II, 29, 5. — Le don de la l. par Jésus a été plus fort que la dette de notre esclavage III, 51, 3. La l. exécute la loi, non par crainte, mais par amour IV, 76, 1.

LICENCE. Éloigner toute l., pratique du carême spirituel II, 27, 5. — La l. laissée par Dieu aux volontés folles est de courte durée II, 30, 3. — La l. populaire déchaînée contre Jésus III, 41, 5.

LIEN. Dénouer les l. en carême II, 36, 5. — On s'enchaîne bien plus dangereusement en ne les défaisant pas Ibid. — Sans l'intervention divine, nous ne pouvions être délivrés des l. qui nous enchaînaient III, 39, 2. — L'homme lie envers lui le Seigneur par les jugements dont il juge lui-même autrui II, 37, 3.

LIEU. Rejeter de notre idée des personnes divines celle de lieux nécessaires à des corps III, 64, 4.

LOI. Son enseignement ne suffisait pas pour éclairer parfaitement

en ceux qui sont appelés à la foi I, 17, 1. — La multitude, aveuglée par ses propres ténèbres, ne voyait pas la vraie l. III, 39, 3 ; 46, 1. — Les fils des ténèbres se sont rués sur la vraie l. III, 46, 1. — L'unique l. divine se manifeste par les bonnes œuvres des chrétiens III, 50, 7 ; fruits que produit cette l. *Ibid.* — C'est grâce à cette l. que nous célébrons convenablement la Pâque du Seigneur *Ibid.*

LUMINAIRE. La fonction des l. célestes I, 7, 5. — Leur obscurcissement lors de la mort du Seigneur III, 46, 7.

LUNE. Les manichéens jeûnent le dimanche et le lundi en l'honneur du soleil et de la l. II, 29, 5.

LUXURE. Moyen de tentation du démon II, 27, 2. — Anéantir la l., pratique du carême spirituel II, 32, 4. — Ce dont s'amuse la l. ne relève pas de l'alliance du Christ, mais du parti du diable II, 35, 2. — La l. est vaincue par la continence IV, 88, 2 ; 89, 2. — S'abstenir de la l. est un jeûne authentique IV, 89, 3.

MACCABÉES. Célébration de leur fête IV, 97. — Martyre de la mère et des fils IV, 97, 1.

MACÉDONIUS. N'a pas admis la divinité de l'Esprit-Saint I, 4, 5. — Les Macédoniens accordent l'égalité au Père et au Fils, mais pensent que l'Esprit-Saint est d'une nature inférieure III, 62, 4.

MAGES. Leur conduite I, 12, 2 ; leur obéissance I, 14, 2 ; leur foi I, 12, 2 ; 15, 3 ; 17, 1 ; leurs présents symboliques I, 12, 2 ; 13, 4 ; 14, 2 ; 15, 3 ; 17, 1. — Ils sont les prémices de notre vocation à la foi I, 13, 4. — En leur personne, tous les peuples adorent l'Auteur de l'univers I, 14, 3 ; 19, 1. — Leur zèle à aller voir l'Enfant les rend utiles aux peuples à venir pour fortifier leur foi I, 15, 3. — Les m. accourent encore tous les jours, en la personne des nations, adorer le Souverain Roi I, 16, 2. — Les m. ne virent pas Jésus faisant des miracles I, 18, 2. — La foi des m. a rendu hommage au berceau de l'Enfant Jésus III, 43, 1. — Leur adoration ne s'explique pas sans la puissance du Verbe III, 51, 4. — Ils ont dû connaître la prophétie de Balaam I, 15, 2.

MAIN. La m. du Christ augmente le pain en le rompant et le multiplie en le distribuant II, 35, 5. — Dieu a mis la part du pauvre dans la m. de celui qui donne II, 36, 6. — Puissance de la m. du Christ qui restaure ce qu'elle a créé (Malchus) III, 39, 4. — Les Juifs soustrayaient le concours de leurs m. (contre Jésus), mais lançaient les traits de leurs langues III, 44, 3. — Les m. impies qui se portaient sur le Seigneur étaient au service du Rédempteur III, 49, 3.

MAÎTRE. Nos m. sont les anges louant Dieu dans la joie et les bergers instruits par les anges, et non les hérétiques I, 10, 5. —

M. et esclaves, leurs rapports mutuels II, 27, 5 ; ce qui les rapproche II, 28, 3. — Nous devons prendre pour m., non le diable, mais le Christ III, 58, 1. — La bonté du serviteur est un don du M. II, 30, 4. — Le diable fut le m. de Judas III, 43, 3. — Le Christ était m. de ceux qui l'arrêtaient *Ibid.*

MAÎTRISE. M. de nous-mêmes ; ce qui nous y exerce est ce qui nous conduit à la gloire IV, 80, 1.

MAJESTÉ. La m. divine n'est pas diminuée par l'abaissement de la passion III, 39, 2. — Si l'humilité du Seigneur s'est montrée si puissante quand on allait le juger, que ne pourra pas sa m. de juge ? III, 39, 3. — Le Seigneur a contenu le pouvoir de sa m. en se laissant saisir III, 39, 5. — En J.-C., l'humilité est toute dans la m. et la m. toute dans l'humilité III, 41, 1. — Nous ne répudions pas la m. de J.-C. quand nous le croyons crucifié, mort et ressuscité III, 49, 2.

MAL. Rendons-nous le m. pour le m. ? Objet de l'examen de conscience I, 19, 3. — Les serviteurs de Dieu ne rendent pas le m., mais désirent l'amendement des pécheurs II, 35, 2. — Le m. commis par les impies sur le Christ a tourné au bien des croyants III, 54, 3. — Celui qui fait le m. est plus à plaindre que celui qui le souffre IV, 91, 4. — Le m. n'a pas de nature II, 29, 4.

MALADE. Le devoir de réconforter le m. II, 24, 2 ; IV, 83. — Celui qui prend soin du m. se fait le ministre de Dieu II, 30, 4. — Les m. eux-mêmes peuvent pratiquer le jeûne spirituel II, 31, 2. — Le m. qui rompt le jeûne ne sera pas taxé de faute, si le pauvre reçoit de lui de quoi satisfaire sa faim IV, 74, 3. — De quelle façon la guérison fut acquise aux m. III, 43, 1.

MALADIE. Les m. de l'âme, objet de l'examen de conscience II, 31, 1. — La m. du corps laisse l'esprit libre de jouer son rôle II, 31, 2. — La m. est cause de tentation et incline à la tristesse II, 36, 1.

MALCHUS. Le geste de Pierre contre M. et sa guérison par Jésus III, 39, 4.

MALICE. Il faut se rendre étranger au levain de l'ancienne m. pour arriver à la Pâque avec des azymes de pureté et de vérité II, 26, 6.

MANDATAIRE. L'homme est m. de l'œuvre divine II, 30, 4.

MANICHÉENS. Les m. nient la naissance corporelle du Christ par Marie, la vérité de sa passion et celle de sa résurrection I, 4, 4 ; II, 29, 5 ; ils nient la vérité du corps humain du Christ I, 8, 4 ; 15, 4 ; II, 29, 5 ; 33, 1 ; III, 51, 1.3 ; 52, 1 ; pour eux, le corps du Christ est formé d'éléments plus subtils que le nôtre I, 8, 4 ; 10, 2 ; ils nient l'Incarnation, la mort rédemptrice, la résurrection, l'ascension, le jugement dernier I, 15, 4 ; II, 23, 4 ; 34, 2 ; ils nient aussi l'Esprit-Saint III, 63, 8 ; pour eux, la croix n'a été que l'artifice d'un être imaginaire III, 52, 1. — Obscénités de leur culte I, 4, 4 ; avec crime rituel IV, 86, 4 ; leurs cérémonies obscènes dévoilées par l'enquête et le procès de déc. 443 *Ibid.* Leur doctrine, à l'encontre des autres hérésies, ne contient rien d'acceptable pour la foi I, 4, 5 ; elle est un mélange de toutes les erreurs et impiétés IV, 86, 4 ; chez eux, rien de saint, rien de pur, rien de vrai II, 23, 4 ; ils sont remplis de folie, aveuglés par l'ignorance, assoiffés d'ignominie III, 63, 7 ; leur confession les a fait connaître *Ibid.* — Leur impiété s'oppose à la vraie foi I, 15, 4. — Ils rejettent la loi de Moïse et les Prophètes, mutilent les évangiles et les écrits apostoliques et en fabriquent de faux I, 15, 4 ; II, 23, 4 ; rejettent les psaumes de David *Ibid.* — Veulent faire adorer Mani sous le nom de l'Esprit-Saint I, 15, 4 ; III, 63, 6 ; réfutation de cette prétention III, 63, 7 ; Mani fut un instrument de mensonge au service du diable, n'a pu recevoir la moindre parcelle d'inspiration divine *Ibid.* — Excommunication solennelle des M. par S. Léon I, 15, 5 ; invitation à faire connaître leurs retraites aux prêtres II, 23, 4 ; IV, 86, 6 ; mise en garde contre eux ; ils se dissimulent dans les assemblées chrétiennes ; signe auquel on les reconnaîtra : ils reçoivent indignement le corps du Seigneur, mais refusent de boire son sang ; qu'ils soient chassés de la société des chrétiens par les prêtres II, 29, 5 ; ils doivent être évités II, 23, 4 ; et livrés *Ibid.* ; l'exécution de cet ordre sera une bonne œuvre qui s'ajoutera aux aumônes *Ibid.* ; insistance à les éviter en tout, à les dénoncer IV, 86, 5 ; avertissement particulier aux femmes *Ibid.* ; mobilisation des fidèles contre ces ennemis de Dieu IV, 86, 6. — Ils rejettent le baptême II, 23, 4. — Ils sont les serviteurs du diable II, 29, 4. — Ils pèchent même en jeûnant *Ibid.* ; ils condamnent la nature des créatures et font injure au Créateur *Ibid.* — Ils vouent une folle abstinence aux astres du ciel, jeûnant le dimanche et le lundi en l'honneur du soleil et de la lune et méprisant ainsi la résurrection du Seigneur II, 29, 5. — Leur espérance est vaine III, 51, 3 ; 52, 4. — Ils sont condamnés par la parole de N. S. en *S. Jean* 16, 13 III, 63, 6. — Ils sont la citadelle du diable IV, 86, 4. — La multitude de leurs crimes dépasse l'abondance des paroles *Ibid.*

MANSUÉTUDE. Fruit du carême II, 29, 6. — Elle apaise ceux que l'orgueil a enflés II, 31, 3 ; elle éteint la colère IV, 77, 4. — La m. du Seigneur en face des moqueries sacrilèges III, 40, 1.

MARCHÉ. Le m. de Judas III, 40, 1 ; 44, 3. — Le m. salutaire de Jésus avec nous dans l'Incarnation III, 41, 4.

MARCION. Habile en l'art diabolique de tromper IV, 86, 3.

Marie Madeleine. Figure de l'Église III, 61, 4 ; parole de Jésus à M. M., son explication *Ibid.*

Martyrs. Leur mort accroissait le nombre des chrétiens I, 17, 3. — La parole de Jésus acceptant la volonté de son Père a couronné les m. III, 45, 5. — M. sont aussi ceux qui, mortifiant leur chair, ont vaincu l'avarice, l'orgueil et la luxure III, 56, 5. — Les m. sont proches de Jésus par l'imitation de sa charité et la ressemblance de sa passion IV, 72, 1. — Ils ont donné beaucoup à l'humanité en rassurant les hommes par leur exemple *Ibid.* — L'intercession efficace des m. IV, 96, 4.

Matière. L'homme doit faire valoir la m. reçue de la bonté de Dieu IV, 90, 2.

Méchanceté. Objet de l'examen de conscience II, 26, 5. — S'en purifier en carême par la bonté II, 32, 4 ; III, 42, 5. — Jésus s'est servi, pour notre rédemption, de la m. de ses ennemis III, 41, 2 ; 47, 2. — M. des Juifs ; renchérissait sur ce que Pilate leur accordait III, 48, 2.

Médecin. Les m. des âmes doivent prévenir les maladies spirituelles I, 11, 1. — Le Christ unique m. III, 51, 2 ; m. toutpuissant III, 54, 5.

Méditation. La m. du chrétien est toujours centrée sur le mystère de l'Incarnation I, 6, 1. — La m. s'appliquant au mystère de la croix III, 43, 1 ; s'appliquant au mystère de la Passion et de la Résurrection III, 51, 1 ; 53, 1 ; s'appliquant à l'admiration des œuvres divines III, 54, 1. — La m. à propos de la fête pascale doit sanctifier toute la vie III, 58, 6. — La m. du sage sur l'impromptu de la mort IV, 77, 4. — La joie que procurent les m. saintes IV, 89, 1.

Mélancolie. Aucune m. n'est permise en la solennité pascale III, 47, 2.

Mélange. Aucun m. quelconque des natures en Jésus-Christ III, 52, 1.

Membres. La tête et les m. sont inséparables dans le Christ total III, 50, 3. — Jésus a transformé en lui tous les m. de son corps III, 54, 7. — Solidarité des m. du corps du Christ entre eux et avec la tête IV, 95, 1.

Menaces. Déposer toutes m. en carême II, 36, 5. — M. des puissants sur le chemin qui mène au Christ III, 54, 6.

Mensonge. Le m. est mis en fuite par l'examen de conscience II, 26, 5. — Le m. sous couleur de civilité II, 30, 1. — Il faut rejeter les poisons du m. II, 33, 1. — Le m. ne peut s'accorder avec la vérité II, 34, 1 ; III, 57, 5. — M. des juifs dans la passion III, 44, 3 ; m. des faux témoins contre Jésus III, 46, 2. — Les m. du diable III, 44, 5. — Les livres saints ne contiennent aucun m.

IV, 75, 5. — Nous devons recourir à la m. de celui qui nous restaure IV, 81, 2. — Celui qui n'aura pratiqué qu'une partie des œuvres de m. ne sera pas exclu de la m. IV, 88, 3. — Faire de la m. un sacrifice à Dieu IV, 90, 2. — La béatitude de la m. IV, 91, 7.

ŒUVRES DE MISÉRICORDE. Elles sont des actes variés de bonté qui permettent aux âmes de s'égaler entre elles malgré des ressources inégales II, 31, 2. — Nous devons nous y montrer larges pour recevoir de plus en plus Dieu en nos âmes II, 35, 3. — Nous devons courir par elles III, 46, 8. — Elles nous obtiennent la m. de Dieu IV, 67. — Elles sont multiples IV, 74, 3. — Pratiquées même envers les méchants, elles ne restent pas sans fruit IV, 90, 3. — Elles ont remplacé une superstition païenne, les jours des Collectes, et elles sont profitables à la foi II, 24, 1.

MISSION. La m. est la manifestation de la lumière divine I, 5, 3. — De telles manifestations dans l'Ancien Testament étaient le gage de la m. du Verbe I, 5, 4. — M. du Verbe en ce monde IV, 69, 2.

MODE. M. nouveau de la présence de Jésus par l'Ascension III, 61, 2.

MODÈLE. Dans sa passion, le Christ propose un m. de justice III, 49, 5. — L'amour dont Dieu nous aime est notre m. pour l'amour du prochain IV, 90, 3.

MODÉRATION. M. à apporter dans le jeûne et l'aumône IV, 75, 5.

MODESTIE. Est un fruit du carême II, 29, 6.

MOÏSE. Ce que M. avait prescrit pour l'immolation de l'agneau prédisait le Christ III, 45, 1. — N. S. avait lui-même favorisé M. de ses entretiens IV, 91, 1.

MONDE. La bienveillance de ce m. a son terme dans ceux qu'elle aide, la bonté chrétienne passe jusqu'à son Auteur II, 32, 3. — Le m. ne pouvait être sauvé que par la mort du Christ III, 38, 5 ; le m. est racheté par le sang du Christ III, 38, 6 ; le m. est vaincu par le Christ dans les saints III, 57, 6. — Témoignage du m. à son auteur lors de la mort du Créateur en croix III, 44, 4. — La croix est l'autel non plus du Temple, mais du m. III, 46, 5. — Nous devons fuir les arguties de la doctrine du m. III, 56, 5. — La domination du Prince de ce m. a été rejetée III, 57, 4. — Seuls les amis du m. sont en paix avec ce m. III, 57, 5. — Ne pas s'attacher aux avantages flatteurs de ce m., mais les dépasser avec énergie III, 61, 5.

MONTAGNE. La m. désigne l'élèvement des superbes II, 32, 1. — Le Sermon sur la m., ses circonstances IV, 91, 1.

MOQUERIES. Les m. sacrilèges à l'égard du Seigneur III, 40, 1 ; 41, 5 ; 42, 2 ; 44, 2.

La n. du Seigneur est la n. de la paix I, 6, 5. — Cette n. n'a rien ôté ni rien ajouté à la majesté du Fils de Dieu I, 7, 2. — La n. de Jésus a été manifestée aux croyants et cachée aux persécuteurs II, 28, 3. — Le vrai confesseur de la résurrection du Christ est celui qui ne se trompe pas sur sa n. corporelle II, 33, 1. — La n. spirituelle est la même pour les maîtres et pour les serviteurs II, 28, 3. — N. du Seigneur à partir d'une femme, parce qu'il est homme ; sans violation de la virginité de sa mère, parce qu'il est Dieu II, 33, 2. — La n. charnelle du Seigneur avait pour fin le mystère pascal II, 35, 1 ; n. du Seigneur pour pouvoir être cloué à la croix *Ibid.* — La seconde n. des hommes est plus admirable que leur première création III, 53, 1. — N. corporelle de Jésus confirmée par la cruauté de sa passion III, 56, 3. — La n. sous le signe de la condamnation n'a plus de conséquence pour ceux que la nouvelle n. vient sauver III, 56, 4. — N. nouvelle : cf. NOUVEAU.

NATURE. *N. humaine du Christ* : en tout semblable à la nôtre I, 4, 3 ; notre n. commune avec lui III, 53, 4 ; n. unique avec sa mère III, 56, 3 ; prouvée par l'Épiphanie I, 15, 1 ; tout ce qui fut fait au cours de la vie mortelle du Fils de Dieu tendait à prouver sa réalité III, 61, 1 ; l'éclat royal lui convenait (Transfiguration) III, 38, 2 ; en Jésus, notre n. est en Dieu, comme la divinité est en l'homme III, 38, 1 ; notre n., coupable et captive en nous, souffrait en lui innocente et libre III, 43, 3 ; dans son agonie, Jésus a parlé le langage de notre n. III, 45, 5 ; S. Pierre avait à être instruit du mystère de la n. inférieure du Christ (Transfiguration) III, 38, 2 ; Jésus a pris notre n. afin de pouvoir l'offrir pour nous, la n. divine ne pouvant souffrir III, 46, 8 ; Jésus crucifié offrande de la n. humaine III, 42, 3 ; notre n. en Jésus a été élevée par l'Ascension jusqu'au trône de Dieu III, 60, 3 ; 61, 1 ; nous devons aimer notre n. en Jésus III, 59, 5 ; qu'on ne méprise en personne la n. que le Créateur a faite sienne II, 23, 2.

N. divine du Christ : ne connaît ni changement ni inconstance III, 59, 2 ; Jésus est de la n. du Père et né égal à lui III, 38, 6.

Union et distinction des deux n. en Jésus : Union intime I, 3, 1 ; III, 41, 1 ; 50, 1 ; 52, 1 ; 55, 1 ; IV, 78, 2 ; indestructible III, 55, 1 ; il ne faut les séparer en rien I, 10, 6 ; III, 52, 1 ; 59, 6 ; les deux n. sont exemptes de tout mensonge I, 4, 3 ; 7, 1 ; rien dans le Christ n'appartient à une des n. sans appartenir aux deux à la fois I, 10, 5 ; caractères évidents des deux n. I, 10, 5 ; 11, 2 ; témoignages à leur sujet II, 33, 2 ; les deux n. manifestées dans la tentation II, 27, 3 ; dans la Passion III, 55, 1 ; notre n. n'a rien ajouté à la n. divine et ne lui a rien

ôté I, 9, 3 ; les deux n. agissent inséparablement II, 34, 2 ;
III, 51, 4 ; chacune garde ses propriétés dans l'unité III, 41, 1 ;
55, 1 ; chacune se trouve dans l'autre, aucune ne perdant ce qui
lui est propre en passant dans l'autre III, 41, 1 ; distinction
des deux n. rendue manifeste dans l'agonie III, 43, 2 ; n. impas-
sible et n. passible III, 39, 1 ; 49, 2 ; rien de divin ne manque
à la n. assumée, rien d'humain à celle qui l'assume III, 50, 1 ;
la vraie foi est de croire les deux n. I, 15, 1 ; IV, 78, 2 ; les hérétiques se sont trompés, parce qu'ils ont nié la vérité des deux n.
I, 8, 4 ; l'union des deux n. remède à nos blessures I, 18, 1 ;
nous ne sommes sauvés que par les deux n. I, 10, 6 ; IV, 78, 2 ;
ce que nous a donné l'union des deux n. III, 59, 2.

Union des deux n. en une seule personne I, 8, 3 ; II, 33, 1 ;
41, 1 ; 43, 1 ; 51, 4 ; les deux n. un seul Christ III, 39, 2 ; 43, 1 ;
52, 1 ; IV, 78, 2.

La n. des trois personnes de la Trinité ne les distingue pas
III, 62, 3.

La n. humaine est sujette au changement II, 27, 1 ; même
rachetée, elle est encline au mal, parce que passible IV, 88, 1.
— Le Seigneur est maître de la n. des choses (tentation) II,
27, 3 ; 29, 3. — Ce n'est pas la n. des aliments qui souille l'homme,
mais l'excès II, 29, 4 ; notre convoitise ne se contente pas de ce
qui peut suffire à la n. II, 37, 2. — La n. enseigne à honorer
Dieu II, 31, 1. — A la mort de Jésus, la n. a retiré ses services
à ceux qui avaient dressé la croix III, 55, 3. — Notre n. a été
restaurée par la n. même qui l'avait mise en servitude III,
50, 1 ; cette restauration de la n. ne s'est pas faite en dehors de
la n., et sa condition nouvelle a dépassé la dignité de son origine
III, 59, 2. — L'élévation de la n. humaine dans le Christ est
l'objet de toute célébration liturgique III, 51, 1.

Nécessaire. Ne pas refuser le n. au corps, mais le gouverner
par l'âme III, 58, 5.

Nécessité. Il n'y avait pas pour Jésus n. de mourir III, 54, 5.

Négligence. La n. de beaucoup pendant l'année doit être corrigée
en carême II, 53, 3. — Il faut guérir une grave n. par une plus
grande réparation (à propos de la « solennité négligée ») IV,
71, 2. — Le diable saisit toutes les occasions pour faire tomber
les âmes négligentes III, 44, 5. — Les âmes négligentes gardent
des taches qu'il faut effacer lors des « jeûnes » IV, 75, 3.

Négociant. Jésus n. riche et bienfaisant venu du ciel pour conclure
avec nous un marché salutaire III, 41, 4.

Néron. Sa cruauté n'était pas moins redoutable pour S. Pierre
que la fureur des Juifs IV, 69, 4. — Sous son pouvoir, l'innocence,

la pudeur et la liberté étaient opprimées à Rome IV, 69, 6. — Ses persécutions contre les chrétiens *Ibid.*

NESTORIUS. Pour lui, la Vierge Marie est seulement mère d'un homme, auquel se serait ensuite associé le Fils de Dieu I, 8, 5. — Sépare le divin de l'homme, condamné par la foi catholique IV, 78, 2.

NOBLE. Il ne doit pas rougir de l'humilité du Sauveur III, 59, 4.

NOCES DE CANA. N. S. y a montré son empire sur la nature II, 27, 3. — En tant que Dieu, il y a changé l'eau en vin ; en tant qu'homme, il n'a pas refusé d'assister au repas nuptial II, 33, 2.

NOÉ. L'arche de N. figure du baptême III, 47, 3.

NOM. Grandeur du n. de celui au service de qui nous nous sommes enrôlés III, 40, 3. — La communion au n. du Christ, ce qu'elle réclame de nous III, 59, 1. — Comment Jésus réalise le sens de son n., « Dieu avec nous » III, 59, 3.

NORME. La n. de notre conduite est l'exemple des œuvres divines II, 32, 2.

NOURRITURE. Le tout du jeûne ne consiste pas dans la seule abstention de n. II, 29, 2. — Le diable a donné la mort au genre humain par une n. II, 29, 4. — Le péché étant entré dans le monde à la faveur d'une n., la liberté rachetée se privera de la n. permise, n'ayant pu se retenir à l'égard de celle qui était défendue IV, 68, 1. — Modération à observer dans la n. au temps de la Passion III, 55, 4. — Ce n'est pas la nature de la n. qui souille l'homme, mais l'excès II, 29, 4. — La n. alourdit le cœur de l'homme et diminue sa vigueur IV, 68, 2. — La n. que prend Jésus manifeste la vérité de sa chair III, 51, 4 ; relève de la condition du serviteur III, 53, 4. — La n. du pauvre est peu dispendieuse IV, 84, 2. — Celui qui nourrit le malade se fait le ministre de Dieu II, 30, 4 ; le Christ nourrit et est nourri dans ses pauvres II, 35, 4.

NOUVEAU. La nouvelle création I, 1, 3 ; 3, 3 ; 7, 2 ; nous sommes passés, par la grâce de J.-C., de l'ancienne création à la nouvelle IV, 80, 1 ; le peuple de Dieu est devenu nouvelle création dans le Christ III, 58, 6 ; il faut vivre en conséquence I, 1, 3. — La nouvelle création trouve son principe au même mois où le monde reçut son commencement III, 47, 3. — L'avènement de la nouvelle création approche en carême II, 27, 2 ; nous y sommes passés par le baptême II, 28, 2. — La créature nouvelle se nourrit et s'enivre du Seigneur lui-même III, 50, 7. — Nouvelle naissance : il faut la réaliser en œuvres et cela ne peut se faire sans prendre la croix I, 3, 5 ; 7, 6 ; III, 50, 4 ; 57, 4.

NOUVEAUTÉ. N. du Christ II, 32, 1. — Les chrétiens passent, par la grâce du Christ, de la vétusté à la n. III, 48, 5.

PÂQUES. Jours consacrés par les « sacramenta » de notre salut
II, 28, 1. — La plus sainte de toutes les fêtes II, 31, 3 ; la plus
grande II, 34, 1 ; 35, 1.4 ; 37, 1 ; la plus sublime III, 45, 1 ;
ses mystères sont plus grands qu'une quelconque de leurs parties
II, 28, 1 ; annoncée par toutes les fêtes III, 47, 3 ; tous les
mystères de la religion convergent vers elle II, 33, 1 ; elle célèbre
toutes ensemble les œuvres et faveurs divines II, 36, 1. — Il
faut y arriver libre de toute passion II, 31, 3. — Il faut montrer
que nous l'honorons religieusement en passant saintement les
jours de la préparation II, 28, 2. — Nous devrions toujours
être, sous le regard de Dieu, tels que nous devons être en la fête
de Pâques II, 29, 1 ; il faut recevoir la P. du Seigneur avec
une âme et un corps sanctifié II, 35, 4. — Le propre de P. est
la joie du pardon des péchés II, 31, 1 ; III, 47, 2. — Il faut
n'avoir au cœur aucun sentiment contraire à la foi pour se préparer
à la fête de P. II, 33, 1 ; les négateurs de la vérité de l'Incarnation
s'excluent de la fête de P. III, 59, 7. — La fête de P. réclame
paix et concorde chez le peuple de Dieu II, 34, 3. — Le mystère
de P. était la fin de la naissance corporelle de Jésus II, 35, 1.
— Tous les mystères des siècles antérieurs ont servi au sacrement
de P. III, 41, 1 ; la Pâque célébrée pendant tant de siècles
a été accomplie dans le sacrifice de l'Agneau de Dieu III, 57, 2.
— Il faut étreindre le sacrement de la P. salutaire III, 40, 3 ;
comment ne jamais s'éloigner de la fête pascale III, 59, 4. —
Comment honorer dignement le mystère pascal III, 42, 5 ;
50, 7 ; 56, 5 ; 57, 6. — La fondation de la nouvelle P. par Jésus
III, 45, 3. — La P. s'est changée en nuit pour les juifs, mais éclate
en lumière pour les chrétiens III, 47, 2. — La P. est devenu
l'unique sacrifice qui arrache non plus un peuple à la tyrannie
de Pharaon, mais le monde entier à l'esclavage du diable *Ibid.*
— Celui qui ne croit pas le Christ ressuscité dans la même chair
en laquelle il est né, ne fête pas vraiment la P. du Seigneur III,
53, 3. — Grave impiété que de négliger la fête pascale III, 57, 4.

PARADIS. Le peuple chrétien est appelé à partager les richesses
du P., grâce à la mort du Christ III, 53, 3.

PARDON. P. humain et p. divin en carême II, 27, 5 ; 29, 2 ;
30, 4 ; le p. humain est la condition du p. divin II, 28, 3 ; 30, 4 ;
37, 3. — Le p. vis-à-vis des serviteurs et des esclaves II, 28, 3 ;
34, 3. — Le p. des offenses, recommandation de carême II,
29, 6 ; 30, 4 ; 31, 3 ; 33, 4 ; 36, 5. — Le p. de Pâques se réalise
en tous, nouveaux baptisés ou déjà régénérés II, 31, 1. — Nous
devons pardonner comme Dieu nous a pardonné II, 35, 4. —
Les portes du p. ouvertes par la clef apostolique II, 36, 3. —
Il est conforme à la foi d'accorder le p. non seulement dans l'Église,

mais encore dans toutes les maisons *Ibid.* — Comme il n'est personne qui ne pèche, qu'il n'y ait personne qui ne pardonne II, 37, 3. — Comment le pardon fut acquis aux coupables III, 43, 1. — Le Christ, dans sa Passion, réalise le p. des péchés et propose un modèle de justice III, 49, 5. — Le Christ n'a pas exclu le crime des Juifs de son p. universel III, 57, 2. — Le p. des péchés ne peut se faire sans l'Esprit-Saint III, 63, 4. — Que nul ne refuse aux autres le p. qu'il souhaite recevoir pour lui II, 36, 5 ; ne jamais cesser de demander p., car on n'est jamais sans faute IV, 77, 1. — Le p. des péchés a été mis par Dieu au principe de notre restauration IV, 79, 1. — Les remèdes et les secours qui nous procurent le p. IV, 85, 1.

PARENTS.   Le précepte d'honorer les p., contenu dans la Loi, l'est aussi dans l'Évangile IV, 90, 1.

PARESSE.   L'avertissement divin contre la p. III, 54, 6.

PARFAIT.   La vraie justice des p. est telle qu'ils n'osent jamais se croire tels II, 27, 1.

PAROLE.   Les p. de Dieu retentissent tous les jours à nos oreilles pour nous faire savoir ce que Dieu veut de nous I, 16, 3. — Le peuple chrétien doit désirer se nourrir plus de la p. de Dieu que d'aliments matériels II, 27, 4. — La semence de la p., prédication de l'Évangile, doit grandir dans le sol des cœurs fidèles III, 59, 1. — Les p. de Jésus aveuglent les incrédules et fortifient les croyants III, 44, 2. — La p. de notre chef est le salut de tout le corps III, 45, 5. — Les p. de N. S. concernant l'Esprit-Saint, leur explication III, 63, 5-6. — Le glaive dans la main du chrétien, c'est la p. de vérité II, 26, 4. — Les p. flatteuses ; comment les accueillons-nous, objet de l'examen de conscience I, 19, 3. — Fidélité à la p. donnée (chez S. Léon) III, 40, 1.

PART.   Celui qui se sera réservé la plus petite p., donnant le reste aux pauvres, aura gagné le plus II, 35, 5. — Dieu a mis la p. du pauvre dans la main de celui qui donne II, 36, 6.

PAS.   Nous devons mettre nos p. dans les p. du Christ III, 59, 5.

PASSAGE.   Nom sous lequel *(Phasé)* les Hébreux désignaient la Pâque III, 59, 6. — Ce p. était réservé à notre nature en J.-C. *Ibid.* — Il fut préparé par la prière du Seigneur *Ibid.*

PASSIBLE.   En J.-C. sont unis le p. et l'inviolable III, 41, 1.

PASSION.   Le mystère de la P. du Seigneur l'emporte sur tous les autres II, 29, 1 ; il dépasse l'intelligence humaine et tout discours III, 56, 1. — Elle fut pour nous sacrifice rédempteur, abolition du péché et prémices de résurrection II, 35, 1 ; elle contient la grâce de notre salut III, 42, 1. — Le vrai confesseur de la résurrection du Christ est celui que ne déconcerte pas sa P. II, 33, 1. — Participer à la P. du Seigneur pour être sûr d'obtenir la béatitude promise II, 34, 1. — Nous devons mourir dans sa P. avec celui en la résurrection de qui nous sommes ressuscités II, 37, 1. — Les Apôtres ne devaient pas juger la P. honteuse pour Jésus III, 38, 2 ; ils ne devaient pas redouter dans la P. du Seigneur ce qu'ils ne craindraient pas dans leur propre mort III, 38, 7. — Jésus a subi les rigueurs de sa P. sans perdre sa gloire III, 38, 2. — Jésus l'a embrassée pour le salut de tous les hommes III, 42, 1. — La P. consomme l'économie de tous les mystères et de tous les miracles III, 43, 1 ; 56, 2. — Mode humble et sublime à la fois de la P. ; ne pas la juger impossible selon l'homme ou indigne selon Dieu III, 43, 1 ; elle est surtout admirable par son mystère d'humilité III, 50, 1. — La fête de la P. du Seigneur objet des souhaits de tout l'univers III, 49, 1. — Tous les siècles doivent à la fois la maudire et l'embrasser III, 49, 5. — Elle nous a en même temps rachetés par le paiement de notre rançon et instruits de la justice III, 50, 1. — La P. du Christ ne nous trouble pas, parce que nous n'errons pas sur sa génération III, 51, 1. — La P. du Christ eût été vaine si elle n'eût été qu'une apparence III, 52, 2. — Le temps de la P. est celui où il faut se mettre dans la pensée des bienfaits de Dieu III, 54, 1. — Le Fils de Dieu s'est soumis à la P. non comme à une condition nécessaire, mais par volonté de miséricorde III, 56, 3. — Ne pas se joindre aux assemblées de l'Église sans avoir part à la P. du Seigneur III, 57, 4. — La P. du Seigneur se poursuit jusqu'à la fin du monde III, 57, 5. — La P. est rendue actuelle par le récit évangélique III, 39, 1 ; 43, 1 ; 47, 1 ; 51, 1 ; 53, 1 ; 56, 3 ; 57, 1 ; 59, 1.

PASTEUR. Le P. suprême a délégué à de nombreux p. le soin de ses brebis, sans pourtant abandonner lui-même la garde de son troupeau IV, 94, 2. — La rage des Juifs a exigé, sous les yeux des brebis, le sang du juste P. III, 47, 2. — Le suprême P. figuré par le juste Abel III, 47, 3. — Un grand nombre de brebis n'hésitent pas à mourir pour le nom de leur P. III, 50, 6. — La sollicitude du p. (S. Léon) le pousse à exhorter les fidèles II, 24, 1 ; IV, 86, 3. — Devoir du P. I, 10, 1 ; II, 27, 1 ; 30, 3. — Le Seigneur gouverne tous les p. III, 50, 6. — Du progrès du troupeau se glorifie le zèle du p. IV, 94, 4. — En honorant le p. (l'évêque), on honore tout le troupeau IV, 95, 1.

PATIENCE. La p., fruit de la fête de l'Épiphanie I, 12, 3. — Le carême est le temps de la p. II, 29, 2. — Il nous faut demander la p. avant la gloire III, 38, 5 ; et désirer surmonter les dangers de cette vie par la p. plutôt que les éviter par la fuite III, 54, 6. — Il faut s'accorder à la p. du Seigneur pour avoir part à sa résurrection III, 40, 3. — Judas a abusé de la p. de Jésus III,

III, 62 ; 64, 1 ; IV, 65, 1. — Dixième jour après l'Ascension, cinquantième après Pâques III, 62, 1 ; 73, 1 ; 64, 1 ; IV, 66, 1 ; 68, 3. — Elle contient les mystères de l'économie ancienne et nouvelle III, 62, 1. — Le miracle de la P. III, 62, 2. — Raison et sens de la fête III, 63, 1. — Le jeûne de P. III, 62, 5 ; 63, 9 ; IV, 65, 1.4 ; 66, 1.

Père. Le P. est éternellement P. I, 5, 3 ; il appartient éternellement au P. d'engendrer un Fils coéternel à lui III, 63, 2 ; le P. n'a jamais été sans le Fils *Ibid.* — Le P. et le Fils sont éternels, comme l'éclat engendré par la lumière n'est pas postérieur à la lumière I, 5, 3. — Le P. est présent dans le Fils III, 38, 6 ; le Fils est dans le P. et le P. dans le Fils *Ibid.* ; 59, 6 ; ce qu'est le P., le Fils l'est aussi et l'Esprit-Saint également III, 63, 3 ; le P. ne peut rien dire sans le Verbe III, 63, 5 ; ce que le P. illumine, le Fils l'illumine et le Saint-Esprit l'illumine III, 64, 1. — Le P. compte parmi ses fils ceux qui sont dans l'amour des frères II, 36, 6. — Le P. a agréé le sacrifice du Fils, dans le partage de l'œuvre de notre restauration III, 64, 2. — Ne pas faire passer le Père avant le Fils III, 64, 4 ; on n'estime pas le P. tout-puissant si l'on pense qu'il engendre un être inférieur à lui ou qu'il gagne quelque chose en ayant ce qu'il n'avait pas *Ibid.*

Pères. L'institution des « collectes » remonte aux saints P. II, 21 ; 23, 3 ; 25, 2 ; en les observant, nous montrons que l'autorité des P. vit encore parmi nous II, 24, 1. — Les Apôtres sont nos P. dans la foi III, 60, 1. — Le jeûne du X⁰ mois fut institué par les saints P. IV, 86, 2.

Perfection. Sur le chemin de la p., il n'est personne qui ne doive toujours devenir meilleur II, 31, 1.

Péril. Les p. de la vie présente II, 30, 1.2 ; 37, 2 ; III, 54, 6 ; IV, 65, 2 ; 96, 1. — Il y a un égal p. à croire J.-C. ou Dieu seulement sans l'homme ou homme seulement sans Dieu III, 38, 1. — Il faut désirer surmonter les p. de la vie présente par la patience plutôt que de les éviter par la fuite III, 54, 6. — Il faut prier le Père et le Rédempteur de nous y faire échapper III, 55, 4.

Permission. La p. accordée par le Christ au crime des Juifs accomplit l'œuvre de son éternel vouloir III, 43, 3 ; 49, 5 ; 52, 2 ; 54, 2 ; 59, 2. — La p. donnée par Dieu aux esprits mauvais d'attaquer les saints III, 57, 5. — La p. donnée par le Christ à l'hésitation des Apôtres pour jeter les bases de notre foi en sa résurrection III, 60, 1.

Persécution. Les p. sanglantes ont cessé, mais non les p. occultes du démon I, 17, 3 ; IV, 86, 3 ; 88, 1 ; 97, 2. — Le Sauveur a inauguré ses jours dans la p. et les a terminés dans la p. I, 18, 2.

fut commune aux autres Apôtres, mais le Seigneur pria spécialement pour la foi de P. IV, 70, 3 ; la fermeté accordée par le
Christ à P. est transmise par P. aux Apôtres *Ibid.* — S. P. et
le boiteux de la Belle Porte IV, 91, 3. — S. P. est présent à la
réunion des évêques autour de S. Léon IV, 93, 2 ; il aime en eux
l'obéissance à l'institution divine *Ibid.* — S. P. n'a pas abandonné
le gouvernail de l'Église IV, 94, 3 ; il confesse tous les jours
le Christ dans l'Église *Ibid.* — En son successeur visible, c'est
S. P. qui est l'évêque du siège de Rome et le primat de tous les
évêques IV, 94, 4. — Les charismes ne se transmettent pas dans
l'Église sans l'intervention de S. P. IV, 95, 2. — Dignité non
seulement apostolique, mais épiscopale de S. P. IV, 96, 4 ;
il ne cesse pas de présider à son Siège ; associé inébranlablement
au Souverain Prêtre ; il transmet à ses successeurs la fermeté
reçue du Christ ; aucune portion de l'Église n'échappe à sa sollicitude ; sa foi invincible toujours vivante *Ibid.* — L'expérience
de son intercession IV, 96, 5.

Pierre et Paul. Ils ont apporté l'évangile à Rome IV, 69, 1 ;
ils l'ont fondée mieux que les premiers constructeurs de ses murs
Ibid. — Ils sont les deux yeux du corps dont le Christ est la tête
IV, 69, 7. — Ils sont égaux en tout *Ibid.* — Confiance en leur
prière *Ibid.*

Piété. La « Pietas » de Dieu dans le gouvernement du Monde
II, 20 ; dans la Passion du Christ III, 53, 1. — C'est faire preuve
de p. que de découvrir aux prêtres les retraites des manichéens
II, 23, 4. — Que les œuvres de p. fassent nos délices II, 27, 4. —
Le diable tend à la p. des pièges tirés de la p. même II, 29, 3. —
On satisfait aux devoirs de la p. en honorant Dieu et en venant
en aide à autrui II, 32, 1. — Nous trouvons un motif de p. dans
la Passion du Christ qui est, pour les orgueilleux, matière à confusion III, 43, 2. — Il faut se renouveler par les progrès de la p.
en avançant de jour en jour III, 46, 8. — Nul n'échappe à la
persécution, s'il n'est pas étranger à la p. III, 56, 5. — La
reconnaissance est un devoir de p. IV, 71, 2. — P. que de
s'adonner aux œuvres de la vertu sans y être obligé IV, 84, 1.
— Perfection de la justice et de la p. que de rendre grâces à Dieu
pour les fruits de la terre IV, 87, 1 ; 90, 2 ; que d'aider le prochain
à l'aide des biens que Dieu nous accorde IV, 86, 1. — Il faut
utiliser les dons de Dieu avec sagesse et p. IV, 87, 4.

Pilate. Jésus conduit à P. par les Juifs III, 41, 5 ; 44, 3 ; 46, 2-3.
— Comparution de Jésus devant P. III, 46, 2. — Lâcheté de P.
III, 41, 5 ; 46, 2 ; l'ablution de ses mains ne lave pas la souillure
de son âme III, 46, 2 ; sa faute est dépassée par le crime des
Juifs *Ibid.* ; son essai d'apaiser la fureur des Juifs III, 46, 3 ;

PRÊTRE. L'onction des p. est plus sainte sous la loi nouvelle III, 46, 7. — La consécration des p. se trouve maintenant chez les chrétiens III, 53, 2. — Les p. entourant S. Léon comparés aux anges IV, 93, 2. — C'est le Saint-Esprit qui prépare les p. de l'Église IV, 94, 1. — L'onction du Saint-Esprit fait de tous les régénérés des p. ; comment s'exerce ce sacerdoce universel IV, 95, 1.

PREUVES. Les p. matérielles de la résurrection du Christ III, 58, 3. — Les p. de la résurrection ont renforcé la foi durant les quarante jours passés entre Pâques et l'Ascension III, 60, 1.

PRÉVARICATION. Conséquences de la p. humaine III, 39, 1. — Le pacte de la p. III, 38, 7 ; 42, 3.

PRIÈRE. La p. pour la conversion des manichéens I, 15, 5 ; pour la conversion des Juifs I, 16, 3 ; III, 44, 4 ; 57, 2 (en union avec S. Paul) ; la p. de S. Paul pour les Juifs III, 54, 2 ; la p. contre les superstitions païennes II, 22. — La p. de Jésus à la dernière Cène III, 45, 4 ; 59, 6 ; au jardin ; explication de ses demandes III, 43, 2 ; 45, 4-5 ; 46, 1 ; 54, 7 ; en croix III, 42, 1 ; 53, 3 ; 54, 7 ; pour ses bourreaux III, 49, 3 ; 52, 3 ; elle vient en aide à tous III, 53, 3 ; elle n'est pas une plainte, mais un enseignement III, 54, 7 ; elle est pour nous *Ibid.* ; mystère de cette prière *Ibid.* — La p. de celui qui confesse Dieu n'est pas vaine I, 17, 4. — L'efficacité de la p. est liée au pardon des torts d'autrui II, 26, 5. — La p. du « Pater » II, 30, 4 ; 31, 3 ; 33, 4 ; 36, 5 ; 37, 2 ; le pacte de cette p. II, 26, 5 ; 30, 4 ; 31, 3 ; 33, 4 ; 35, 4 ; 36, 5 ; 37, 2. — La p. dans la peur enseignée par l'exemple de Jésus au jardin III, 43, 2. — Les p. qui ne se réalisent pas pour notre bien *Ibid.* — La p. à Dieu pour implorer son secours dans tout ce que nous désirons honnêtement III, 44, 5. — La p. des Apôtres dans la persécution III, 54, 2. — La Rédemption n'aurait pas été opérée si la p. de Jésus en agonie avait été exaucée III, 54, 7. — La p. pour obtenir de Dieu ce qu'il nous fait désirer III, 55, 4. — L'avantage pour l'âme des p. plus fréquentes en carême III, 58, 1. — La p. est impossible sans l'assistance du Saint-Esprit III, 63, 4. — La p. de celui qui jeûne IV, 74, 2 ; la p. de celui qui fait miséricorde IV, 87, 1 ; la p. pour les péchés a le maximum d'efficacité quand elle est accompagnée de l'aumône et du jeûne IV, 86, 2. — La p. unanime de toute l'Église ; ce qu'elle peut obtenir de Dieu IV, 75, 3. — Il faut faire converger p., aumône et jeûne IV, 80, 3 ; 82, 4. — Les effets de la p. IV, 82, 4 ; elle maintient la droiture de la foi *Ibid.* — La p. féconde le champ de notre cœur IV, 84, 1.

PRISONNIERS. Libérer les p. II, 24, 2 ; 27, 5 ; 28, 3 ; surtout en temps de carême II, 26, 5 ; 29, 6 ; 31, 3 ; 35, 4 ; les empereurs

l'enseignement évangélique lors de la Transfiguration   III, 38, 4.
— Par sa présence, J.-C. confirme la vérité de l'enseignement
des p. *Ibid.* — Les p. ont été enlevés aux Juifs le matin du
Vendredi saint   III, 41, 5. — A la mort de Jésus, la prophétie
s'est changée en manifestation   III, 46, 7. — La voix des p. a
longtemps promis la venue du Christ   III, 51, 2 ; ils projetaient
leur lumière sur J.-C.   III, 53, 2. — Les p. ont annoncé les faits
de l'évangile non comme à venir, mais comme accompli   III,
54, 1. — Les oracles des p. n'ont servi à rien à l'Israël charnel
III, 57, 2.

PROPRIÉTÉS.   Les deux natures en J.-C. sont mêlées l'une à l'autre
avec leurs p. au service de l'unique Personne   I, 3, 1 ; III, 49, 1 ;
sans confusion, car chaque nature garde ses p. sans diminution
I, 3, 2 ; III, 52, 1. — Les p. des deux natures en J.-C. demeurent
dans l'union   III, 41, 1 ; 52, 1 ; 55, 1 ; elle ne dédoublent pas la
personne   III, 52, 1 ; elles ne rompent pas l'unité   III, 41, 1 ;
les p. d'une nature ne portent pas préjudice à l'autre   III, 52, 1.
— La voix du Père à la Transfiguration met en évidence la propriété
de chaque Personne   III, 86, 6. — Lors de la Passion, la divinité
et la nature passible gardaient chacune sa p. dans l'unité   III,
40, 1. — Chacune des conditions en J.-C. exécute ce qui lui est
propre en communion avec l'autre   III, 41, 2. — La distinction
des p. des deux natures a été démontrée par les apparitions du
Christ ressuscité   III, 58, 3. — Nous avons été admis à partager
les p. de la nature divine du Christ   III, 59, 2. — Les p. distinctes
des trois Personnes dans la Trinité   III, 62, 3 ; elles ne divisent
pas la Trinité, mais nous aident à comprendre l'unité   III, 63, 2.

PROSPÉRITÉ.   Le danger moral de la p.   II, 36, 1.

PROVIDENCE.   La P. de Dieu a voulu qu'il y ait dans l'Église des
riches et des pauvres ; raison de cette disposition   II, 20 ; IV,
76, 6. — Aucune partie de ce monde ni aucun temps n'échappent
à la P. de Dieu   II, 30, 2. — Même les grandes âmes critiquent
parfois la P. de Dieu   *Ibid.* — La justice et la miséricorde de
Dieu sont au principe de toute sa P.   II, 37, 2.

PRUDENCE.   La sagesse de Dieu contre la p. du diable   II, 29, 3.
— C'est p. que de s'abstenir des opinions impies   II, 33, 1.

PSAUMES.   Les P. de David sont rejetés par les manichéens   II,
23, 4.

PUISSANCE.   C'est par p. que le Seigneur s'est fait humble et mortel
II, 33, 1. — Puissance divine de Jésus quand il ressuscite Lazare
II, 33, 2 ; quand il nourrit cinq mille hommes   *Ibid.* ; lors de son
arrestation   III, 43, 3 ; 52, 2 ; elle n'a pas manqué à l'infirmité
humaine dans sa passion   III, 39, 2 ; les marques de sa p. ont
succédé aux marques de sa faiblesse   III, 42, 4 ; le même J.-C.

sur la croix III, 51, 1. — Le r. du cœur doit se tourner vers les bienfaits généraux de Dieu et les dons particuliers de la grâce III, 54, 1. — Le r. de l'homme ne peut atteindre ni le Père, ni le Fils, ni le Saint-Esprit III, 62, 3.

RÉGÉNÉRÉ. Les r. par l'eau et l'Esprit-Saint ont renoncé au diable III, 44, 5. — Les fidèles r. ont part aux souffrances du Christ dans leur régénération même III, 50, 6 ; ils partagent sa passion et sa résurrection III, 56, 4. — Le corps du r. devient la chair du crucifié III, 50, 6.

RÈGLE. Nous avons assumé la r. du service du Christ III, 40, 3.

RELÈVEMENT. L'abaissement de la divinité est notre r. III, 39, 2.

RELIGION. La fausse r. des Juifs III, 44, 3.

REMÈDE. Le r. que nous apporte la nativité du Sauveur I, 1, 2 ; de même les actes du Seigneur I, 5, 6. — Les r. qui nous sont donnés nous fixent une règle de vie I, 18, 2. — Le carême est le temps des r. divins II, 30, 3 ; 36, 3. — Il faut rechercher le r. de la pénitence tandis que la justice suspend sa sentence II, 30, 3. — Le r. de la réconciliation divine II, 36, 3. — Le r. que ne doit pas nous accorder celui qui vient nous guérir III, 43, 2. — Le supplice du Fils de Dieu s'est changé en r. pour tous les hommes III, 49, 3. — Le double r. préparé par Jésus ; sa grâce et son exemple III, 54, 5. — Le r. des jeûnes IV, 75, 3. — Le Seigneur a donné des r. et des secours qui procurent le pardon IV, 85, 1. — Le triple r. pour guérir les coups de l'ennemi : la prière, le jeûne, l'aumône Ibid. — Le r. proposé sans cesse par Dieu pour notre sanctification nous fait ressouvenir de nos maladies IV, 88, 1.

RÊNES. Les r. de la continence pour retenir la chair II, 32, 4

RENIEMENT. On est coupable de r. quand on n'a pas dans la conscience ce qu'on profère en paroles I, 17, 4. — Le r. de Pierre III, 41, 5 ; 47, 4.

RENONCEMENT. Le r. à soi-même selon l'enseignement de Jésus III, 38, 2.

RENOUVEAU. Pour la fête de Pâques, le mois des r. est revenu ; le monde y avait reçu son commencement, la création chrétienne y trouve son principe III, 47, 3.

RENOUVELLEMENT. Il faut se renouveler quotidiennement II, 31, 4. — Que ce qui a été renouvelé dans le Christ ne retourne pas à son ancien état III, 58, 6.

RÉNOVATION. Celui qui comprend le mystère de sa r. doit se dépouiller des vices de la chair II, 37, 1.

RESSEMBLANCE. La r. divine est l'honneur de la nature humaine IV, 90, 2.

Revenu. Aucun r. n'est petit quand le cœur est grand II, 27, 4. — Différents sont les r. que Dieu donne aux hommes, non différents les sentiments qu'il cherche IV, 90, 3. — Les hommes peuvent être égaux en intention bien qu'inégaux en r. IV, 91, 2.

Riche. Le r. a reçu des biens en abondance pour que le pauvre échappe au besoin II, 20 ; IV, 76, 6. — Le r. doit donner plus, mais le pauvre doit donner mieux II, 22. — Malheur des r. égoïstes II, 24, 2. — Le r. ne doit pas mépriser l'humilité du Sauveur III, 59, 4. — Devoir des r., avantages que les pauvres leur procurent IV, 76, 6. — Dieu justifie les r. par la miséricorde et les pauvres par la patience IV, 89, 3. — Il existe des dispositions de générosité chez beaucoup de r. IV, 91, 2.

Richesse. Nous tenons de Dieu aussi bien les r. spirituelles que les temporelles II, 24, 1. — Les r. nous sont données moins pour les posséder que pour les distribuer Ibid. — Les r. sont bonnes et utiles à la société humaine quand elles sont en des mains généreuses Ibid. — Un avare ou un prodigue les font disparaître aussi bien en les cachant mal à propos qu'en les dépensant stupidement Ibid. — La tempérance comme la prodigalité sont blâmables si les r. ne servent qu'à ceux qui les possèdent, et non à soulager les pauvres Ibid. — Se réjouit-on de leur accroissement immodéré, objet de l'examen de conscience II, 28, 1. — On ne doit pas craindre de les voir diminuer par les œuvres de miséricorde II, 29, 2 ; la r. bien distribuée s'accroît IV, 87, 2 ; la r. engendrée par la générosité ne diminue pas et ne se corrompt pas IV, 86, 2. — C'est accroître ses propres r. (spirituelles) que de trouver sa joie dans les progrès des autres II, 35, 1. — La bonté est une grande r. II, 35, 5. — Danger moral de l'abondance des r., elle rend orgueilleux II, 36, 1. — Nous ne sommes pas faits pour convoiter toutes les r. du monde, même si elles sont bonnes et créées par Dieu IV, 68, 1. — Il faut que le fardeau des r. devienne l'instrument des vertus IV, 77, 4 ; nous devons transformer par l'aumône les r. de la terre en r. célestes IV, 79, 3 ; 86, 2.

Rigueur. Apaiser toute r., recommandation de carême II, 30, 4.

Rite. En Jésus, l'ancien r. (observantia) est aboli par le nouveau sacrement III, 45, 1. — Les r. sacrés ont remplacé la présence visible du Seigneur III, 61, 2.

Rochers. Le brisement des r. à la mort de Jésus III, 44, 4.

Roi. Comment Jésus est r. III, 48, 2. — Dieu est le r. de notre esprit IV, 89, 2. — De tous les régénérés, le signe de la croix fait des r. IV, 95, 1. — Le chrétien est r. en gouvernant son corps Ibid. — Le plus bel ornement de la dignité des r. est maintenant que les maîtres du monde soient les membres du Christ I, 17, 3.

Rome. Apostrophe à la ville de R. IV, 69, 1. — L'évangile a brillé

à des hommes chargés de l'exercer *Ibid.* — Caractère particulier du s. ministériel IV, 95, 1. — Le s. universel des chrétiens *Ibid.*

SACREMENT *(sacramentum).* Le s. de Pâques, dont l'effet est d'anéantir les œuvres du diable II, 31, 1 ; il a été institué pour la rémission des péchés II, 37, 3. — Les s. de la divine miséricorde II, 36, 4. — Le s. de la Passion II, 22, 1 ; il fut consommé par l'humanité et la divinité, dispensation de miséricorde et œuvre de compassion II, 22, 2. — Il faut étreindre l'admirable s. de Pâques III, 40, 3 ; l'embrasser l'esprit et le corps purifiés III, 42, 5 ; comment l'honorer dignement III, 42, 5 ; 57, 4. — Au s. de Pâques ont servi tous les mystères des siècles antérieurs III, 41, 1 ; 47, 3. — Le s. de la Passion avait été décidé éternellement et annoncé par de multiples figures III, 47, 1 ; il manifeste tout ce que voilait l'Ancien Testament III, 56, 2. — La vie des fidèles doit être pénétrée du s. de Pâques III, 58, 1. — La croix du Christ est le s. par lequel s'accomplit la puissance divine III, 59, 1. — Le s. de l'Incarnation n'admet rien de faux ni de simulé III, 56, 5. — Le nouveau s. remplace, en Jésus, l'ancien rite III, 45, 1. — S. et exemple dans les actes du Christ III, 50, 4 ; 52, 2 ; 54, 5.

SACREMENTS. Les mêmes s. sont pour les maîtres et les serviteurs II, 28, 3. — Le s. du corps et du sang du Christ III, 45, 3. — Le s. plénier et efficace remplace ce qui ne se faisait que dans un seul temple en Judée et sous l'ombre des figures III, 46, 7. — Le s. qui confère le pouvoir sacerdotal répand sa grâce sur les membres supérieurs par le chrême, mais aussi jusqu'aux membres inférieurs IV, 95, 1.

SACRIFICE. L'aumône s. offert à Dieu II, 23, 3 ; IV, 83 ; 90, 2. — *Idem* pour l'abstinence et la piété II, 29, 6 ; IV, 90, 2 ; s. à offrir à Dieu pour les fruits de la terre IV, 83. — Le fidèle est s. et temple de Dieu II, 32, 2. — Le s. rédempteur de la passion du Christ II, 35, 1. — En Jésus, un seul s. met un terme à la variété des victimes III, 45, 1 ; 46, 7 ; 56, 2. — Le s. nouveau et véritable de Jésus fut offert non dans le temple ni dans la ville, mais hors du camp III, 46, 5. — Nul s. ne fut plus sacré que celui du Christ III, 51, 3. — Le passage de la multitude des s. à l'unique hostie fut symbolisé par la déchirure du voile du Temple III, 55, 3.

SAGESSE. On ne peut connaître Dieu que dans sa s. I, 5, 4. — La s. de Dieu contre la prudence du diable II, 29, 3. — La s. de Dieu dans la conversion des meurtriers du Christ III, 54, 3. — La S. s'est construit une maison I, 10, 3. — La s. de la terre ne doit pas obscurcir les cœurs des élus I, 6, 2 ; se garder de la s. du monde pour n'avoir pas la raison obscurcie I, 7, 1 ; elle a trompé les hérétiques I, 8, 4 ; il faut rejeter ses arguments qui sont en horreur au Seigneur II, 33, 3 ; elle se glorifie de ce que chacun puisse suivre les opinions de son chef III, 59, 1. — La s. charnelle a rendu certains méprisables II, 35, 2. — La s. des païens méprise ce qui est humain dans le Christ III, 43, 2. — S. charnelle des princes juifs et d'Hérode répondant aux mages I, 15, 2. — Toute la s. chrétienne consiste dans l'humilité du Seigneur J.-C. I, 18, 3. — S. et foi sont les dispositions du chrétien dans sa réflexion III, 42, 5. — La conduite des âmes sages III, 57, 5. — Rapide est la parole de la S. III, 62, 2. — Nul sage n'est sage pour soi seul IV, 72, 1. — Il faut utiliser les dons de Dieu avec piété et s. IV, 87, 4.

SAINT. Le souci des s. : la charité pour autrui II, 34, 3. — L'unité des s., parce que tous sont épris de la même chose II, 35, 2. — Les s. des siècles passés ont tous été sauvés par la même foi III, 39, 1 ; 50, 2. — Le réveil des s. lors de la passion III, 40, 2 ; 53, 3. — Dans tous les s., il n'y a qu'un seul et même Christ III, 50, 3. — Tous les mérites des s. n'ont pu vaincre la mort III, 51, 2. — Jamais la mort d'un s. ne fut la rançon du monde III, 51, 3. — La force d'âme des s. a produit des exemples de patience, non le don de la justice Ibid. — Les s. n'ont jamais pu recouvrer par leurs mérites la liberté de l'innocence originelle Ibid. — Que le peuple de Dieu soit s. II, 35, 3. — Personne n'est si s. qu'il ne doive être plus s. encore (en carême) II, 36, 1. — C'est le Christ qui est honoré et aimé dans ses s. III, 57, 5. — Nous devons louer Dieu dans les œuvres des s. IV, 66, 3.

SAINT DES SAINTS. Le Pontife souverain, Jésus, y est entré III, 55, 3.

SAISON. L'observance de l'abstinence a été assignée aux quatre s. ; sens de cette disposition IV, 81, 3 ; 89, 2. — Les s., à l'instar des quatre évangiles, nous apprennent sans cesse ce que nous devons faire IV, 89, 2.

SALUT. Le s. n'est que dans le pardon des péchés II, 35, 2. — Le casque du s., la parole de vérité II, 26, 4. — J.-C., Fils de Dieu sans être fils de l'homme, ou fils de l'homme sans être Fils de Dieu, ne pouvait servir au s. III, 38, 1. — Il n'y a de s. que dans la rédemption de J.-C. et par sa mort III, 38, 5 ; 39, 1 ; 39, 4. — Le Créateur de l'univers a estimé notre s. au prix de son sang III, 61, 1. — Les meurtriers de Jésus pouvaient trouver le s. dans le mystère de sa mort et de sa résurrection, s'ils voulaient croire III, 41, 2 ; 57, 2 ; Jésus ne le leur a pas refusé Ibid. — Jésus nous a donné le s. en échange des douleurs III, 41, 4. — Le s. n'est que dans l'humilité et la sublimité réunies du Rédempteur III, 43, 1. — L'économie du s. a été réalisée par l'humilité III, 61, 1. — Ce qui donne le s. (dans la loi nouvelle) est plus parfait et plus clair que ce qui promettait le Sauveur III, 50, 5. — Notre Rédempteur n'a rien fait, rien souffert que pour notre s. III, 53, 4. — Le s. dans le Christ n'a manqué à aucune époque III, 56, 2. — Ce qu'est la voie du s. III, 58, 6. — Il nous est salutaire de croire accompli ce qu'il fut autrefois salutaire de croire comme devant s'accomplir III, 41, 1 ; 56, 2.

SANG. Les chrétiens sont rachetés par le s. du Christ III, 40, 3. — Sur la croix, le s. de l'agneau immaculé a annulé le pacte de la prévarication III, 42, 2. — Le prix du s. de Jésus fut refusé par les prêtres juifs III, 44, 4. — En Jésus, le s. des anciens sacrifices est enlevé par un autre s. III, 45, 1. — Le s. de Jésus est rançon et breuvage III, 49, 3. — Ce qu'opère la participation au corps et au s. du Christ III, 50, 7. — Puissance du s. innocent de Jésus versé pour nous III, 51, 3. — Le s. du Christ a éteint le glaive de feu qui gardait les frontières de la vie III, 53, 3. — Par l'effusion d'un même s., le Christ a délié le monde de l'esclavage et les Juifs ont mis à mort le Rédempteur III, 57, 1.

SANTÉ. La s. est cause de tentation, elle pousse à la négligence religieuse II, 36, 1. — A la faveur des soins de la s., s'introduit la délectation du plaisir II, 37, 2.

SARA. La naissance de son fils Jacob et celle de Jésus I, 10, 4.

SATIÉTÉ. La s. émousse la sensibilité IV, 68, 2.

SCIENCE. La fausse s. du diable III, 44, 5. — L'étendue de la s. divine III, 54, 2. — La s. de Dieu dans la conversion des meurtriers du Christ III, 54, 3. — L'Esprit-Saint est docteur de la s. III, 62, 5. — La s. de N. S. est-elle inférieure à celle du Saint-Esprit ? III, 63, 5.

SECOURS. Tout s. vient de Dieu, même si nous l'offensons III, 44, 5. — Le Sauveur a laissé aux croyants un s. et un exemple III, 50, 4. — Dieu nous prévient de son s. pour obéir à ses commandements III, 54, 6. — Le s. spirituel défend notre nature inconstante IV, 88, 1. — Le s. promis par le Seigneur supprime la crainte, non la lutte Ibid.

SÉCURITÉ. Le danger moral de la s. II, 36, 1.

SÉDUCTION. Les s. nous tendent constamment des pièges II, 30, 1. — Les s. viennent à l'âme de tous les sens du corps IV, 80, 2.

SEMENCE. La s. de la parole de Dieu doit grandir dans le sol des cœurs III, 59, 1.

SENS. Jésus a pris les s. de notre corps entièrement et véritablement III, 45, 4.

SENTENCE. Nul n'échappe à la s. portée contre les transgresseurs III, 53, 1.

articles *Ibid.* — Jésus était promis par les anciens s., fut manifesté dans la gloire de sa transfiguration III, 38, 4. — Tradition du S. IV, 98.

SYNAGOGUE. Le passage de la S. à l'Église a été manifesté par la déchirure du voile du Temple III, 55, 3.

TÉMOIGNAGE. Le t. rendu par la création à son Auteur lors de la mort de Jésus III, 44, 4. — Les t. anciens et nouveaux en faveur du mystère de la Passion III, 47, 1.

TÉMOINS. Les faux t. contre Jésus III, 44, 1 ; 46, 2 ; 48, 1.

TEMPÉRANCE. L'ivresse déteste la t. II, 34, 1. — Il faut adopter une certaine mesure de t. III, 58, 5. — Grâce à la t., on résiste à ce qui flatte les sens, et la sagesse de l'homme intérieur augmente IV, 68, 2. — La t. économe est plus heureuse que la luxure prodigue IV, 80, 2. — L'utilité pour le corps d'une t. raisonnable IV, 89, 1.

TEMPÊTE. Jésus, en tant que Dieu, apaise d'un ordre la t. II, 33, 2.

TEMPLE. Le Temple des Juifs fut renversé le matin du vendredi saint III, 41, 5. — Le sacrifice de Jésus fut offert hors du Temple III, 46, 5. — Dieu habite inséparablement son temple, qui est l'Église III, 50, 3. — Le fondement du Temple de Dieu, l'Église, est son fondateur même II, 35, 1. — Le Temple de Dieu doit, par la purification de tous, être beau dans toutes ses pierres et lumineux dans toutes ses parties *Ibid.* — Le Temple de Dieu est construit d'un matériau vivant et raisonnable, aimé et recherché *Ibid.* — Tous les fidèles ensemble, et chacun en particulier, sont un seul et même temple de Dieu *Ibid.* — Le chrétien temple de Dieu II, 30, 1 ; 32, 2 ; IV, 97, 4 ; il doit parer son âme aux jours de fête II, 28, 1 ; 30, 1 ; 35, 1. — Le corps du Christ, vrai Temple de Dieu, fut détruit par l'impiété des Juifs III, 60, 1.

TEMPS. L'entraînement aux vertus est salutaire en tout t. II, 26, 2 ; particulièrement la pratique du jeûne IV, 77, 1 ; 80, 3 ; tout t. est bon pour pratiquer la prière, le jeûne et l'aumône, spécialement le t. des « jeûnes » trimestriels IV, 82, 4 ; 85, 1 ; 86, 2 ; *idem* pour pratiquer l'agriculture spirituelle IV, 84, 1 ; en tout t., il nous faut vivre sagement et saintement II, 28, 1. — En tout t., la grâce de Dieu nous ménage l'accès à sa miséricorde II, 29, 1. — En tout t., des signes nous manifestent la bonté divine III, 36, 1. — La révolution du t. nous ouvre les pages des commandements divins IV, 78, 1. — Il n'y a pas de t. perdu pour les fidèles qui s'appliquent à l'abstinence et à la miséricorde III, 55, 4.

TENDRESSE.   T. du Rédempteur qui priait même pour ses bourreaux
III, 49, 3.

TÉNÈBRES.   Les t. d'une âme égoïste II, 24, 2. — L'Esprit-Saint
chasse les t. des âmes et consume les péchés en même temps
II, 37, 2. — Les fils des t. se sont rués sur la vraie lumière III,
46, 1. — Il n'y a pas d'union entre les t. et la lumière III, 57, 5.
— Les Juifs ont changé pour eux la lumière en t. III, 55, 4. —
Les t. à la mort de Jésus III, 40, 2 ; 44, 4.

TENTATEUR.   Le t. est partout présent et rien n'échappe à ses
pièges III, 55, 4 ; son appétit de nuire est continuel IV, 65, 2.
— Il s'en prend surtout à ceux qu'il voit s'abstenir du péché
II, 28, 2. — Il est désarmé s'il ne trouve rien en nous dont il
puisse se servir contre nous IV, 65, 2. — Il faut lui résister
fidèlement et persévéramment avec l'aide de la miséricorde divine
III, 55, 4 ; et se servir de la tentation pour briser le t. III, 61, 5.

TENTATION.   Il n'y a pas d'œuvre de vertu qui n'expérimente
la t. II, 26, 3 ; IV, 74, 1 ; la vie présente n'est que t. II, 28, 1 ;
34, 1 ; 37, 2 ; nul, en cette vie, n'est exempt de t. II, 36, 1 ;
37, 2 ; IV, 85, 1 ; la t. naît des nécessités mêmes de la nature
IV, 77, 1 ; les t. du démon redoublent en temps de carême II,
26, 2-3. — La t. de N. S., sa raison II, 26, 3 ; 27, 3 ; 28, 2 ; 29, 3.
— Le péril des t. II, 28, 2. — Secours que Dieu nous a donnés
contre les t., en particulier le jeûne et l'aumône IV, 74, 1 ;
85, 2. — La parole de Jésus acceptant la volonté de son Père
permet de surmonter la tempête des t. III, 45, 5 ; que les fils
de l'Église aient recours à cette prière Ibid. — Parmi les t. de
cette vie, il nous faut demander la patience avant la gloire III,
38, 5.

TERME.   Nous devons rejeter de notre idée des Personnes divines
toute pensée de t. III, 64, 4.

TERRE.   La t. a tremblé à la mort de Jésus III, 40, 2 ; 48, 5. —
Il nous faut quitter le sol mouvant des vices pour la t. ferme des
vertus III, 58, 6. — La t. promise aux doux est le séjour du ciel
IV, 91, 5 ; elle est le corps des saints qui sera transformé par la
résurrection Ibid.

TERRESTRE.   Par la charité et la pureté, de t., nous devenons célestes
III, 42, 5.

TESTAMENT.   L'Ancien et le Nouveau T. s'accordent à la Transfiguration du Seigneur III, 38, 4. — Les deux T. se font écho
pour raconter la gloire de la grâce de Dieu III, 47, 1. — Les
débuts de l'Ancien T. sont au service des commencements de
l'Évangile III, 62, 1. — Union des deux T. quant au précepte
de la double charité IV, 79, 1. — Ce qui convenait aux deux T.
demeure inchangé sous le Nouveau IV, 87, 1.

TÊTE. La t. et les membres sont inséparables dans le Christ total III, 50, 3. — Ce qui a été inauguré dans la t., le Christ, sera achevé dans les membres III, 52, 4. — La vertu qui se trouve dans la t. se trouve aussi dans les membres III, 53, 4. — Là où la gloire de la t. a précédé, là aussi est appelée l'espérance du corps III, 60, 4.

THÉOPHANIES. Les t. de l'Ancien Testament étaient le fait du Fils de Dieu I, 5, 4.

THOMAS. Le doute de T. a servi à fortifier notre foi en la résurrection I, 15, 3. — La parole de Jésus à T., son explication III, 61, 1.

TOMBEAUX. L'ouverture des t. à la mort de Jésus III, 40, 2 ; 44, 4.

TORPEUR. La t. des disciples après la mort de Jésus venait d'un manque de foi III, 60, 1.

TRACES. Nous devons marcher sur les t. de Jésus III, 59, 5.

TRADITION. Nous tenons l'institution des « collectes » de la t. des Apôtres II, 22 ; 24, 1 ; idem pour les « jeûnes » de Pentecôte III, 63, 9. — La t. des Apôtres a instruit l'Église IV, 65, 2 ; 66, 1. — Les exercices de la vie chrétienne ont fait l'objet d'une t. IV, 76, 4 ; de même le « jeûne » du VIIe mois IV, 81, 1 ; et celui du Xe mois IV, 82, 4.

TRAÎTRE. Il y a plus de danger dans un t. caché que dans un ennemi manifeste II, 34, 1.

TRANSFIGURATION. Raisons de la T. III, 38, 2 : affirmir la foi des disciples contre le scandale de la croix III, 38, 3 ; donner un fondement à l'espérance de l'Église Ibid. ; confirmer la parole de l'Évangile par le témoignage de la Loi et des Prophètes III, 38, 4. — L'extase de S. Pierre, son intervention et la réponse de Jésus III, 38, 5. — La nuée et la voix du Père III, 38, 6. — Comment devons-nous écouter le Fils, selon la parole du Père ? III, 38, 7. — La voix du Père à la T. ne s'explique pas sans la puissance du Verbe en Jésus III, 51, 4.

TRÉSOR. C'est la conscience des prêtres juifs qui se charge de ce qui ne tombe pas dans le t. du Temple (les 30 deniers de Judas) III, 44, 3. — Le t. du chrétien, c'est l'amour de Dieu IV, 79, 3. — Le t. de l'homme charnel et le t. de l'homme spirituel Ibid.

TRIBUNAL. Sur la croix se trouvait le t. du Seigneur III, 46, 7.

TRINITÉ. Caractères de l'essence divine dans la T. III, 51, 2. — La T. ne pouvait rien avoir de soi qui fût distinct d'elle-même (à propos de l'abandon du Christ par le Père) III, 55, 1. — Dans l'unique essence divine, il n'y a pas de singularité qui confonde la T. III, 59, 5. — Dans la T., rien de dissemblable, rien d'inégal, rien qui se distingue en puissance, en gloire, en éternité III,

TABLE DES SERMONS
CONTENUS DANS LES TOMES I-III

Pour les tomes I et II, les chiffres renvoient à la seconde édition ; pour le tome III, à la première. (Les chiffres entre parenthèses renvoient à la première édition des tomes I et II.)

TOME I

TOME II

TOME III

TABLE DES MATIÈRES DU TOME IV

TABLES ET INDEX

SOURCES CHRÉTIENNES

LISTE COMPLÈTE DE TOUS LES VOLUMES PARUS

N. B. — L'ordre suivant est celui de la date de parution (n° 1 en 1942) et il n'est pas tenu compte ici du classement en séries : grecque, latine, byzantine, orientale, textes monastiques d'Occident ; et série annexe : textes para-chrétiens.

Sauf indication contraire, chaque volume comporte le texte original, grec ou latin, souvent avec un apparat critique inédit.

La mention *bis* indique une seconde édition. Quand cette seconde édition ne diffère de la première que par de menues corrections et des *Addenda et Corrigenda* ajoutés en appendice, la date est accompagnée de la mention « réimpression avec supplément ».

1. GRÉGOIRE DE NYSSE : **Vie de Moïse.** J. Daniélou (3e édition) (1968).

2 bis. CLÉMENT D'ALEXANDRIE : **Protreptique.** C. Mondésert, A. Plassart (réimpression de la 2e éd., 1961).

3 bis. ATHÉNAGORE : **Supplique au sujet des chrétiens.** *En préparation.*

4 bis. NICOLAS CABASILAS : **Explication de la divine Liturgie.** S. Salaville, R. Bornert, J. Gouillard, P. Périchon (1967).

5. DIADOQUE DE PHOTICÉ : **Œuvres spirituelles.** É. des Places (réimpr. de la 2e éd., avec suppl., 1966).

6 bis. GRÉGOIRE DE NYSSE : **La création de l'homme.** *En préparation.*

7 bis. ORIGÈNE : **Homélies sur la Genèse.** H. de Lubac, L. Doutreleau. *En préparation.*

8. NICÉTAS STÉTHATOS : **Le paradis spirituel.** M. Chalendard. *Remplacé par le n° 81.*

9 bis. MAXIME LE CONFESSEUR : **Centuries sur la charité.** *En préparation.*

10. IGNACE D'ANTIOCHE : **Lettres. — Lettres et Martyre** de POLYCARPE DE SMYRNE. P.-Th. Camelot (4e édition) (1969).

11 bis. HIPPOLYTE DE ROME : **La Tradition apostolique.** B. Botte (1968).

12 bis. JEAN MOSCHUS : **Le Pré spirituel.** *En préparation.*

13. JEAN CHRYSOSTOME : **Lettres à Olympias.** A.-M. Malingrey. Trad. seule (1947).

13 bis. 2e édition avec le texte grec et la **Vie anonyme d'Olympias** (1968).

14. HIPPOLYTE DE ROME : **Commentaire sur Daniel.** G. Bardy, M. Lefèvre. Trad. seule (1947).
2e édition avec le texte grec. *En préparation.*

15. ATHANASE D'ALEXANDRIE : **Lettres à Sérapion.** J. Lebon. Trad. seule (1947).

16. ORIGÈNE : **Homélies sur l'Exode.** H. de Lubac, J. Fortier. Trad. seule (1947).

17. BASILE DE CÉSARÉE : **Sur le Saint-Esprit.** B. Pruche. Trad. seule (1947).
17 bis. 2e édition avec le texte grec (1968).

18 bis. ATHANASE D'ALEXANDRIE : **Discours contre les païens.** *En préparation.*

19 bis. HILAIRE DE POITIERS : **Traité des Mystères.** P. Brisson (réimpression, avec supplément, 1967).

20. THÉOPHILE D'ANTIOCHE : **Trois livres à Autolycus.** G. Bardy, J. Sender. Trad. seule (1948).
2e édition avec le texte grec. *En préparation.*

21. ÉTHÉRIE : **Journal de voyage.** H. Pétré (réimpression, 1971).

22 bis. LÉON LE GRAND : **Sermons, t. I.** J. Leclercq, R. Dolle (1964).

23. CLÉMENT D'ALEXANDRIE : **Extraits de Théodote** (réimpression, 1970).

24 bis. PTOLÉMÉE : **Lettre à Flora.** G. Quispel (1966).

25 bis. AMBROISE DE MILAN : **Des sacrements. Des mystères. Explication du Symbole.** B. Botte (1961).

26 bis. BASILE DE CÉSARÉE : **Homélies sur l'Hexaéméron.** S. Giet (réimpr. avec suppl., 1968).

27 bis. **Homélies Pascales,** t. I. P. Nautin. *En préparation.*

28 bis. JEAN CHRYSOSTOME : **Sur l'incompréhensibilité de Dieu.** J. Daniélou, A.-M. Malingrey, R. Flacelière (1970).

29 bis. ORIGÈNE : **Homélies sur les Nombres.** A. Méhat. *En préparation.*

30 bis. CLÉMENT D'ALEXANDRIE : **Stromate I.** *En préparation.*

31. EUSÈBE DE CÉSARÉE : **Histoire ecclésiastique,** t. I. G. Bardy (réimpression, 1965).

32 bis. GRÉGOIRE LE GRAND : **Morales sur Job,** t. I. Livres I-II. R. Gillet, A. de Gaudemaris. *En préparation.*

33 bis. **A Diognète.** H. I. Marrou (réimpr. avec suppl., 1965).

34 bis. IRÉNÉE DE LYON : **Contre les hérésies, livre III.** *En préparation.*

35 bis. TERTULLIEN : **Traité du baptême.** F. Refoulé. *En préparation.*

36 bis. **Homélies Pascales,** t. II. P. Nautin. *En préparation.*

37 bis. ORIGÈNE : **Homélies sur le Cantique.** O. Rousseau (1966).

38 bis. CLÉMENT D'ALEXANDRIE : **Stromate II.** *En préparation.*

39 bis. LACTANCE : **De la mort des persécuteurs.** 2 vol. *En préparation.*

40. THÉODORET DE CYR : **Correspondance,** t. I. Y. Azéma (1955).

41. EUSÈBE DE CÉSARÉE : **Histoire ecclésiastique,** t. II. G. Bardy (réimpression, 1965).

42. JEAN CASSIEN : **Conférences,** t. I. E. Pichery (réimpression, 1966).

43. S. JÉRÔME : **Sur Jonas.** P. Antin (1956).

44. PHILOXÈNE DE MABBOUG : **Homélies.** E. Lemoine. Trad. seule (1956).

45 bis. AMBROISE DE MILAN : **Sur S. Luc,** t. I. G. Tissot (réimpr. avec suppl., 1971).

46. TERTULLIEN : **De la prescription contre les hérétiques.** P. de Labriolle et F. Refoulé (1957).

47. PHILON D'ALEXANDRIE : **La migration d'Abraham.** R. Cadiou (1957).

48. **Homélies Pascales,** t. III. F. Floëri et P. Nautin (1957).

49 bis. LÉON LE GRAND : **Sermons,** t. II. R. Dolle (1969).

50 bis. JEAN CHRYSOSTOME : **Huit Catéchèses baptismales inédites.** A. Wenger (réimpr. avec suppl., 1970).

51. SYMÉON LE NOUVEAU THÉOLOGIEN : **Chapitres théologiques, gnostiques et pratiques.** J. Darrouzès (1957).

52. AMBROISE DE MILAN : **Sur S. Luc,** t. II. G. Tissot (1958).

53 bis. HERMAS : **Le Pasteur.** R. Joly (réimpr. avec suppl., 1968).

54. JEAN CASSIEN : **Conférences,** t. II. E. Pichery (réimpression, 1966).

55. EUSÈBE DE CÉSARÉE : **Histoire ecclésiastique,** t. III. G. Bardy (réimpression, 1967).

56. ATHANASE D'ALEXANDRIE : **Deux apologies.** J. Szymusiak (1958).

57. THÉODORET DE CYR : **Thérapeutique des maladies helléniques.** 2 volumes. P. Canivet (1958).

58 bis. DENYS L'ARÉOPAGITE : **La hiérarchie céleste.** G. Heil, R. Roques, M. de Gandillac (réimpr. avec suppl., 1970).

59. **Trois antiques rituels du baptême.** A. Salles. Trad. seule. *Epuisé.*

60. AELRED DE RIEVAULX : **Quand Jésus eut douze ans.** A. Hoste, J. Dubois (1958).

61 bis. GUILLAUME DE SAINT-THIERRY : **Traité de la contemplation de Dieu.** J. Hourlier (1968).

62. IRÉNÉE DE LYON : **Démonstration de la prédication apostolique.** L. Froidevaux. Nouvelle trad. sur l'arménien. Trad. seule (réimpr. 1971).

63. RICHARD DE SAINT-VICTOR : **La Trinité.** G. Salet (1959).

64. JEAN CASSIEN : **Conférences,** t. III. E. Pichery (réimpr., 1971).

65. GÉLASE Iᵉʳ : **Lettre contre les Lupercales et dix-huit messes du sacramentaire léonien.** G. Pomarès (1960).

66. ADAM DE PERSEIGNE : **Lettres**, t. I. J. Bouvet (1960).

67. ORIGÈNE : **Entretien avec Héraclide.** J. Scherer (1960).

68. MARIUS VICTORINUS : **Traités théologiques sur la Trinité.** P. Henry, P. Hadot. Tome I. Introd., texte critique, traduction (1960).

69. Id. — Tome II. Commentaire et tables (1960).

70. CLÉMENT D'ALEXANDRIE : **Le Pédagogue**, t. I. H. I. Marrou, M. Harl (1960).

71. ORIGÈNE : **Homélies sur Josué.** A. Jaubert (1960).

72. AMÉDÉE DE LAUSANNE : **Huit homélies mariales.** G. Bavaud, J. Deshusses, A. Dumas (1960).

73 bis. EUSÈBE DE CÉSARÉE : **Histoire ecclésiastique,** t. IV. Introd. générale de G. Bardy et tables de P. Périchon (réimpr. avec suppl., 1971).

74. LÉON LE GRAND : **Sermons,** t. III. R. Dolle (1961).

75. S. AUGUSTIN : Commentaire de la Iʳᵉ Épître de S. Jean. P. Agaësse (réimpression, 1966).

76. AELRED DE RIEVAULX : **La vie de recluse.** Ch. Dumont (1961).

77. DEFENSOR DE LIGUGÉ : **Le livre d'étincelles,** t. I. H. Rochais (1961).

78. GRÉGOIRE DE NAREK : **Le livre de Prières.** I. Kéchichian. Trad. seule (1961).

79. JEAN CHRYSOSTOME : **Sur la Providence de Dieu.** A.-M. Malingrey (1961).

80. JEAN DAMASCÈNE : **Homélies sur la Nativité et la Dormition.** P. Voulet (1961).

81. NICÉTAS STÉTHATOS : **Opuscules et lettres.** J. Darrouzès (1961).

82. GUILLAUME DE SAINT-THIERRY : **Exposé sur le Cantique des Cantiques.** J.-M. Déchanet (1962).

83. DIDYME L'AVEUGLE : **Sur Zacharie.** Texte inédit. L. Doutreleau. Tome I. Introduction et livre I (1962).

84. Id. — Tome II. Livres II et III (1962).

85. Id. — Tome III. Livres IV et V, Index (1962).

86. DEFENSOR DE LIGUGÉ : **Le livre d'étincelles,** t. II. H. Rochais (1962).

87. ORIGÈNE : **Homélies sur S. Luc.** H. Crouzel, F. Fournier, P. Périchon (1962).

88. **Lettres des premiers Chartreux,** tome I : S. BRUNO, GUIGUES, S. ANTHELME. Par un Chartreux (1962).

89. **Lettre d'Aristée à Philocrate.** A. Pelletier (1962).

90. **Vie de sainte Mélanie.** D. Gorce (1962).

91. ANSELME DE CANTORBÉRY : **Pourquoi Dieu s'est fait homme.** R. Roques (1963).

92. DOROTHÉE DE GAZA : **Œuvres spirituelles.** L. Regnault, J. de Préville (1963).

93. BAUDOUIN DE FORD : **Le sacrement de l'autel.** J. Morson, É. de Solms, J. Leclercq. Tome I (1963).

94. Id. — Tome II (1963).

95. MÉTHODE D'OLYMPE : **Le banquet.** II. Musurillo, V.-H. Debidour (1963).

96. SYMÉON LE NOUVEAU THÉOLOGIEN : **Catéchèses.** B. Krivochéine, J. Paramelle. Tome I. Introduction et Catéchèses 1-5 (1963).

97. CYRILLE D'ALEXANDRIE : **Deux dialogues christologiques.** G. M. de Durand (1964).

98. THÉODORET DE CYR : **Correspondance,** t. II. Y. Azéma (1964).

99. ROMANOS LE MÉLODE : **Hymnes.** J. Grosdidier de Matons. Tome I. Introduction et Hymnes I-VIII (1964).

100. IRÉNÉE DE LYON : **Contre les hérésies,** livre IV. A. Rousseau, B. Hemmerdinger, Ch. Mercier, L. Doutreleau. 2 vol. (1965).

101. QUODVULTDEUS : **Livre des promesses et des prédictions de Dieu.** R. Braun. Tome I (1964).

102. Id. — Tome II (1964).

103. JEAN CHRYSOSTOME : **Lettre d'exil.** A.-M. Malingrey (1964).

140. Rufin d'Aquilée : **Les bénédictions des Patriarches**. M. Simonetti, H. Rochais, P. Antin (1968).

141. Cosmas Indicopleustès : **Topographie chrétienne**. Tome I. Introduction et livres I-IV. W. Wolska-Conus (1968).

142. **Vie des Pères du Jura**. F. Martine (1968).

143. Gertrude d'Helfta : **Œuvres spirituelles**. Tome III. **Le Héraut**. Livre III. P. Doyère (1968).

144. **Apocalypse syriaque de Baruch**. Tome I. Introduction et traduction. P. Bogaert (1969).

145. **Id. — Tome II**. Commentaire et tables (1969).

146. **Deux homélies anoméennes pour l'octave de Pâques**. J. Liébaert (1969).

147. Origène : **Contre Celse**. M. Borret. Tome III. Livres V et VI (1969).

148. Grégoire le Thaumaturge : **Remerciement à Origène. — La lettre d'Origène à Grégoire**. H. Crouzel (1969).

149. Grégoire de Nazianze : **La passion du Christ**. A. Tuilier (1969).

150. Origène : **Contre Celse**. M. Borret. Tome IV. Livres VII et VIII (1969).

151. Jean Scot : **Homélie sur le Prologue de Jean**. E. Jeauneau (1969).

152. Irénée de Lyon : **Contre les hérésies**, livre V. A. Rousseau, L. Doutreleau, C. Mercier. Tome I. Introduction, notes justificatives et tables (1969).

153. **Id. — Tome II**. Texte et traduction (1969).

154. Chromace d'Aquilée : **Sermons**. Tome I. Sermons 1-17 A. J. Lemarié (1969).

155. Hugues de Saint-Victor : **Six opuscules spirituels**. R. Baron (1969).

156. Syméon le Nouveau Théologien : **Hymnes**. J. Koder, J. Paramelle. Tome I. Hymnes I-XV (1969).

157. Origène : **Commentaire sur S. Jean**. C. Blanc. Tome II. Livres VI et X (1970).

158. Clément d'Alexandrie : **Le Pédagogue**. Livre III. Cl. Mondésert, H. I. Marrou et Ch. Matray (1970).

159. Cosmas Indicopleustès : **Topographie chrétienne**. Tome II. Livre V. W. Wolska-Conus (1970).

160. Basile de Césarée : **Sur l'origine de l'homme**. A. Smets et M. Van Esbroeck (1970).

161. **Quatorze homélies du IXe siècle d'un auteur inconnu de l'Italie du Nord**. P. Mercier (1970).

162. Origène : **Commentaire sur l'Évangile selon Matthieu**. Tome I. Livres X et XI. R. Girod (1970).

163. Guigues II le Chartreux : **Lettre sur la vie contemplative (ou Échelle des Moines). Douze méditations**. E. Colledge, J. Walsh (1970).

164. Chromace d'Aquilée : **Sermons**. Tome II. Sermons 18-41. J. Lemarié (1971).

165. Rupert de Deutz : **Les œuvres du Saint-Esprit**. Tome II. Livres III et IV. J. Gribomont, É. de Solms (1970).

166. Guerric d'Igny : **Sermons**. Tome I. J. Morson, H. Costello, F. Deseille (1970).

167. Clément de Rome : **Épître aux Corinthiens**. A. Jaubert (1971).

168. Richard Rolle : **Le chant d'amour (Melos amoris)**. F. Vandenbroucke et les Moniales de Wisques. Tome I (1971).

169. **Id. — Tome II** (1971).

170. Évagre le Pontique : **Traité pratique**. A. et C. Guillaumont. Tome I. Introduction (1971).

171. **Id. — Tome II**. Texte, traduction, commentaire et tables (1971).

172. **Épître de Barnabé**. R.A. Kraft, P. Prigent (1971).

173. Tertullien : **La toilette des femmes**. M. Turcan (1971).

174. Syméon le Nouveau Théologien : **Hymnes**. J. Koder, L. Neyrand. Tome II. Hymnes XVI-XL (1971).

175. Césaire d'Arles : **Sermons au peuple**. Tome I. Sermons 1-20. M.-J. Delage (1971).

176. Salvien de Marseille : **Œuvres**. Tome I. G. Lagarrigue (1971).

SOUS PRESSE

SOURCES CHRÉTIENNES

(1-200)

Également aux Éditions du Cerf :

LES ŒUVRES DE PHILON D'ALEXANDRIE

publiées sous la direction de

R. ARNALDEZ, C. MONDÉSERT, J. POUILLOUX.

Texte grec et traduction française.

IMPRIMERIE A. BONTEMPS, LIMOGES (FRANCE)

Registre des travaux : Éditeur, 6.302 ; Imprimeur, 21.622

Dépôt légal : 1er trimestre 1973